Éloges du premier tome de la série
Wind Dragons, *L'antre du dragon*

« *L'antre du dragon* est la preuve qu'une fille dure à cuire peut arriver à amadouer même le plus sauvage des hommes. [...] À ne pas manquer. Un roman de moto unique en son genre [...] présentant une héroïne qui va plaire aux femmes de caractère, ainsi que tout un club de motards séduisants. Chantal Fernando sait comment vous accrocher et vous tenir en haleine. »

— Angela Graham, auteure à succès selon le *New York Times* et *USA Today*

« *L'antre du dragon* était amusant et palpitant. Une combinaison exquise de motards durs à cuire et d'humour à vous faire éclater de rire. »

— Bookgossip.net

Éloges de *L'enfer d'Arrow*

« Ça fait rougir, c'est déchirant et c'est magnifiquement bien écrit ! *L'enfer d'Arrow* m'a fait vivre l'aventure de ma vie ! »

— Bella Jewel, auteure à succès selon *USA Today*

LE DESTIN DE
TRACKER

LE DESTIN DE
TRACKER

Chantal Fernando

Traduit de l'anglais par
Sophie Beaume

A·D·A
éditions

Éditeur : François Doucet
Traduction : Sophie Beaume
Révision linguistique : Isabelle Veillette
Correction d'épreuves : Nancy Coulombe et Féminin pluriel
Conception de la couverture : Mathieu C. Dandurand
Photo de la couverture : © Thinkstock
Vectorielles : Créées par Freepik
Mise en pages : Sébastien Michaud
ISBN papier 978-2-89786-245-9
ISBN PDF numérique 978-2-89786-246-6
ISBN ePub 978-2-89786-247-3
Première impression : 2017
Dépôt légal : 2017
Bibliothèque et Archives Nationales du Québec
Bibliothèque et Archives Nationale du Canada

Éditions AdA Inc.
1385, boul. Lionel-Boulet,
Varennes (Québec) J3X 1P7, Canada
Téléphone : 450 929-0296
Télécopieur : 450 929-0220
www.ada-inc.com
info@ada-inc.com

Diffusion
Canada : Éditions AdA Inc.
France : D.G. Diffusion
Z.I. des Bogues
31750, Escalquens — France
Téléphone : 05.61.00.09.99
Suisse : Transat — 23.42.77.40
Belgique : D.G. Diffusion — 05.61.00.09.99

Imprimé en Chine

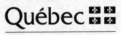

Participation de la SODEC.
Nous reconnaissons l'aide financière du gouvernement du Canada par l'entremise du Fonds du livre du Canada (FLC) pour nos activités d'édition.
Gouvernement du Québec — Programme de crédit d'impôt pour l'édition de livres — Gestion SODEC.

Catalogage avant publication de Bibliothèque et Archives nationales du Québec et Bibliothèque et Archives Canada

Fernando, Chantal

    [Tracker's end. Français]
    Le destin de Tracker
    (Wind Dragons ; 3)
    Traduction de : Tracker's end.
    ISBN 978-2-89786-245-9

    I. Beaume, Sophie, 1968- . II. Titre. III. Titre : Tracker's end. Français. Collection : Fernando, Chantal. Roman de la série Wind Dragons; 3.

PR9619.4.F47T7214 2017   823'.92   C2017-941276-0

Avez-vous déjà rencontré quelqu'un et eu immédiatement
l'impression que cette personne faisait partie de la famille ?
Moi, oui.
Elle s'appelle Rose Tawil.
Je t'aime, chérie !

***

« Les meilleures personnes possèdent le sens de la beauté, le courage de prendre des risques, la discipline de dire la vérité et la capacité de se sacrifier. Ironiquement, leurs vertus les rendent vulnérables et elles sont souvent blessées, parfois anéanties. »

— Ernest Hemingway

REMERCIEMENTS

Comme toujours, je souhaite remercier Abby Zidle et Gallery Books. Cette expérience a été extraordinaire et j'ai eu beaucoup de chance d'être entourée de personnes si merveilleuses.

À mon agente, Kimberly Brower : merci d'avoir toujours cru en moi et de m'avoir encouragée à redoubler d'ardeur au travail.

À Arijana Karcic : je pense que je ne pourrai jamais assez te remercier. Tu es l'une des meilleures personnes que j'ai eu le plaisir de rencontrer. Merci d'être qui tu es. Ton humour mordant me permet de passer à travers mes journées.

Merci à ma famille ; je vous aime et je vous suis reconnaissante pour votre aide.

À Tenielle, ma sœur et meilleure amie : tu sais à quel point tu es importante pour moi. Je serais prête à tout pour toi. À tout.

À Sasha Jaya : tu es la meilleure amie qu'une fille puisse avoir et j'ai la chance que tu fasses partie de la famille en plus. Je t'aimerai toujours.

À Brent : merci d'avoir répondu à toutes mes questions extrêmement personnelles et de m'avoir donné un aperçu du cerveau masculin. Tu es génial. D'accord, plus que génial ; tu es formidable. Un sacré casse-couilles aussi.

À tous les blogueurs qui m'apportent du soutien sur une base quotidienne : je vous adore tous autant que vous êtes ! À Tara Lynn : merci pour tes messages hilarants, je suis touchée que mes héros te plaisent tant.

À Natasha Awkar : je t'adore, ma vieille ! Merci d'être toujours là pour moi.

Merci à tous mes lecteurs tests et à toutes les filles de l'équipe de soutien des mâles alpha de Chantal, particulièrement à Eileen Robinson, qui est une dame tout à fait formidable.

À Aileen Day : les livres nous ont rapprochées et tu es maintenant une de mes meilleures amies. Merci d'être si merveilleuse.

À mes trois fils : merci de me motiver à devenir une meilleure personne, de me donner une raison de me battre. Je vous aime plus que tout.

 **PROLOGUE**

— Anna, qui est-ce ? s'enquiert un dieu aux cheveux blonds.

Je m'approche de ma meilleure amie. Lorsqu'Anna est revenue en ville, jamais je ne me serais imaginée être projetée dans l'univers d'un club de motards incroyablement séduisants, mais dangereux. Désormais, la vie ne serait plus ennuyeuse dans les environs, c'était certain. L'homme qui s'approche de nous est probablement le mec le plus séduisant que j'ai vu de toute ma vie et je n'exagère même pas. Il a des yeux verts au regard enjoué, des traits anguleux, une mâchoire forte couverte d'une barbe naissante, et je peux apercevoir des tatouages qui dépassent de son t-shirt blanc. Je vois aussi un bras musclé que j'imagine serré autour de moi.

Ouais, je vais peut-être commencer à traîner ici plus souvent.

Genre, tous les jours.

— Tracker[1], voici Lana, nous présente Anna avant de poursuivre son explication. Tracker est un ami de Rake[2].

Je n'ai toujours pas l'habitude d'appeler Adam, le frère d'Anna, par son surnom de motard. Je connais Adam, enfin, Rake, depuis mon enfance. À l'école, il ne faisait pas partie d'un club de motards, mais il semait tout de même la pagaille partout sur son passage. Au fond, c'est néanmoins quelqu'un de bien qui prend soin de sa cadette.

---

1. N.d.T.: Surnom qui signifie «traqueur».

2. N.d.T.: Surnom qui signifie «débauché», mais qui peut aussi signifier «râteau» ou «ratisser».

— Enchantée, Tracker, dis-je d'une petite voix en lui lançant un regard timide.

Un sourire se dessine lentement sur ses lèvres.

— Tout le plaisir est pour moi.

Je dois me souvenir de respirer.

— C'est donc toi la complice des mauvais coups d'Anna ? me demande-t-il en s'approchant.

Je jette un coup d'œil à Anna, puis je reporte mon attention sur lui.

— Non. Habituellement, j'essaie plutôt de l'empêcher de faire des mauvais coups.

Il rit en se grattant distraitement le torse. Je suis sa main des yeux, incapable de détourner le regard de son t-shirt qui lui colle à la peau.

— Je n'ai aucun mal à l'imaginer. Je ne la connais pas depuis très longtemps, mais j'ai déjà compris que c'est une fouteuse de merde.

Anna lui fait un doigt d'honneur.

Tracker me lance un regard qui exprime clairement : *Tu vois ce que je veux dire ?*

Un petit sourire se dessine sur mes lèvres.

— C'est habituellement sa langue qui lui attire des ennuis.

— Traîtresse, rétorque Anna d'un ton bon enfant.

— Ou le fait qu'elle pense que j'ai besoin qu'on me protège.

Tracker m'observe attentivement.

— Tu es du genre petite et mignonne. C'est séduisant.

Je baisse timidement la tête.

— Ne la mets pas mal à l'aise, le sermonne Anna avant de marquer une pause. Ne la drague pas non plus. Tu as déjà une femme, tu te souviens ?

Je suis surprise par la déception que je ressens en entendant qu'il n'est pas libre, mais je n'y fais pas attention. Ce n'est pas le genre de mec en qui je peux avoir confiance, c'est évident. Son attitude de dragueur amical est certainement un art bien maîtrisé ; son talent a probablement fonctionné avec d'innombrables femmes dans le passé. Mais il ne fonctionnera pas avec moi. Non.

Tandis que Tracker m'observe attentivement d'un air songeur, j'essaie de rester impassible. Comme s'il venait d'arriver à une conclusion, il hoche la tête et cesse de me regarder.

— Je me montre amical, c'est tout.

— Eh bien, pas la peine, réplique Anna. Viens, Lana. Il vaudrait mieux y aller.

— D'accord, murmuré-je en la suivant.

Je n'arrive pas à m'en empêcher : je me retourne pour le regarder.

Mais il ne me regarde pas.

Perdu dans ses pensées, il a les yeux rivés au sol. Les sourcils froncés, il semble presque perplexe, comme s'il ne comprenait pas ce qui se passe dans sa tête.

Je me demande à quoi il pense. Je me demande s'il pense à moi. Non que ce soit important. Il n'est pas libre.

Je ne suis probablement pas son genre, de toute manière.

J'en ai la confirmation lorsqu'une jolie femme s'approche de lui.

Sa jolie femme, comprends-je lorsqu'elle pose la main sur son torse en lui lançant un regard charmeur.

Elle est tout le contraire de moi : grande, mince et vêtue d'un pantalon en cuir moulant, d'un haut noir qui laisse paraître sa chair ferme ainsi que des talons hauts rouges vernis. C'est le parangon des filles à motards.

Je baisse les yeux sur mon propre jean usé, mon t-shirt imprimé et mes tongs, puis je poursuis mon chemin. Je ne dégage peut-être pas autant d'érotisme que cette femme, mais ce n'est tout simplement pas mon genre. Il faut parfois savoir qui on est *et* qui on n'est pas.

CHAPITRE 1
TRACKER

Un an plus tard

Je l'aperçois.

Comme d'habitude, elle reste légèrement derrière Anna, presque comme si elle se cachait. Putain, ce qu'elle est timide. C'est hypermignon. Les femmes sont généralement entreprenantes avec moi, comme je le suis avec elles. Mais Lana? Son regard évite autant que possible de croiser le mien. Je sais qu'elle a envie de moi; je sais reconnaître le désir. Mais avec elle, il y a quelque chose de plus. Elle ne veut pas que du sexe. Elle *mérite* mieux. Au cours de la dernière année, j'ai essayé de me tenir loin d'elle. Je pensais que je n'étais pas assez bien pour elle. Ah! Je n'étais pas vraiment célibataire non plus.

Je ne suis toujours pas assez bien pour elle.

Pour ce qui est d'avoir envie d'elle, mon désir n'a pas changé depuis l'instant où je l'ai rencontrée.

Elle porte un haut bleu qui épouse les contours de sa silhouette menue ainsi qu'un jean qui moule son alléchant arrière-train. Ces fesses suffiraient à causer la perte d'un homme. Sentant que je bande, je me tortille, mal à l'aise, et je m'efforce de détourner les yeux. Balayant la pièce du regard, j'aperçois Allie.

Merde.

Entre Allie et moi, la situation est absolument catastrophique. Un sacré bordel dans lequel je me suis laissé prendre parce que c'était facile. Elle était là, elle avait envie de moi et elle connaissait déjà le mode de vie ; facile.

Allie est la fille d'un défunt membre des Wind Dragons. Pour cette raison, nous lui permettons d'habiter au club et nous veillons sur elle. Je sais qu'elle a couché avec quelques autres membres du club, mais lorsqu'elle a mis les pattes sur moi, cette garce s'est agrippée solidement. Elle voulait devenir ma régulière et je l'ai laissée jouer ce rôle pendant un certain temps sans lui en donner officiellement le titre. Quand j'y repense, je sais que je ne l'ai pas traitée comme je traiterais ma régulière, comme je traiterais Lana si elle était mienne. Les sentiments n'y étaient tout simplement pas et ils n'y sont toujours pas. Je cherchais chez Allie quelque chose que je n'ai pas trouvé, mais je me suis tout de même accroché. Sans le vouloir, je lui ai donné de faux espoirs. En restant avec elle, je me suis conduit comme un putain d'égoïste parce que j'aurais dû la laisser partir dès que notre relation a commencé à dérailler. Soit dès le putain de départ. J'ai l'impression qu'elle sait que notre relation ne fonctionnera pas, mais qu'elle espère malgré tout. Peu importe, c'est vraiment la merde et il faut y mettre un terme.

Allie est jalouse, a la langue bien pendue et possède un petit côté vindicatif qu'il ne faudrait pas sous-estimer. Elle voue à Lana une haine viscérale et est sacrément jalouse d'elle. Enfin, elle s'est aussi conduite comme une garce envers Faye et Anna, avec ses commentaires méprisants et sa méchanceté généralisée, mais envers Lana, c'est différent. Faye et Anna sont capables de remettre Allie à sa place, tandis que Lana est plus tranquille et moins sur ses gardes.

J'ai remarqué les regards machiavéliques qu'Allie lui lance ; on dirait presque qu'elle manigance quelque chose. Elle sent peut-être mon attirance pour Lana. J'ai toujours essayé de la protéger d'Allie, parce que je sais qu'elle peut se montrer cruelle. Aussitôt que Lana est dans les parages, je me montre un peu plus attentionné envers Allie, uniquement pour endiguer sa jalousie. Sauf qu'en essayant de la protéger d'Allie, j'ai éloigné Lana un peu plus chaque fois. Mais c'était la chose à faire. Je veux que ce soit parfaitement terminé entre Allie et moi et je veux franchir ce gouffre qui s'est ouvert entre Lana et moi.

Allie a bien un petit côté charmant, vulnérable, qu'elle s'efforce sans cesse de cacher. Il ne suffit tout simplement pas à me faire oublier ses défauts. Dans l'ensemble, c'est une garce endurcie qui est née pour monter derrière une moto, mais pas la mienne.

Lana, en revanche…

J'ai envie d'elle depuis l'instant où je l'ai aperçue pour la première fois, sans égard au fait que je sortais avec Allie, même si je prétendais le contraire. J'ai essayé de lui faire croire que je voulais seulement être son ami, mais je ne suis pas certain du message que j'ai envoyé en réalité. Des putains de signes contradictoires, sans doute.

Je tourne la tête, reportant une fois de plus mon attention sur elle.

Elle est magnifique. Douce.

Pas un gramme de méchanceté dans tout son petit corps… Pourtant… sa place est derrière moi sur ma moto. La loyauté dont je l'ai vue faire preuve envers Anna lorsque celle-ci a commencé à sortir avec Arrow[3] m'a prouvé à quel

---

3. N.d.T.: Surnom qui signifie « flèche ».

point elle est forte. Elle est tellement plus forte que je l'imaginais.

Celle-ci est à *moi*. J'avais envie d'elle à l'époque. J'ai toujours envie d'elle maintenant.

Plus la peine de continuer à résister, à faire comme si elle ne m'attirait pas, à essayer de l'ignorer, à lui donner l'impression que ce n'est absolument pas possible. La partie tire à sa fin.

Je vais m'imprégner de toute cette douceur.

La dévorer.

Personne ne se mettra en travers de mon chemin, pas même elle.

C'est mon destin.

CHAPITRE 2
LANA

Je sens qu'il me regarde, mais je fais comme s'il n'existait pas. Je me concentre plutôt sur la magnifique petite fille qui est devant moi. Clover est la princesse des Wind Dragons. La fille de Sin4, le président, et de Faye, sa femme qui n'a peur de rien, est protégée par tout le monde et adorée par plusieurs. Il ne faut surtout pas sous-estimer la fillette de six ans aux cheveux de jais, aux yeux noisette et au sourire des plus adorable.

Je suis sa nounou.

Aujourd'hui, c'est seulement la deuxième fois que je m'occupe d'elle, mais en toute honnêteté, c'est un ange. C'est extrêmement amusant de voir la manière dont cette petite fille mène tous les durs à cuire du club par le bout du nez. Bon sang, elle pourrait probablement m'apprendre quelques trucs. En ce moment même, elle est assise sur les genoux d'Arrow et attend impatiemment qu'il sorte un bonbon à la fraise de sa poche, qu'il le déballe et le lui mette dans la bouche.

A-t-il trimballé ce bonbon partout juste pour elle ?

Elle est forte, cette fillette.

— Ne le dis pas à ta mère, entends-je Arrow lui dire doucement de sa voix rocailleuse.

---

4. N.d.T.: Surnom qui signifie «péché» ou «pécher».

— Promis, répond Clover avec un grand sourire.

Je la regarde en secouant la tête, amusée. Arrow, qui vient d'être élu vice-président du club, est l'homme d'Anna. Je trouve qu'ils vont très bien ensemble. Tant qu'Anna est heureuse, je le suis aussi et il est évident qu'elle est sur un petit nuage avec Arrow. Anna a beau être fougueuse et forte, elle est heureuse comme un poisson dans l'eau lorsqu'il est dans les parages et il en est de même pour lui. Il l'adore et tuerait quiconque essaierait de lui faire du mal. J'aimerais avoir quelqu'un comme lui.

Rake, le frère d'Anna, est aussi membre du club. C'est ainsi qu'elle a rencontré Arrow et que je me suis retrouvée ici, je suppose.

Les membres des Wind Dragons sont intimidants, mais ils ont toujours été gentils avec moi, bien que légèrement autoritaires. Je sais qu'ils aiment Anna et comme je suis sa meilleure amie, ils veillent aussi sur moi. J'aime penser que je fais partie de la famille élargie.

Anna a dit à Faye que je ferais une excellente nounou et, plus important encore, que je suis digne de confiance. Elle pense que j'ai besoin d'argent, donc quand Faye m'a proposé l'emploi, je l'ai accepté. En réalité, je n'ai tout simplement pas trouvé de bonne raison pour refuser. Mais ensuite, plus j'y pensais, plus j'en avais envie. Faye avait besoin de quelqu'un, je l'aimais bien et je voulais me rendre utile. Je pourrais aussi passer plus de temps avec Anna. Avant d'être la nounou de Clover, je la voyais généralement une seule fois par semaine environ. Je peux maintenant la voir plus souvent tout en étant payée pour être ici. C'est gagnant-gagnant.

Il y avait aussi Tracker. Autant j'aurais aimé le nier, autant j'étais impatiente de le voir plus souvent, même de loin.

Arrow se lève et pose Clover sur le canapé.

— Il faut que j'y aille, princesse.

Clover fait la moue.

— Déjà ? Pourquoi ?

— Hé, je suis toujours là, moi, crie Tracker d'un ton faussement vexé.

Clover se tourne vers Tracker.

— Je sais, oncle Tracker, mais tu n'as pas de bonbons.

Les deux hommes se mettent à rire et moi aussi.

— Je dois aller rejoindre Anna, indique Arrow en tapotant la tête de Clover. Nous nous reverrons demain.

Les yeux marron d'Arrow se tournent ensuite vers moi.

— Ça ira, Lana ?

Je hoche la tête.

— Bien sûr.

Pourquoi ça n'irait pas ? D'accord, j'ai l'air de ne pas être à ma place ici. Je ne *suis* pas à ma place ici. Mes cheveux noirs sont remontés en un chignon bâclé, j'ai mes lunettes de lecture sur le nez, je ne suis pas maquillée, et je porte un jean et un haut noir ample sans manches. En toute honnêteté, j'ai normalement une apparence plus soignée au quotidien, mais j'essaie de me prouver que le fait que Tracker me trouve attirante ou non m'est égal.

Oui. Ça m'est égal.

Complètement égal.

À lui aussi.

— Appelle-moi si tu as besoin de quelque chose, murmure Arrow, qui nous regarde tour à tour, Tracker et moi, avant de partir.

— Je suis là si elle a besoin de quelque chose, entends-je Tracker lui répondre d'une voix dure.

Au moment où Arrow sort de la pièce, je suis presque certaine de l'entendre grommeler : «C'est bien ce qui m'inquiète». Une fois Arrow parti, Clover court s'asseoir à côté de Tracker et prend une de ses mains dans les siennes. Plantée là comme une dinde, je me dandine d'un pied sur l'autre sans trop savoir quoi faire. Puisque je n'ai pas d'autre choix que de le regarder, je me permets de l'observer.

Aujourd'hui, ses cheveux blonds qui lui tombent jusqu'aux épaules sont remontés en un chignon, un chignon *beaucoup* plus joli que le mien, qui lui donne un air séduisant. Mais il est toujours séduisant, en fait. Il a un certain charme auquel je suis tout simplement incapable de résister. Je sais que je ne suis pas la seule. Ses yeux verts légèrement plissés sont fixés sur moi. J'aimerais que sa barbe naissante ne m'attire pas autant, mais c'est ainsi. Cet homme est digne de faire la une d'un magazine et il le sait parfaitement. C'est aussi un dangereux motard dur à cuire et cette contradiction est extrêmement attirante.

— Clover, dit Tracker. Pourquoi n'irais-tu pas chercher des cahiers à colorier et des crayons ?

— Puis-je prendre l'un de ceux que tu viens de me donner ? lui demande-t-elle, tout excitée.

— Euh, oui ! lance-t-il en tentant d'avoir l'air aussi excité qu'elle.

Elle crie de joie, bondit du canapé et court chercher ses affaires.

Tracker se tourne vers moi.

— Assieds-toi, Lana, m'ordonne-t-il doucement.

Je balaie la pièce du regard avant de m'asseoir en face de lui sur le canapé.

— D'accord.

— Je ne te mordrai pas, m'assure-t-il avec un sourire carnassier qui laisse entrevoir ses dents blanches acérées.

Je pense au contraire qu'il mord. Je veux qu'il me morde. *Merde, je suis complètement fichue.*

— À quoi penses-tu ? s'enquiert-il.

Ses traits, beaucoup trop séduisants pour son propre bien, sont empreints d'amusement.

— À rien, réponds-je avec un haussement d'épaules désinvolte.

Il faut que je cesse d'être aussi expressive.

— Vas-tu passer toute la journée ici ?

Je vais peut-être emmener Clover quelque part. Inutile de rester ici à me laisser tenter par quelque chose que je n'aurai jamais.

— Oui, répond-il en penchant la tête sur le côté tout en m'observant attentivement. J'habite ici.

— C'est vrai, admets-je en me tortillant sur mon siège.

— Comment vont les cours ? s'informe-t-il en s'enfonçant dans le canapé.

J'étudie toujours l'administration. Après le secondaire, plutôt que d'entrer directement à l'université, j'avais travaillé pour aider ma mère. C'est la raison pour laquelle, à 25 ans, je suis toujours étudiante. Mais ma situation ne me dérange pas ; je suis simplement heureuse d'étudier quelque chose.

— Je suis en vacances pour l'instant. Elles viennent juste de commencer.

Il hoche la tête et écarquille les yeux.

— C'est vrai. Anna me l'avait dit. J'ai oublié.

Sa langue fait une brève apparition sur sa lèvre inférieure et je ne peux pas m'empêcher de la fixer des yeux.

— Tu seras donc ici tous les jours pour surveiller Clover ?

Je secoue la tête.

— Pas tous les jours. Quatre jours par semaine. Le temps des vacances, du moins.

Franchement, je ne comprends pas pourquoi Faye veut que je garde Clover ici. Des gens vont et viennent sans cesse. Anna m'a dit que dans la journée, pendant que Clover est ici, le club offre un environnement familial où tout le monde se conduit bien, mais qu'une fois la nuit tombée, rien ne va plus. Mais ce fait n'explique pas pourquoi Faye ne me fait pas garder Clover chez elle. À mon avis, ce serait plus sûr et tranquille, mais c'est Faye la patronne. Je crains qu'elle n'ait pas encore totalement confiance en moi et qu'elle veuille qu'il y ait d'autres gens dans les environs au cas où.

Passer du temps au club a manifestement de bons côtés. Aussi pathétique que la chose puisse paraître, je peux admirer Tracker pendant qu'il ne regarde pas et, jusqu'à maintenant, je me surprends à ne pas rater une seule occasion de le faire. Anna passe aussi la plupart de son temps ici et je me réjouis à l'idée de passer plus de temps avec elle.

— C'est bien, lance Tracker.

La manière dont il baisse les yeux vers ma poitrine puis plus bas vers la courbe de mes cuisses ne m'échappe pas. Soudain, la tension dans la pièce est à son comble. Je m'empresse de détourner le regard et je suis soulagée lorsque Clover revient avec ses cahiers et son coffre à crayons dans les mains. Elle s'assied à côté de moi et me montre tous les cahiers de coloriage que son oncle Tracker lui a achetés. Je sens le poids du regard de Tracker sur moi, mais je reste concentrée sur elle. Enfin, j'essaie.

— J'ai envie de jouer à un jeu, annonce Clover après avoir passé une quinzaine de minutes à colorier en silence.

— Quelle bonne idée! m'exclamé-je.

Tracker arbore un sourire narquois, manifestement conscient de la tension qui m'habite lorsqu'il est dans les parages.

— Que dirais-tu de jouer à cache-cache? intervient-il en baissant les yeux sur la fillette. Va te cacher et je vais venir te chercher.

Clover sourit de toutes ses dents, puis je la vois bondir du canapé pour se précipiter dans le couloir. Lorsque je reporte mon attention sur Tracker, il a les yeux rivés sur moi.

— Je voudrais te demander quelque chose.

— Quoi? fais-je en remontant mes lunettes sur mon nez.

Une fois de plus, je me tortille sur mon siège tandis qu'il m'examine paresseusement de la tête aux pieds et que ses lèvres s'étirent en un sourire.

— Es-tu libre après ta journée ici?

Si je suis libre? J'ouvre la bouche, puis la referme.

— Pourquoi?

— J'aimerais t'emmener faire un tour, annonce-t-il en se léchant les lèvres.

— Un tour? répété-je lentement tandis que des pensées obscènes me viennent à l'esprit.

Il hoche la tête, le regard amusé.

— Oui. J'aimerais t'emmener faire un tour sur ma moto.

L'intensité de son regard me laisse entendre qu'il s'agit de quelque chose d'important. Mis à part les quelques trucs dont j'ai été témoin ou qu'Anna m'a racontés, je ne comprends pas grand-chose à sa vie de motard. J'ai des papillons dans l'estomac à l'idée de le serrer dans mes bras, les cheveux dans le vent. Mais je pense ensuite à Allie et les papillons disparaissent; j'ai le cœur lourd. C'est toujours le problème avec Tracker.

Il n'est pas célibataire. Même lorsqu'il dit qu'il l'est, il ne l'est pas. Elle est toujours là. Parfois au second plan, parfois au premier, mais toujours *là*.

Pourquoi faut-il que ce soit elle? N'importe qui d'autre qu'elle. Il n'est pas question que je le partage, ni lui ni aucun autre homme. Je veux un homme qui n'a d'yeux que pour moi. Une exigence élémentaire, me semble-t-il, mais qui s'avère difficile à combler. Le fait que j'aie de la difficulté à faire confiance aux hommes n'aide pas non plus. Je suis du genre à souffrir en silence et à tout garder pour moi. Je ne prends pratiquement jamais de risques, ce qui explique probablement pourquoi je suis toujours célibataire.

— Qu'en est-il d'Allie? m'informé-je, curieuse d'entendre sa réponse.

Anna m'a raconté qu'il ne cesse de la quitter seulement pour se remettre avec elle et que ce manège dure depuis des années. La situation me paraît compliquée. Une complication dont je n'ai ni besoin ni envie, peu importe à quel point il m'attire.

J'ai extrêmement envie de lui, mais Tracker n'apporte que des ennuis. Je pense à lui. Je rêve de lui. Il fait partie de mes fantasmes. Mais je garde mes distances. Pourquoi? Parce que je suis assez intelligente pour savoir que ce n'est pas possible. Ma tête me dit une chose (garde tes distances), mais plus bas, mon corps dit autre chose (invite-le à entrer). Rien qu'à penser à lui, je suis toute mouillée. C'est dire l'emprise qu'il a sur moi. Le désir s'estompera-t-il un jour? Putain, j'espère bien que oui.

La vérité, c'est qu'il a probablement cet effet sur la plupart des femmes, y compris Allie. C'est pourquoi je fais tout mon possible pour le décourager de me draguer avec insistance, ce qui est de plus en plus fréquent, mais j'ai de plus en plus de difficulté à résister.

Tracker prend un air renfrogné et une ombre de mécontentement assombrit son regard rêveur.

— Allie et moi, c'est terminé. Je ne fréquente personne en ce moment.

Mais pour combien de temps ? Je n'ai pas envie d'être prise entre les deux. Il insiste peut-être sur le fait que c'est terminé entre eux, mais il est évident qu'elle n'est pas du même avis, ce qui porte à croire qu'il entretient cet espoir. Pourquoi voudrais-je d'un tel homme ? Je vaux mieux que lui.

Je suis déchirée. Je ne peux que prier et espérer que mon cerveau gagne la guerre contre mon corps.

— D'accord, dis-je lentement. Euh...

Je ne sais pas quoi dire. J'ai du mal à exprimer mon refus. Mes lèvres refusent de prononcer les mots et, une fois de plus, mon corps me trahit.

Comme s'il sentait mon trouble intérieur, ses yeux et ses lèvres s'adoucissent.

— J'ai pensé que toi et moi, nous pourrions...

Nous pourrions quoi ? Coucher ensemble ?

Pensait-il que c'était dans la poche ?

Enfin, il devait bien savoir qu'il m'attirait, non ? Je ne peux m'empêcher de ressentir de l'excitation à l'idée de passer du temps avec lui. Le simple fait de penser qu'il puisse me toucher me fait rougir et éveille ma sensualité. J'ai envie d'explorer cet aspect de ma personnalité avec lui.

Puis, quelque chose me vient à l'esprit. Veut-il que je lui serve de transition ? Cette pensée m'attriste. Aussi nul que je puisse paraître, je n'ai pas envie d'être celle qui le console.

Je veux être celle avec qui il passera le reste de ses jours. Sa femme. Sa régulière, comme je les ai entendus appeler Faye.

Oui, je vis dans un monde imaginaire. Si Tracker savait à quoi je pense, il s'enfuirait à l'autre bout du pays. Je ne sais même pas s'il sait ce que signifie *s'engager*. À en juger par ce que j'ai entendu, il n'a pas toujours été fidèle à Allie ; un point de moins en sa faveur. Pour moi, tromper quelqu'un est impardonnable. William a été la première et la dernière ordure infidèle à entrer dans ma vie. Si Tracker n'a rien contre le fait de coucher à gauche et à droite dans le dos d'une fille qui tient à lui, même s'il s'agit d'une vraie garce, je n'ai pas envie de perdre mon temps avec lui.

— Je ne pense pas, Tracker, refusé-je en fixant le sol avant qu'il puisse terminer sa phrase.

Prononcer ces paroles m'attriste parce qu'en réalité, je n'ai qu'une seule envie : hurler «Oui !» Ma détermination se raffermit et je chasse ces pensées.

— Pourquoi pas ? s'informe-t-il doucement. J'ai vu la manière dont tu me regardes.

Ouaip, il est au courant. Évidemment qu'il est au courant.

Pas étonnant qu'il croie que je vais monter si facilement derrière lui sur sa moto.

Il est au courant.

Je n'arrive pas à croire qu'il vient de prononcer ces mots. Les joues rouges, je décide de faire comme s'il n'avait rien dit et pointe en direction du couloir.

— Va la chercher.

Il se lève, mais s'accroupit ensuite devant moi, les mains appuyées sur mes cuisses.

— Nous irions tellement bien ensemble. Tu le sais, n'est-ce pas ?

Je le sais. C'est vrai. Le temps que la relation durerait, du moins.

Puis, je serais prise avec les conséquences d'avoir cédé : un cœur brisé.

— Ouais, mais pour combien de temps ? répliqué-je avec un sourire forcé qui n'illumine pas mon regard. Je n'ai pas envie d'être une femme parmi tant d'autres pour toi, Tracker.

Il m'observe attentivement, une lueur dans les yeux.

— Je ne crois pas que je fournirais autant d'efforts pour une histoire d'un soir, Lana.

Je médite là-dessus. Que suis-je pour lui ? Un simple jeu ? Je ne sais pas. J'aimerais savoir ce qui se passe dans sa tête, mais quoi qu'il en soit, je ne suis pas prête à mettre mon cœur en danger pour cet homme. J'ai besoin de quelqu'un en qui je peux avoir confiance, quelqu'un dont je ne douterai pas de la loyauté ni de la fidélité. Puisque je ne dis rien, il soupire.

— Heureusement que je suis patient, murmure-t-il en me caressant la joue d'un doigt avec une douceur qui m'étonne. Il vaudrait mieux que tu aies trouvé une bonne cachette, Clover, parce que j'arrive, crie-t-il en se redressant.

J'essaie de réprimer mon sourire en le voyant errer dans le club à la recherche de Clover. Elle doit s'être cachée dans la cuisine, parce que des rires, le gloussement grave de Tracker et les petits cris aigus de Clover me parviennent de là-bas. L'espace d'un instant, j'imagine qu'il s'agit de notre maison et qu'il joue avec *notre* fille.

C'eeeeest la raison pour laquelle j'écris si bien. J'ai beaucoup d'imagination.

Merde.

***

— Cet endroit est immense, constaté-je tandis que nous nous promenons dans le club.

J'étais déjà venue ici, mais je n'avais jamais eu droit à la visite guidée. Je m'arrête devant un mur couvert de photos d'identité judiciaire.

— C'est pour faire chic ?

Clover sur les épaules, Tracker se met à rire.

— C'est le mur de la renommée.

— Tu parais très jeune là-dessus, souligné-je en regardant la photo de lui.

Il hoche la tête.

— J'avais 19 ans. C'était juste pour une bagarre. Je ne suis pas un baron de la drogue ni rien de ce genre.

— C'est bon à savoir, réponds-je.

— C'est quoi, un baron de la drogue ? s'enquiert Clover en même temps.

Je regarde Tracker en écarquillant les yeux.

Il s'arrête.

— Je n'ai pas dit ça, se défend-il.

— Si, tu l'as dit !

Il la descend de ses épaules et commence à la chatouiller. Elle a tôt fait d'oublier sa question. Après un hochement de tête satisfait, il continue à marcher avec moi jusqu'à l'extérieur, à l'arrière d'un immense complexe, en tenant Clover par la main. Il y a là un espace gazonné que Tracker pointe.

— Nous devrions déjeuner ici.

— Un pique-nique! s'exclame Clover. J'adore les pique-niques.

Je regarde Tracker.

— Que mangeons-nous à ce pique-nique?

Il sort son téléphone.

— Ce que tu veux.

— Qui appelles-tu? m'informé-je, suspicieuse.

Allait-il demander à une femme quelconque de nous apporter de la nourriture? Je sais que le club a des admiratrices, parce qu'Anna m'en a parlé. Il paraît que c'est Rake qui leur accorde le plus d'attention, mais peut-être que Tracker le fait aussi. Franchement, cette idée m'enrage.

— Un des novices.

Bon, très bien.

— Les novices livrent les déjeuners? l'interrogé-je, curieuse.

Je ne comprends pas vraiment les rôles de chacun dans un club de motards. Je sais qu'il y a une hiérarchie, mais je ne la connais pas.

— Ils font tout ce que nous leur demandons de faire, affirme Tracker d'un ton ferme.

Houla. Être novice n'a pas l'air amusant. Pourquoi quelqu'un se porterait-il volontaire pour le faire?

— Comment devient-on un novice? lui demandé-je.

Il m'observe attentivement.

— Pourquoi poses-tu la question? Veux-tu faire partie du club?

Je ris de sa taquinerie.

— Simple curiosité.

— Je crains de ne pas pouvoir te le dire, déclare-t-il doucement. Mais je peux te dire que ce n'est pas agréable.

— Dans ce cas, qu'est-ce qui les motive?

À cet instant, la force de son sourire illumine son regard, m'éblouissant presque.

— Nous sommes une confrérie, une famille. Nous nous couvrons mutuellement, peu importe les circonstances. Ici, il n'y a pas de jugement, seulement de l'acceptation. Qui ne voudrait pas de ça ?

— J'ai entendu dire que les novices doivent se battre pour prouver qu'ils méritent leur place et que c'est ainsi qu'ils l'obtiennent.

Tracker sourit, l'air amusé, mais ne répond pas.

— Que dirais-tu de sandwichs, proposé-je pour changer de sujet. Clover aime ceux au jambon et au fromage.

— D'accord. Autre chose ? demande-t-il en appuyant sur d'autres touches.

Je pose la question à Clover, qui répond qu'elle veut des sushis. Je pense qu'elle passe trop de temps avec Anna, et Tracker partage mon avis.

— N'as-tu pas de travail ? lui demandé-je en me penchant en arrière pour m'appuyer sur mes mains.

— Non, pas aujourd'hui, m'informe-t-il.

Une demi-heure plus tard, nous sommes assis dehors sur une couverture à profiter de la chaleur en mangeant les sushis et les sandwichs que Blade a apportés.

Blade est l'un des novices et Anna m'a dit qu'il s'agit de son véritable prénom, et non d'un nom de motard, ce que je trouve intéressant. Tout en buvant un jus, Clover joue avec ses poupées. Tracker entretient la conversation en me posant des questions à propos de moi et boit chacune de mes paroles.

— Dis-moi, pourquoi as-tu choisi l'administration ? me questionne-t-il avant d'engloutir un rouleau au thon.

— J'aimerais avoir ma propre entreprise un jour, réponds-je. Mais c'est un domaine suffisamment général pour m'ouvrir de nombreuses portes.

Il hoche la tête en regardant Clover.

— Tu pourrais peut-être ouvrir ta propre garderie.

J'éclate de rire.

— Non, je ne crois pas. J'adore les enfants et ils m'aiment bien, mais je ne pense pas être capable de gérer ma propre garderie ou quelque chose du genre. Je deviendrais folle.

— Vraiment? s'enquiert-il d'un air étonné. Tu t'en sors bien avec elle.

— Merci, dis-je en baissant la tête. Elle me rend la tâche facile. Je ne pense pas que les enfants soient tous aussi calmes qu'elle.

Lorsque Clover se lève pour courir derrière un papillon, Tracker baisse la voix, profitant de son absence.

— Je ne pense pas que tu puisses trouver un autre emploi en tant que nounou, en revanche, déclare-t-il en me détaillant du regard.

— Pardon? Pourquoi pas?

— Parce que tu es trop belle, répond-il en riant. Quelle femme voudrait te voir tourner toute la journée autour de son mari?

— Faye, lui fais-je remarquer.

— Peut-être, mais Sin ne la tromperait jamais. Puis, nous te connaissons, poursuit-il. Nous savons tous que tu es quelqu'un de bien.

— Comment le savez-vous? ne puis-je m'empêcher de m'enquérir.

Un sourire se dessine lentement sur les lèvres de Tracker et ses yeux se plissent.

— Je connais les femmes, Lana. Puis, Anna n'arrête pas de parler de toi. Ça fait un certain temps que tu nous côtoies maintenant ; nous ne sommes plus des étrangers. Je sais que tu es une femme bien.

— Définis *bien*, exigé-je. Il y a des tas de femmes bien qui sont émancipées et épanouies... sexuellement.

Il hoche la tête.

— Je sais. Heureux de savoir que tu le sais aussi. Mais ce ne sont pas toutes les femmes qui pensent constamment aux autres. Les hommes ne sont pas tous bien et les femmes non plus. Je ne parlais pas nécessairement de sexualité ; c'est toi qui as abordé le sujet.

J'avais fait ça, n'est-ce pas ?

— C'est vrai, bredouillé-je.

Il me regarde avec curiosité.

— T'es sacrément mignonne. Tu le sais, n'est-ce pas ?

Évitant son regard, je regarde l'herbe entre mes doigts et en arrache quelques brins.

— Merci.

Ses compliments me mettent mal à l'aise, mais les entendre me plaît et l'effet qu'ils ont sur moi me plaît aussi.

— Ce n'est pas moi qu'il faut remercier, c'est ta mère, me taquine-t-il avant de soulever mon menton d'un doigt. Je suppose que tu lui ressembles ?

Je libère mon visage de son emprise et fixe mon regard sur Clover, qui joue près de nous.

— Je lui ressemble un peu, en effet.

— J'aime bien quand tu me fixes, dit-il doucement, sur quoi je reporte mon attention droit sur lui.

Dans ses yeux, je vois toute la sincérité de cette affirmation. Il aime bien que je le regarde.

— Pourquoi ? m'enquiers-je.

— Tu sais pourquoi, rétorque-t-il en haussant un sourcil. Tu es juste à côté de moi, alors ne fais pas comme si tu ne la sentais pas.

Était-il toujours aussi direct ?

— Je ne sais absolument pas de quoi tu parles, mens-je.

Il laisse échapper un son qui provient du fond de sa gorge.

— Ne me mens pas, Lana. La tension est si vive entre nous que ce n'est qu'une question de temps avant que je m'enfonce en toi.

J'écarquille les yeux.

— Tracker, tu ne peux tout simplement pas dire de telles choses !

— Je viens pourtant de le faire, réplique-t-il d'un air suffisant. Tu ferais mieux de t'y habituer. J'ai tendance à dire absolument tout ce que je pense.

— Je commence à m'en rendre compte, lui réponds-je d'un ton sec. Tu n'as aucune pudeur, n'est-ce pas ?

Il hausse les épaules.

— Je me fiche de ce que la plupart des gens pensent et ceux dont je ne me fiche pas m'acceptent comme je suis.

Je souris.

— Bonne réponse. Ça me plaît.

— Excellent. Maintenant, raconte-moi quelque chose à ton sujet que je ne sais pas déjà.

— Comment suis-je censée savoir ce que tu sais et ne sais pas déjà ? rétorqué-je.

— C'est là tout l'intérêt, me répond-il en jetant un coup d'œil à Clover. Il doit s'agir de quelque chose que peu de gens savent. D'un secret.

Mon regard se porte sur l'herbe tandis que je réfléchis.

— La première fois que je t'ai aperçu, j'ai pensé que tu étais digne de faire la une d'un magazine.

Je lève les yeux et le vois sourire de toutes ses dents.

— Ça, je n'en sais rien, mais je suis sacrément heureux que tu aimes ce que tu vois. Quand je t'ai aperçue pour la première fois, j'ai pensé que tu étais magnifique. Pas le genre qui me plaît habituellement, mais d'une beauté saisissante avec tes cheveux et tes yeux foncés et ta silhouette menue, mais séduisante. Tu respirais l'innocence. Tu regardais Anna et j'ai tout de suite su à quel point vous étiez proches toutes les deux. Tu n'es pas comme les autres femmes que je vois dans les parages.

— Est-ce une bonne ou une mauvaise chose ? m'enquiers-je doucement.

Il se contente de sourire de toutes ses dents.

— Ça reste à vérifier.

Je ne sais pas quoi répondre. Heureusement, Clover nous interrompt.

— J'ai soif ! lance-t-elle.

Je lui tends un jus, puis l'aide à déballer la paille et à l'enfoncer dans le trou.

— Voilà.

— Merci, Lana, dit-elle avant de reporter son attention sur Tracker. Oncle Tracker, maman dit que Lana te plaît.

En réaction à sa déclaration, le rouge me monte aux joues tandis que Tracker se met à rire.

— T'a-t-elle dit ça ? demande-t-il à Clover. Ou l'as-tu entendue le dire à quelqu'un d'autre ?

Prise en flagrant délit, Clover soupire.

— Je l'ai entendue le dire à quelqu'un d'autre.

Tracker éclate de rire, rejetant la tête en arrière.

— Clover, tu attires les ennuis, exactement comme ta mère. Tu peux lui dire que j'ai dit ça.

— Je vais le faire, déclare-t-elle avec de grands yeux innocents avant de retourner jouer.

— Putain, ce qu'elle est mignonne, affirme Tracker.

Rien qu'au son de sa voix, je sais qu'il sourit.

— Veux-tu des enfants un jour ? poursuit-il.

Je hoche la tête.

— Bien sûr. J'aimerais en avoir deux.

— Deux, répète-t-il en inclinant la tête sur le côté. Ça me va.

Un instant, insinue-t-il que...

Décidant de choisir mes batailles et d'ignorer ce commentaire, je discute avec Tracker encore une heure, jusqu'à ce qu'il reçoive un appel et doive partir.

Lorsque je constate que je n'ai pas envie qu'il parte, je me réprimande mentalement. Me tenir loin de lui sera difficile, mais il le faudra.

— As-tu envie de rentrer lire un livre ? offré-je à Clover en ramassant la couverture.

— D'accord, accepte-t-elle en se frottant les yeux. Faire une sieste aussi.

J'adore cette enfant.

CHAPITRE 3

Lorsque j'arrive au club le lendemain, je porte une tenue plus jolie et d'avoir fait l'effort me contrarie. J'avais choisi mon jean favori assorti à un haut sans bretelles et j'avais lissé mes cheveux détachés. Sous mes lunettes, mes cils étaient recouverts d'une épaisse couche de mascara et mis en évidence par un léger trait de ligneur. Je devrais probablement porter mes lentilles, mais je déteste essayer de les mettre ; je me pique l'œil chaque fois. D'ailleurs, je trouve que mes lunettes me vont bien.

Faye est dans la cuisine en train de servir son petit-déjeuner à Clover au moment où j'y entre. À mon arrivée, elle lève les yeux vers moi en souriant.

— Bonjour, Lana.

— Bonjour, salué-je la magnifique femme du président avant de baisser les yeux sur Clover. Bonjour, Clover. Comme tu es jolie aujourd'hui !

Elle est vêtue d'une robe de princesse rose et porte une couronne sur sa tête.

— Merci, Lana !

En tournant la tête, j'aperçois sur le comptoir un livre abandonné à la couverture gris foncé. Dessus, il y a un bel homme torse nu. Je le prends pour l'examiner et ma peau se couvre de chair de poule.

— Il te plaît, ce livre ?

Faye arbore un grand sourire.

— Oui! L'as-tu lu? J'en ai lu la moitié et je n'arrive pas à m'arrêter. Zada Ryan devient rapidement une de mes auteures favorites.

— Non, je ne l'ai pas lu, mens-je carrément à défaut de savoir quoi dire.

— Tu devrais, répond Faye, les yeux écarquillés, avant de s'éloigner de Clover. Je n'arrive pas à croire certains des trucs qui se passent dans le roman en ce moment, me chuchote-t-elle. Puis, bon sang, cette femme sait écrire des scènes érotiques. J'en ai reproduit quelques-unes avec mon mari. Crois-moi, il ne s'en est pas plaint.

Je me sens rougir à cette idée.

Ouah. C'est un peu trop d'information.

— Ah, dis-je simplement à défaut de trouver autre chose. Ç'a l'air… chouette.

Faye se met à rire.

— Les hommes sont tellement dominants. C'est excitant. L'histoire est toujours unique et captivante. Lis-tu beaucoup?

Je hoche la tête, sachant qu'il s'agit là d'une question à laquelle je peux répondre.

— Oui, au moins un livre par semaine.

— Nous devrions lancer un club de lecture, propose-t-elle en hochant la tête, les yeux plissés. Le club de lecture des filles à motards. Ça fera un tabac, j'en suis certaine.

Je ne suis pas une fille à motards, mais je ne me donne pas la peine de le lui faire remarquer.

— Nous devrions lire quelques livres de motards aussi et en analyser l'exactitude, souligne-t-elle avec un grand sourire. Je n'en lis jamais parce que la plupart d'entre eux sont tellement à côté de la plaque. Je m'en tiens donc aux histoires d'amour contemporaines. J'aime bien celles dans lesquelles l'héroïne est frondeuse, ne manque pas de culot et en fait voir de toutes les couleurs au héros.

Je pince les lèvres pour m'empêcher de rire.

— Sin en voit-il de toutes les couleurs ?

Faye sourit et une lueur apparaît dans son regard.

— Tu n'as pas idée.

— Vous êtes si mignons tous les deux ! lâché-je.

De l'amusement se peint brièvement sur son visage.

— C'est la première fois qu'on me qualifie de mignonne. En face, du moins. Je t'aime bien, Lana.

— Je t'aime bien aussi, admets-je en baissant timidement les yeux.

— Dex, ou plutôt Sin, comme tout le monde l'appelle ici, et moi avons grandi ensemble. Nous avons couché ensemble un soir et il se trouve que je suis tombée enceinte de Clover cette nuit-là, explique-t-elle avec un petit sourire en coin. Depuis, je passe mon temps à lui rendre la vie impossible.

J'écarquille les yeux.

— Quelle histoire, j'imagine.

— Tu n'as pas idée, répète-t-elle.

— Lana ! hurle Clover pour attirer notre attention. Pourquoi n'es-tu pas habillée en princesse ?

Je lance à Faye un regard perplexe. Pourquoi serais-je habillée en princesse ?

— C'est la fête d'anniversaire d'Emily aujourd'hui, tu te souviens ? ajoute Clover en tapant des mains. C'est pour ça que je suis une princesse. Je voulais m'habiller en princesse des motards, mais papa a dit non.

Merde. C'est vrai, j'avais oublié. Je dois l'emmener à une fête d'anniversaire aujourd'hui.

Princesse des motards ? Pas question que je m'en mêle.

Faye se met à rire, ce qui m'amène à reporter mon attention sur elle.

— Tu avais oublié, n'est-ce pas ? L'adresse est sur le carton d'invitation, sur le frigo. Tu n'as qu'à rester assise là-bas pendant qu'ils jouent, puis à la ramener à la maison. Ça te va ?

Je hoche la tête.

— Bien sûr. Ça ne semble pas trop difficile.

Faye embrasse sa fille.

— J'aurais aimé pouvoir y aller avec toi aujourd'hui, Clover, mais je sais que vous aurez beaucoup de plaisir, Lana et toi.

— Je sais que tu dois parfois travailler, maman, concède Clover.

— La prochaine fête, c'est moi qui t'y emmènerai, promis, dit Faye à sa fille. Lana, le cadeau est sur la télévision. Appelle-moi s'il y a quoi que ce soit. Bonne chance.

— Tout ira bien. N'est-ce pas, Clover ?

En guise de réponse, Clover sourit de toutes ses dents.

— Tiens, lâche Faye en me tendant le livre. Lis-le. Tu vas adorer !

— Oh, ça va, dis-je en essayant de le lui rendre. Tu es en train de le lire.

— Non, non, j'insiste. C'est la deuxième fois que je le lis, poursuit-elle en riant. Tu me le rendras quand tu auras terminé. Tu ne le regretteras pas !

Me sentant incroyablement mal à l'aise, je souris et prends maladroitement le livre.

La mère et la fille se disent au revoir une dernière fois tandis que je range un peu la cuisine.

— Ah, et Lana…, crie Faye en attrapant son sac à main.

Elle est avocate et porte un tailleur noir professionnel mais séduisant qui épouse ses courbes. Je comprends pourquoi Sin l'a choisie parmi toutes les autres femmes.

— Un des hommes va vous conduire là-bas.

— Oh, ça va, je peux conduire moi-même, affirmé-je du tac au tac.

Faye hausse les épaules, une lueur d'amusement dans les yeux.

— Il a insisté.

Elle me salue de la main et sort par la porte principale, me laissant plantée là.

— Qui a insisté ? me dis-je à moi-même.

— Moi, répond Tracker en s'approchant, vêtu uniquement d'un caleçon, un sourire endormi sur les lèvres.

Mon regard s'embrase tandis que je mesure toute la splendeur de son corps.

Ouah. Je veux dire… Ouah.

Plutôt que d'être corpulent, il est mince et découpé au couteau. Parfaitement musclé. Il est couvert de tatouages ; le plus grand commence sur son épaule et s'étend jusqu'à son muscle pectoral droit. Dessiné d'une main d'artiste, l'aigle, qui semble fondre sur sa proie avec un regard affamé et meurtrier, est entouré de fumée et de nuages auxquels le corps de Tracker donne de la texture et de la profondeur. C'est fascinant. De plus petits tatouages décorent son cou et il arbore une demi-manche qui s'étend de son poignet à son coude.

J'ai envie de suivre le contour de chacun de ces tatouages avec ma langue.

— Mmm, murmuré-je, maintenant concentrée sur son séduisant « V ». Bonjour.

Exquis.

— Bonjour, Lana, dit-il d'une voix amusée.

Sortant de ma rêverie, je lève les yeux et me mets à rougir parce que je me suis fait surprendre à le fixer.

— Salut.

— Tu viens me faire un câlin et un bisou du matin ? Sur la joue, s'empresse-t-il d'ajouter avant que j'aie le temps d'ouvrir la bouche pour protester.

— Non, refusé-je, mobilisant toute mon énergie pour lui résister. Je ne pense pas que ce soit une bonne idée.

Il hausse vivement les sourcils. Je pense qu'il est sincèrement étonné. Enfin, évidemment qu'il l'est. Combien de femmes refuseraient ça ? Je suis la seule qui soit assez folle.

— Ce n'est qu'un câlin, Lana.

Je sais qu'il me met au défi. Si je dis non, il saura que j'ai peur de ne pas pouvoir me maîtriser. Mais si je le serre dans mes bras, j'ai peur d'effectivement ne pas pouvoir me maîtriser. Mon entêtement l'emporte.

Parcourant l'espace qui nous sépare, j'enroule mes bras autour de sa taille nue et pose ma tête contre son torse chaud. Au début, je suis maladroite et tendue, mais mon corps se détend ensuite contre le sien, naturellement. Je soupire lorsqu'il pose un baiser sur ma tête. Commençant à me sentir un peu trop bien dans cette position, je m'écarte. Mal à l'aise, je reste plantée là à me dandiner en silence pendant un instant.

— Ce n'était pas si mal, n'est-ce pas ? vérifie Tracker avec un sourire.

— Ce n'était pas totalement insupportable.

Il éclate de rire.

— Il paraît que nous sommes en mission anniversaire aujourd'hui, murmure-t-il en me regardant de ses doux yeux bleus endormis.

— Il paraît que tu t'es porté volontaire, le relancé-je en haussant un sourcil d'un air narquois.

— Faye doit apprendre à tenir sa langue, réplique-t-il d'une voix dépourvue de toute colère. J'ai simplement pensé qu'il vaudrait mieux que quelqu'un vous accompagne. Pour s'assurer que vous ne vous attirerez pas d'ennuis.

Je lève les yeux au ciel.

— C'est Anna qui s'attire des ennuis, pas moi.

— Nous verrons bien, dit-il avec un sourire puéril. Occupe-toi de préparer la princesse pendant que je saute sous la douche.

Je remonte mes lunettes sur mon nez tandis que des images de lui sous la douche se bousculent dans mon esprit pervers.

— D... D'accord.

Ah bien, bravo, Lana. Je déteste la manière dont sa présence me rend nerveuse.

Il me lance un autre sourire entendu, puis se dirige vers sa salle de bain.

Bien entendu, je reste plantée là à regarder s'éloigner son dos nu. Certaines femmes aiment bien les abdos, d'autres, les jolis yeux. Ces choses me plaisent aussi, mais j'ai un faible pour les puissants dos musclés et séduisants.

Le dos de Tracker est vraiment séduisant. Bien large, bronzé, ferme *et* tatoué.

Le tatouage de dragon finement dessiné qui me fixe est féroce et symbolique.

Les Wind Dragons.

Un rappel qu'il est l'un d'eux.

Moi, qui suis-je ?

L'amie d'Anna. La nounou de Clover.

Je n'ai pas ma place à l'arrière d'une moto. Je mène une vie plus paisible, plus simple. Dans laquelle l'intimité a sa place. Mais je cache aussi un secret. Je passe la main sur la couverture du livre que Faye m'a donné.

Quand on dit qu'il faut se méfier de l'eau qui dort, j'ai l'impression qu'on parle de moi.

Les gens pensent que je suis prude, pure et même innocente. Je le suis peut-être, mais mon esprit ne l'est pas.

Il est désinhibé, plein d'imagination et créateur.

C'est ainsi que je suis devenue Zada Ryan, auteure à succès de romans d'amour érotiques.

***

Personne, mis à part ma mère, ne sait que je suis Zada Ryan. Pas même Anna. J'ai commencé à écrire au secondaire, après qu'elle est partie, et je n'ai jamais arrêté. Je parlais de sexualité. Beaucoup. Tandis que je laissais libre cours à mes pensées, tous mes fantasmes, mes réflexions et mes rêves finissaient sur papier. Je n'étais pas vierge, mais je n'avais pas beaucoup d'expérience ; j'ai donc fait beaucoup de recherches. J'ai lu des livres, regardé des films et observé des couples en public. Je porte toujours attention aux gens qui m'entourent. Mon métier ne me gêne pas; je préfère simplement rester anonyme. Il s'agit d'un aspect secret de ma personnalité que personne ne connaît; il m'appartient et je n'ai pas envie de le partager.

Lorsque j'ai envoyé mon manuscrit à une agence, jamais je n'ai pensé qu'ils seraient intéressés. Mais si. Lorsqu'un éditeur m'a fait une offre, j'étais sur un petit nuage. Le salaire était extraordinaire, mais je l'aurais fait gratuitement. C'était mon rêve. Jamais je n'aurais imaginé que mes livres connaîtraient un tel succès. J'avais déjà écrit tellement d'autres livres que, depuis un an et demi, l'éditeur en publiait un tous les deux mois.

J'avais fini de payer la maison de ma mère. Je m'étais acheté une voiture. Pendant toute mon enfance, ma mère et moi avons toujours vécu avec un budget serré. J'ai donc du mal à décrire à quel point c'est agréable de ne pas avoir à s'inquiéter des finances et de pouvoir aider ma mère après tout ce qu'elle a fait pour moi. En tant que mère monoparentale, elle a beaucoup sacrifié et a travaillé dur pour que je ne manque de rien. Je voulais lui rendre la pareille, d'une certaine manière.

Il ne me restait plus grand-chose après toutes ces dépenses, mais ma situation financière me convenait parfaitement. Lorsqu'Anna m'a proposé d'être la nounou de Clover, je ne pouvais pas refuser sans lui expliquer comment je gagne ma vie à présent. Je n'ai actuellement aucune échéance à respecter, hormis celles que je me suis moi-même fixées, et je n'ai vraiment rien de mieux à faire. La vérité, c'est que je souffre d'une grave panne d'inspiration. Je cherchais une nouvelle idée pour un livre, mais je n'en trouvais pas; j'ai donc pensé que de prendre du recul et de faire autre chose m'aideraient. Je n'ai aucune qualification ni rien de tel. Je ne connais même pas beaucoup d'enfants, mais je les aime bien et ils semblent m'aimer aussi. Puis, je suis responsable. J'ai donc fait une recherche sur Google pour connaître les besoins d'une enfant de l'âge de Clover et j'ai improvisé à partir de là.

Par ailleurs, me forcer à sortir de chez moi était une bonne chose, parce que tout ce que je fais habituellement lorsque je ne suis pas en cours, c'est rester à la maison pour écrire. Je n'ai pas vraiment d'amis, mis à part Anna, et j'ai passé toute ma vie dans cette ville. Ma situation paraît triste, mais je suis une introvertie et, en général, je me plais en ma propre compagnie. En revanche, le retour d'Anna m'a poussée à envisager de me trouver un endroit bien à moi et de diversifier mes activités. Il est temps.

— Lana ?

J'en étais presque venue à oublier la présence de Clover. Quelle nounou je fais.

— Salut, beauté.

— J'ai allumé la télé, me dit-elle en pointant vers le salon. Je regarde *Adventure Time*. Veux-tu le regarder avec moi ?

— Nous pouvons le regarder jusqu'à ce que Tracker soit prêt, mais ensuite, il faudra partir, d'accord ?

Elle prend un air renfrogné.

— Pourquoi oncle Tracker vient avec nous ?

J'écarquille les yeux. Comme je sais qu'elle adore Tracker, je suis prise de court par sa mignonne petite tête féroce.

— Pourquoi ne veux-tu pas qu'il vienne ?

Elle s'approche de moi, pose sa petite main potelée sur la mienne et baisse la voix.

— Il y aura là-bas un garçon qui me plaît. Les garçons ne peuvent pas être des princesses ; ils sont des pirates. Oncle Tracker va le faire fuir. Il me l'a dit.

Je me pince les lèvres pour ne pas rire.

— Clover, ma puce, tu es un peu jeune pour penser aux garçons, ne crois-tu pas ? lui lancé-je avec un clin d'œil. Dans 10 ans, ils seront tous fous de toi.

Elle soupire et ses petites joues rondes se gonflent sous le coup de la colère.

— Papa dit que tous les garçons seront trop effrayés pour s'approcher de moi.

Son père a raison. Je pense qu'aucun garçon ni aucun homme sain d'esprit ne voudra sortir avec la fille du président d'un club de motards. Sin est sacrément terrifiant. Sans parler de tous les autres membres du club : Arrow, Tracker, Rake, Irish[5], Ronan, Trace[6], Vinnie, etc.

Je me demande avec qui elle finira un de ces jours. J'espère que ce sera quelqu'un qui est digne d'elle.

— Eh bien, je pense que tu as encore beaucoup de temps avant de devoir te faire du souci pour ça, réponds-je, à défaut de savoir quoi lui dire.

— Je suppose que oui, réplique-t-elle avant de me gratifier d'un grand sourire provocateur. Puis, maman sera de mon côté !

Je ris, partageant son avis, avant de l'entraîner vers le salon.

— Allons regarder la télé.

Nous avons passé une quinzaine de minutes devant la télévision lorsque Tracker apparaît. Il sent bon et est vêtu

---

5. N.d.T.: Surnom qui signifie « Irlandais ».

6. N.d.T.: Surnom qui signifie « trace ».

d'un jean foncé assorti à un t-shirt blanc. Ses cheveux mouillés, qui paraissent plus foncés qu'à l'habitude, sont remontés en chignon.

Il lève le menton.

— Je suis prêt quand vous voulez.

Je me permets de le fixer bêtement pendant un instant. Comment suis-je censée résister à un homme si beau, qui sent si bon, qui a envie de moi, qui est si charmant et qui a la conversation si facile?

Je m'efforce de détourner le regard.

— Allons-y. Apparemment, je vais à une fête d'anniversaire pour enfants avec la princesse du club et un motard dur à cuire, affirmé-je avant de marquer une pause. Jamais je n'aurais cru avoir à prononcer cette phrase un jour.

Les lèvres de Tracker s'étirent en un sourire.

— Nous ne voudrions surtout pas que la princesse arrive en retard, n'est-ce pas?

Je les regarde tour à tour, je soupire, puis j'ouvre la voie.

***

— Que veux-tu dire, tu n'aimes pas la manière dont ce garçon l'a regardée? m'enquiers-je, incrédule.

Clover avait raison: Tracker aurait dû rester à la maison. Il agit comme un père paranoïaque et protecteur à l'excès.

— N'as-tu pas vu la manière dont il la regardait? me demande Tracker en plissant les yeux. Il est plus âgé qu'elle, en plus. Putain, pourquoi est-ce qu'elle traîne avec un type plus âgé qu'elle?

Je lève les yeux au ciel.

— Il a sept ans, Tracker. Sept ans.

Il croise les bras sur sa poitrine sans quitter Clover des yeux.

— Oui, eh bien, elle n'en a que six. Où est le père de ce garçon ? Je devrais peut-être aller lui ficher une sacrée trouille, juste au cas où. Pour m'assurer qu'il surveille son fils.

— Au cas où quoi ? Tu es ridicule ! le sermonné-je en posant ma petite main sur son biceps. Laisse-les tranquilles ; ce sont des enfants. Tu dramatises. Je vais chercher quelque chose à manger. Veux-tu que je te prépare une assiette en même temps ?

Il lâche Clover des yeux et reporte toute son attention sur moi.

— J'aimerais bien.

— D'accord, indiqué-je doucement en me levant pour me diriger vers la table où est disposée toute la nourriture.

Après avoir attrapé deux assiettes en carton, j'étais en train de les garnir de charcuterie lorsque quelqu'un vient se poster à côté de moi. Levant les yeux, je souris poliment à l'homme un peu plus âgé tout en continuant de remplir les assiettes.

— Salut, dit l'homme.

Il est grand, a une forte carrure et semble avoir été très séduisant pendant sa jeunesse. Ses cheveux poivre et sel sont soigneusement peignés et il est vêtu de manière décontractée mais raffinée, portant un pantalon tout aller et une chemise blanche.

— Je m'appelle Dan. Je suis le père de Zen.

Zen, c'est le garçon qui joue avec Clover.

— Je m'appelle Lana, réponds-je avec un sourire en lui tendant la main. Je suis ici avec Clover. Sa mère devait se rendre au travail, lui expliqué-je.

Il hoche la tête et se tourne physiquement vers moi.

— Oui, Faye m'a dit qu'elle est avocate. Ce doit être difficile de concilier le travail et le rôle de mère.

— C'est pourquoi je suis là, réponds-je avec un grand sourire.

— Es-tu célibataire ? me demande Dan avec un regard audacieux, sans cligner des yeux.

Oh, ouah.

Je me mords les lèvres. Oui, je suis célibataire, mais je n'ai pas envie qu'il soit intéressé. Il ne m'attire pas vraiment, en toute honnêteté. D'abord, il n'est pas mon genre et ensuite, tout ce que j'ai en tête, c'est le motard pour qui je suis en train de préparer une assiette.

— Je suppose que oui, bredouillé-je, détestant être mise sur la sellette, avant de faire la grimace et de lever les yeux vers lui d'un air contrit. Ce n'est pas la réponse la plus claire qui soit.

— Pas vraiment, admet-il en riant, inclinant la tête d'un air pensif. Ça veut dire que tu es disponible ou pas ?

— Célibataire, oui. Disponible, non, affirmé-je en rougissant, détournant le regard l'espace d'un instant avant d'oser le regarder à nouveau dans les yeux. Je n'ai personne dans ma vie, mais je ne cherche pas à rencontrer quelqu'un pour l'instant.

Bien que je sois flattée, je n'ai pas vraiment envie d'être la cible de ses attentions. Je ne veux pas non plus être méchante ni le blesser. Je suis convaincue qu'il est réellement sympathique et serait parfait pour beaucoup d'autres femmes, mais pas pour moi.

Il arbore un sourire entendu.

— C'est toujours dans ces moments qu'on trouve. Lorsqu'on ne cherche pas.

Je ne sais absolument pas quoi dire. Je suis sur le point de répondre lorsqu'un gros bras m'attrape par la taille. À l'odeur de cuir et de léger parfum épicé, je sais qu'il s'agit de Tracker.

— Elle est prise, grogne-t-il presque. Sacrément prise.

Je déglutis péniblement. Je me déteste parce que j'adore son côté possessif.

Cela ne veut rien dire, me répété-je sans cesse.

Si?

Il a clairement exprimé qu'il a envie de moi, mais il semble être le type d'homme qui a envie de beaucoup de femmes, les prend, les conquiert, puis passe à la suivante. Comment pourrais-je ne pas m'attacher? Putain, je le suis déjà. Je vais me faire du mal, je le sais.

C'est inévitable.

— Je vois, répond Dan en se redressant. Il n'y a rien de mal à essayer, lance-t-il avant de s'en aller, arborant un sourire maladroit qui ressemble davantage à une grimace.

Lorsqu'il jette un coup d'œil derrière lui, l'air effrayé, j'ai de la peine pour lui. Je ne peux pas lui en vouloir, car Tracker est intimidant avec son gros bras autour de ma taille et un regard noir qui assombrit ses traits.

Je me libère de l'étreinte de Tracker et lui lance un regard de travers dont il ne tient pas compte. Il ramasse plutôt nos assiettes pour retourner vers nos sièges, jusqu'où je le suis. Il attend que je m'asseye, pose doucement une assiette sur mes genoux, puis s'assied à son tour. Je ne sais pas pourquoi, mais je trouve son geste charmant. Galant, même. Il mange l'un des petits sandwichs en une bouchée, puis attrape une cuisse de poulet.

— Qu'est-ce que c'était que ça ? l'interrogé-je en grignotant un sandwich que je repose aussitôt sur mon assiette.

— Quoi donc ? me demande-t-il en retour en reportant son attention sur Clover tandis que son assiette se vide rapidement.

Je soupire. Soudain, je n'ai plus très faim.

— Oublie ça.

— T'intéressait-il ? s'enquiert-il soudain.

Je lève les yeux de mon assiette pour le regarder en face.

— Non, bien sûr que non. Là n'est pas la question.

Je ne sais plus vraiment quelle est la question, hormis le fait que je suis à la fois excitée et ennuyée.

— Excellent. Nous n'avons donc aucune raison d'en discuter, déclare-t-il calmement en ramassant les vers en gélatine dans son assiette pour les poser nonchalamment sur la mienne.

— Tu n'aimes pas les vers en gélatine ? lui demandé-je en croquant la tête d'un ver bleu pâle et jaune.

— Non, dit-il en se léchant les lèvres. Je ne suis pas un amateur. En revanche, j'aime bien te regarder les manger.

Je détourne les yeux de son regard passionné sans tenir compte de son doux gloussement.

Je prends timidement une autre bouchée, sans le regarder. Ça fait beaucoup. Beaucoup à assimiler. Beaucoup de masculinité.

— Tu es mignonne lorsque tu fais la timide avec moi, me complimente-t-il d'une voix dans laquelle je perçois de l'amusement. Tes joues prennent une jolie teinte rosée. Ça te va bien.

Il est vraiment généreux en matière de compliments. Agit-il ainsi avec toutes les femmes qui l'intéressent ? J'ai envie de croire que je suis différente, mais je ne suis pas suffisamment naïve pour le penser. Ou du moins, je pense que je ne le suis pas.

— Heureuse de te divertir, rétorqué-je en prenant une autre bouchée que je mâche lentement.

Sentant qu'il me regarde, je me tortille sur mon siège. Je suis toujours mal à l'aise avec Tracker. D'un seul regard, il arrive à me chambouler. Comment fait-il ? C'est injuste.

— Tu fais plus que me divertir, Lana. Tu m'intrigues. Je n'arrive pas à me souvenir de la dernière fois où une femme a retenu mon attention à ce point, avoue-t-il, l'air d'en être lui-même étonné.

— Tu dois vraiment travailler tes phrases d'approche, sifflé-je d'un ton sec en le fusillant du regard.

Il se met à rire, une lueur d'amusement dans les yeux.

— Les phrases d'approche sont pour les hommes qui doivent dire n'importe quoi pour attirer une femme dans leur lit. Je dis la vérité. Tu peux dire ce que tu veux, mais au moins, je suis sincère. Avec moi, il n'y a pas de cachotteries. Je n'ai pas besoin de mentir pour trouver une chatte.

— Pourrais-tu ne pas employer le mot *chatte* ? sifflé-je entre mes dents. Nous sommes à une fête pour enfants, le réprimandé-je en jetant un coup d'œil autour de nous pour m'assurer que personne ne nous a entendus.

Les gens pensent probablement que nous sommes les pires gardiens au monde.

Tracker me regarde comme si j'étais la chose la plus intéressante qu'il a vue de toute sa vie.

— Tu es si différente d'Anna.

Je le dévisage. Que veut-il dire ? Est-ce une bonne ou une mauvaise chose ?

— Qu'est-ce qui te fait dire ça ? m'enquiers-je.

— Tu es tranquille et timide ; elle, non. Elle est directe. Agitée. Tu es douce et gentille, mais forte aussi. C'est un mélange dont je semble incapable de me passer.

— Les contraires s'attirent, répliqué-je, faisant référence à son affirmation de départ. Anna et moi nous entendons vraiment bien, tout simplement. Elle est une bonne amie. Elle est aussi douce et gentille ; tout le monde a différentes facettes à sa personnalité. Je suis plus qu'un peu timide. Oui, je peux mettre du temps à m'ouvrir, mais une fois qu'on me connaît, je suis intarissable.

— C'est vrai. Je n'ai pas voulu te mettre une étiquette ; je sais que tu es plus complexe, concède-t-il avant de marquer une pause. Anna est très protectrice envers toi, poursuit-il en scrutant mon visage. Ce qui en dit long.

— Par exemple ? m'enquiers-je, curieuse d'entendre ce qu'il a à raconter.

Il se caresse la mâchoire d'une main que j'entends gratter contre sa barbe naissante. Je réprime une envie soudaine de frotter ma joue au même endroit.

— Le fait que tu inspires une telle loyauté me dit que tu es quelqu'un de bien. Anna n'est pas du genre à tout simplement prendre la défense de n'importe qui. Elle t'adore. Elle sort les griffes et est prête à passer à l'attaque à la simple mention de ton nom. Elle m'aime bien et nous sommes de bons amis, mais pour toi elle me sauterait au visage, prête à engager un combat de 12 reprises. Je pense que tu es la seule personne pour laquelle elle ferait une chose pareille.

Je souris tendrement en pensant à Anna qui essaie toujours de me protéger.

— C'est ma meilleure amie. Nous nous couvrons mutuellement, peu importe les circonstances. Si elle a besoin de moi, je serai là pour elle et inversement. Nous avons tous besoin de quelqu'un comme Anna dans notre vie ou du moins de quelqu'un en qui nous pouvons avoir confiance. Tu as tes frères, j'ai Anna.

— Tu as mes frères aussi, murmure-t-il. Le club veillera toujours sur toi.

Je souris.

— Tu vois, c'est encore Anna qui prend soin de moi.

Il hoche lentement la tête.

— Ça, c'est parce que tu es quelqu'un de sacrément bien.

Ne sachant pas trop quoi répondre, je souris maladroitement tandis que je jette un coup d'œil en direction de Clover pour m'assurer qu'elle va bien. Lorsque je la vois rire et s'amuser avec d'autres enfants, je reporte mon attention sur Tracker.

—Tu es douée avec les enfants, poursuit-il. Tu incarnes cette parfaite combinaison de beauté, de pragmatisme et de carrément, sacrément séduisante. Tu as l'étoffe d'une épouse. D'une régulière. Le genre de femme qui s'investit tout entière.

J'écarquille les yeux en entendant sa description.

—Tu as compris tout ça du peu de temps que nous avons passé ensemble?

Est-ce vraiment ainsi qu'il me perçoit? Je crois qu'aucun homme ne m'a jamais perçue comme le genre de femme qui *s'investit tout entière*. Il pense que je suis carrément séduisante? Je dois halluciner.

— Je t'observe depuis un certain temps, Lana. Ce n'est pas comme si tout ça était arrivé du jour au lendemain, reprend-il, interrompant le fil de mes pensées.

— Quoi, ça? lui demandé-je, toujours absorbée par les compliments.

Il montre l'espace qui nous sépare.

— Ça... Cette chose. Cette connexion. Cette obsession. Cette fascination. Ou peu importe comment tu veux l'appeler.

Obsession? Les choses qui sortent de sa bouche me font tourner la tête. Était-il sérieux? Je savais qu'il y avait de l'obsession de ma part, mais de la sienne? C'est clair comme de l'eau de roche qu'il a envie de moi, mais je ne suis pas certaine de savoir ce qu'il me réserve pour l'avenir. Il ne pense pas amour et mariage, c'est certain. Se fréquenter? À quel point voudrait-il que ce soit sérieux? Pourrais-je me contenter de quelque chose d'occasionnel avec lui, alors que je suis déjà aussi profondément éprise et que nous ne formons même pas encore un couple? Puis-je seulement croire ce qu'il dit? J'aime penser que oui. Je sais qu'il s'agit de quelqu'un de bien, mais j'ai aussi entendu des histoires au sujet de tous les hommes du club. Ils n'ont pas vraiment une réputation d'enfants de chœur et ce serait idiot de ne pas en tenir compte. Puis, il y a Allie. Est-ce vraiment terminé entre eux? Quels sentiments éprouve-t-il pour elle à présent? Tant de questions!

C'est la routine habituelle : mon cœur qui lutte avec ma tête. Pourrais-je coucher avec lui et accepter de le perdre après ? Le connaissant, plus aucun homme ne serait à la hauteur après lui. Dans tous les cas, j'en sors perdante.

— Un désir irrépressible ? proposé-je pour essayer d'alléger la conversation tandis que je le caresse audacieusement du regard.

Mon commentaire fonctionne.

Il éclate de rire, rejetant la tête en arrière.

— Oui, il y a certainement une part de cela. Chaque fois que je te vois, je bande comme un cheval. C'est sacrément gênant, en fait.

— Tracker ! grogné-je en me grattant le front. Fête pour enfants, tu te souviens ?

— Eh bien, cet enculé a essayé de te draguer à cette fête, me rappelle-t-il, l'air de trouver la situation amusante. Ce n'était pas une conduite digne d'une fête pour enfants. Vient-il à ces fêtes pour draguer les mères célibataires ou quelque chose du genre ? C'est un enfoiré, si tu veux mon avis.

— Qu'il aille se faire foutre, lâché-je, faisant rire Tracker encore plus.

Ses épaules en tremblent et tout le monde autour de nous se tourne pour nous regarder.

— Putain de merde, Lana, nous sommes à une réception pour enfants. Surveille ton langage, me sermonne-t-il en secouant la tête.

Je souris tellement que j'en ai mal aux joues. Mon sourire s'estompe lorsque je balaie l'endroit du regard.

— Cette fillette vient-elle de bousculer Clover ?

Je regarde autour de moi les poings serrés, me préparant à me battre.

— Ça ne se passera pas comme ça. Où est la mère de cette fillette ?

J'allais lui passer un bon savon.

Tracker est secoué de rires. Il essaie de se maîtriser, mais il n'y arrive pas.

— Donc, tu as le droit de réagir ainsi, mais moi, non ? Puis merde. Va voir la mère de la fillette, je vais aller voir le père de ce garçon. Allons montrer à tout le monde qu'il vaut mieux ne pas embêter notre Clover.

— Ah, dis-je, les yeux toujours braqués sur elles. Oublie ça. Elle ne l'a pas bousculée, ils jouent à chat.

Tracker plisse les yeux.

— Une méprise courante.

Nous rions encore un peu plus tous les deux.

— Pas étonnant qu'Anna se plaise en ta compagnie, soupiré-je. On ne s'ennuie pas avec toi.

— J'essaie de tirer le maximum de n'importe quelle situation, affirme-t-il en haussant ses larges épaules. On n'a qu'une vie à vivre, pas vrai ?

Je hoche la tête.

— Tu es facile à vivre et pourtant, les gens qui t'énervent ont intérêt à courir se cacher.

— Le meilleur des deux mondes, me taquine-t-il. Je suis un peu de tout.

— Je commence à m'en rendre compte, souligné-je, les yeux rivés aux siens. Ce serait beaucoup plus facile si tu étais un enfoiré.

Son petit sourire en coin m'indique qu'il ne le prend pas mal.

— Qu'est-ce qui serait beaucoup plus facile ?

— Me tenir loin de toi, rétorqué-je d'un ton léger, bien qu'il s'agisse de la pure vérité.

— Crois-moi, tu n'es pas la seule à avoir du mal, admet-il en passant une main sur son visage. J'ai essayé de rester à l'écart parce que je pensais que tu n'étais pas faite pour ça, mais si. Tu es tout aussi forte, sinon plus, que les autres femmes. Tu es férocement loyale. Les gens comme ça ne courent pas les rues de nos jours. La plupart des gens ont leurs propres intentions cachées.

Je hoche la tête parce que je sais que c'est la vérité. Il y a beaucoup de gens bien, mais il y a aussi beaucoup d'enfoirés. Il faut apprendre à différencier les bons des méchants, mais l'apprentissage se fait parfois à la dure.

— Je pense que la loyauté est l'une des plus belles qualités qu'on puisse avoir, acquiescé-je. Je suis heureuse que ce soit ce que tu penses de moi, Tracker. Il s'agit du plus beau compliment que tu m'aies jamais fait.

— Je suis heureux que ce soit vrai, répond-il simplement. Inutile de me remercier.

Je fixe son séduisant profil, la courbe de sa mâchoire, la barbe naissante qui lui couvre le visage et la veine dans son cou massif.

— Cesse de me regarder ainsi, m'intime-t-il d'une voix rauque en m'observant du coin de l'œil. Sinon, l'un des novices viendra surveiller Clover tandis que toi et moi serons seuls à faire quelque chose dont je n'ai pas le droit de parler à une fête pour enfants.

Je déglutis péniblement.

— Dis donc… Belle journée, lâché-je, provoquant un gloussement de sa part.

— Oui, murmure-t-il. Magnifique, en fait.

Lorsque je me tourne, je vois qu'il m'observe et le courant passe entre nous. Je comprends qu'il s'intéresse à moi. Qu'il attend quelque chose de moi. Le problème, c'est qu'il ne sait pas encore de quoi il s'agit et que je n'ai pas envie de lui confier mon cœur. Pas encore. Je ne veux pas m'attacher à lui, mais en réalité, c'est déjà fait.

Je suis tout simplement dans le putain de déni.

C'est parfait ainsi.

Durant la demi-heure qui suit, nous regardons tous les deux Clover jouer avec tous ses amis.

— Comment font Faye et Sin ? s'enquiert soudain Tracker en voyant Clover tomber par terre, se relever toute seule et lisser l'arrière de la robe.

— Je n'en ai aucune idée, réponds-je sincèrement. Je ne suis pas sa mère et je voudrais la protéger de tout et de rien.

— Peut-être devrions-nous éduquer nos enfants à domicile, lâche-t-il d'un ton désinvolte.

Je tourne vivement la tête vers lui.

— Pardon ?

Je n'arrive pas à m'empêcher d'imaginer une belle petite fille aux cheveux foncés comme les miens et aux yeux bleus comme les siens qui nous tiendrait tous les deux par la main.

— Tu devrais voir la tête que tu fais, glousse-t-il.

— Très drôle, bredouillé-je. Es-tu certain que tu n'as pas déjà des enfants quelque part ?

Il plisse les yeux.

— Je me protège toujours. Crois-moi, il n'y a aucun mini Tracker dans les environs.

— Quel est ton vrai nom ? m'informé-je.

Il me regarde attentivement.

— Très peu de gens connaissent mon vrai nom.

— Alors ? Je ne le dirai à personne. Je continuerai à t'appeler Tracker.

Il grimace et baisse la tête.

— Daniel Davis.

— Mignon, dis-je en souriant de toutes mes dents.

— Tu ne répéteras jamais ces mots.

Je fais une croix sur mon cœur.

— Ton secret sera bien gardé, Daniel.

— Petite maline. Maintenant, tu me dois un secret.

— Hummm, réfléchis-je, puis je lui souris. En réalité, je gagne ma vie en écrivant du porno.

Il éclate de rire.

— C'est ça, oui, marmonne-t-il. Aucun risque que j'aie une telle chance.

Certes, ce n'est pas vraiment du porno, mais j'aime dire que c'en est pour plaisanter. Ce n'est pas de ma faute s'il ne me croit pas.

— Bon, d'accord. Une fois, Rake et moi avons joué à la bouteille et nous nous sommes embrassés. C'était horrible.

— Ah, le salaud, dit Tracker en se renfrognant.

Son expression me fait rire.

— C'était il y a des années. Il ne s'en souvient probablement pas.

— Il aurait intérêt, répond Tracker. Je devrais peut-être le frapper à la tête à quelques reprises, simplement pour m'en assurer.

Je secoue la tête tout en surveillant Clover.

— On ne s'ennuie jamais avec toi, Tracker.

Comment arrivait-il à me faire sentir si bien ? Normalement, je suis maladroite et je ne sais jamais quoi dire. Plutôt que d'attirer l'attention sur ma nervosité, il se contente de la passer sous silence et de me mettre à l'aise. Avec lui, je suis facilement moi-même. Je ne peux pas nier le fait que j'aime la manière dont je me sens à ses côtés.

— Heureux de te divertir, déclare-t-il, reprenant mes paroles.

— Tu fais plus que me divertir, murmuré-je.

La passion teinte soudain ses traits.

— Excellent, répond-il doucement.

— On dirait que Clover s'amuse bien, souligné-je pour changer de sujet.

— Elle n'est pas la seule, réplique-t-il en me regardant tendrement.

Je baisse les yeux sur mes mains, troublée par son regard.

— N'es-tu pas contente que je sois venu ? poursuit-il. Je vous ai sauvées toutes les deux, Clover et toi, d'un père et de son fils qui ont tous deux besoin d'une bonne leçon.

— De quelle leçon s'agit-il ? osé-je lui demander.

Son sourire n'est pas amical.

— Il vaut mieux se préparer à la guerre avant de s'en prendre à la propriété des Wind Dragons.

J'éclate presque de rire avant de constater qu'il est on ne peut plus sérieux.

 **CHAPITRE 4**

Une semaine s'écoule.

Tracker est au club tous les jours et passe tout son temps avec Clover et moi. Apparemment, il n'a rien de mieux à faire. Il est aussi extrêmement difficile de lui résister. Il a la conversation facile, est terre-à-terre, amusant, séduisant et il sait s'y prendre avec Clover. Je l'ai entendu chanter pour elle et j'ai cru que mes ovaires allaient exploser. Je le vois sous un tout nouveau jour. Je pensais qu'il était un genre de dragueur invétéré incapable de s'engager avec une femme. Une partie de moi le pense toujours. Mais en même temps, je ne peux pas nier le fait qu'il est gentil et prévenant. Il est si attentif ; il boit chacune de mes paroles. Il me fait sentir importante. Je n'avais jamais passé autant de temps seule avec lui auparavant. Nos interactions habituelles avaient lieu en groupe ou toujours en présence d'Anna. Ou d'Allie. De plus, il n'est pas le même en l'absence de ses frères du club.

Il est plus doux.

Plus accessible.

Il ne me rend vraiment pas la tâche facile. Je ne pourrai pas lui dire non indéfiniment ; je vais finir par céder.

Serait-ce si catastrophique de lui donner sa chance ?

S'agit-il simplement d'un jeu pour lui ? Ou désire-t-il vraiment voir jusqu'où cette relation pourrait nous mener ? De tenter de le découvrir m'apparaît comme un trop grand risque à prendre. Si je lui cède, il me consumera.

Lorsque j'arrive dans le salon du club, je trouve Clover endormie par terre. Je ris doucement en la prenant pour l'étendre sur le canapé ; elle est si mignonne. J'adore le fait qu'elle se sent si à l'aise au club et je comprends maintenant pourquoi Faye voulait qu'elle reste ici. Elle est réellement en sécurité avec les membres du club. Je suis en train de sortir mon ordinateur portable avec l'intention de travailler un peu lorsqu'Allie fait irruption dans la pièce avec Jess, la régulière de Trace. Jess est assez gentille, mais plutôt du genre réservé. Je suppose que c'est parce que je ne suis pas des *leurs*. Allie est… Eh bien, je ne sais pas vraiment ce qu'elle est. Elle habite ici, mais elle ne trône pas exactement au sommet de la chaîne alimentaire, si on peut dire. Les régulières vont et viennent, vaquant à leurs occupations, tandis que les autres filles de l'entourage sont escortées de l'entrée à la sortie par les membres du club lorsqu'ils ont besoin d'elles. Allie est comme entre les deux. Elle n'est pas une régulière, mais elle habite tout de même ici et fait partie du club. Je ne comprends pas très bien son rôle, mais je sais qu'elle ne m'aime pas tellement.

Elle ne m'a jamais aimée et ne m'aimera jamais. Comment puis-je le savoir ? Eh bien, son visage est toujours crispé quand je suis dans les parages et elle me fusille constamment du regard. Ah, et il y a aussi les remarques acerbes. Je ne pourrais pas m'en moquer davantage, désormais.

— Où est Tracker ? me demande-t-elle sans baisser la voix.

Je jette un coup d'œil à Clover, puis je reporte mon attention sur Allie.

— Je ne sais pas, lui réponds-je d'une voix beaucoup plus douce que la sienne. Mais parle moins fort, tu vas réveiller Clover.

Elle éclate de rire, un son horrible.

— Putain, mais pour qui te prends-tu pour me dire quoi faire ? J'habite ici. Tu n'es qu'une employée.

— Allie, dit doucement Jess, mais son ton d'avertissement ne m'échappe pas.

— Quoi ? s'enquiert Allie. Elle n'est même pas l'une des nôtres. Elle n'est qu'une putain de parasite.

— *Allie.*

Nous sursautons toutes au son de la voix de Tracker. Il n'a pas l'air content. Il a l'air furieux. Allie se tourne et plonge son regard dans ses yeux empreints de colère.

— Je suis certain que Faye adorerait savoir comment tu te conduis en présence de sa fille, poursuit-il.

Allie s'éclaircit la voix.

— Je te cherchais.

— Va m'attendre dans ma chambre, lui ordonne-t-il, puis il se tourne vers moi.

Le fait que son regard s'adoucit ne m'échappe pas, mais je suis toujours sous le choc qu'il ait envoyé Allie dans sa chambre. C'est exactement ce que je craignais ; ce ne sera jamais terminé entre eux. Jess quitte la pièce tandis que Tracker s'approche de moi.

— Ne me regarde pas ainsi. Je vais simplement clarifier les choses avec elle. Reste ici jusqu'à mon retour ; ainsi nous pourrons discuter. Tu dis ne pas vouloir de moi, Lana, mais la douleur que je lis dans ces yeux marron me dit tout ce que j'ai besoin de savoir.

Suis-je si transparente ? On dirait bien que oui.

Il pose un doux baiser sur mon front avant de quitter la pièce.

Heureusement pour moi, Faye rentre tôt et je sors d'ici alors que Tracker et Allie sont toujours en train de… de faire ce qu'ils font, peu importe ce dont il s'agit.

***

Il la pénètre, la plaquant contre la tête de lit…

M'enfonçant sur ma chaise, je soupire en fixant les mots sur mon écran. J'ai besoin d'inspiration. Je veux écrire une nouvelle scène érotique, mais contrairement à l'habitude, les idées ne viennent pas et les personnages ne collaborent pas. Lorsqu'on frappe à la porte, je me lève d'un bond. Il est environ 10 h ; c'est donc probablement le livreur de colis. Nous n'en sommes pas encore à nous tutoyer, mais nous avons une relation amicale. À cause de ma dépendance au magasinage en ligne, il passe chez moi pratiquement tous les jours. Je pense qu'il ne m'a jamais vue vêtue d'autre chose que d'un pyjama et je ne le décevrai pas aujourd'hui non plus. En ouvrant la porte, je souris en pensant au paquet que je pourrais avoir à déballer aujourd'hui.

— Bonjour…, dis-je, étonnée, non pas à mon livreur, mais à Tracker. Que fais-tu ici ?

Il sourit de toutes ses dents et m'examine attentivement de la tête aux pieds.

— Beau pyjama.

Embarrassée, je baisse les yeux. De toutes les journées, il fallait qu'il tombe sur celle où je porte mon haut sans manches noir arborant une image de frites sur lequel on peut lire Les frites plutôt que les types. Le short assorti est aussi couvert d'images de frites.

Je suis si séduisante.

— M... Merci, bredouillé-je en tripotant l'ourlet de mon haut.

— Vas-tu m'inviter à entrer ? me demande-t-il en avançant d'un pas.

— Je suppose que oui, réponds-je en reculant d'un pas pour que sa large silhouette puisse passer la porte. Que puis-je faire pour toi ?

Il ferme la porte et me regarde attentivement. Aujourd'hui, il porte un t-shirt Harley Davidson, un jean pâle et ses bottes de moto.

— Je suis pratiquement certain que je t'avais dit de m'attendre hier. Tu étais partie lorsque je suis revenu au salon.

Je hausse les épaules.

— Faye est rentrée et il était temps que je parte.

Je me rends au salon, où il me suit. Il s'assied sur le canapé et m'attire sur ses genoux. Je reste perchée là, un peu raide, à balayer la pièce du regard, une de ses mains solidement enroulée autour de ma taille tandis que l'autre me masse doucement les épaules.

— Détends-toi, Lana, murmure-t-il. Je veux que tu sois à l'aise en ma présence. Tu peux avoir confiance en moi, tu sais.

Je me détends tranquillement, me laissant ramollir sur ses genoux, appuyant mon dos contre son torse.

— Bonne fille, me dit-il d'une voix douce. Maintenant, voici ce que je voulais te dire hier : j'ai emmené Allie à l'écart pour la remettre à sa place. Premièrement, elle n'a pas à te parler comme elle l'a fait, jamais. Deuxièmement, Clover était juste à côté. Faye dévorerait Allie pour le petit-déjeuner si elle apprenait ce qui s'est passé. Nous avons discuté, puis elle est partie. C'est tout, d'accord? Je ne veux pas qu'Allie t'emmerde et j'essaie de gérer la situation.

Je ne sais pas quoi répondre. Je n'ai jamais dit à Tracker que je voulais sortir avec lui, mais on dirait que ce fait lui importe peu. Qu'est-il en train de se passer? Est-ce sa manière de me séduire? Je cligne lentement des yeux, tentant d'analyser la situation.

— Que se passe-t-il dans ta tête? me questionne-t-il d'une voix légèrement amusée.

— Je ne comprends pas ce qui se passe en ce moment, lâché-je. Nous ne pouvons pas être plus que des amis, Tracker.

Il me tourne pour que je le regarde en face.

Je n'ai aucune idée de la raison pour laquelle cet homme semble trouver la situation drôle.

— Viens-tu de me reléguer à la catégorie des amis?

Je pousse un profond soupir. Il est là, le problème. Toute notre relation n'est qu'un jeu pour lui, mais c'est mon cœur qui en est l'enjeu.

— Pourquoi faut-il que tu sois si compliqué?

Il se met à rire et son corps est secoué de tremblements. Je m'accroche à lui pour ne pas glisser de ses genoux.

— C'est *moi* qui suis compliqué? Tu as envie de moi, j'ai envie de toi. C'est simple. Le résultat, ce devrait être toi dans mon lit et moi dans le tien. C'est toi qui résistes, pas moi. Je suis plus que prêt à assumer le fait que nous sommes attirés l'un envers l'autre depuis l'instant où nos regards se sont croisés pour la première fois.

Je soupire, exaspérée.

— Es-tu toujours aussi… aussi…

— Aussi quoi? m'invite-t-il à continuer. Séduisant? Charmant?

— Pénible, craché-je. Es-tu toujours aussi pénible?

— Je suis pénible parce que je te mets le nez dans ta merde? me demande-t-il avec un séduisant sourire en coin. La plupart des femmes veulent un homme qui sait ce qu'elles pensent.

— Tu as l'expérience nécessaire pour le savoir, marmonné-je dans ma barbe.

— C'est pour mieux te satisfaire, réplique-t-il immédiatement en posant doucement sa main sur ma joue. Lana, tu le ressens, toi aussi. Je sais que tu le ressens. Putain, je sais que je ne peux pas inventer ce qu'il y a entre nous. Dis-moi pourquoi tu es réticente; dis-le-moi pour que je puisse corriger la situation. Cette merde est en train de me rendre complètement fou, putain.

Les choses paraissent tellement simples quand il le dit ainsi, mais elles ne le sont pas.

C'est compliqué.

— Tracker, dis-je avec un soupir en laissant ma main remonter le long de son cou. Bien sûr que j'ai envie de toi, lui avoué-je d'une voix douce tandis que mes joues rougissent en réaction à cette confession. Mais nous ne voulons pas la même chose.

Ses yeux bleus s'assombrissent et il baisse les paupières.

— Dis-moi ce que j'attends de toi, à ton avis.

Tu parles d'une manière de me mettre sur la sellette.

— Euhhh, fais-je en prenant une bonne respiration. Du sexe. Beaucoup de sexe.

Je n'ai rien contre.

Rien du tout.

Il se lèche les lèvres et baisse les yeux sur les miennes.

— Je m'attends à ça, oui. À quoi d'autre ?

Je hausse les épaules.

— C'est tout, je suppose.

— Je vois, dit-il doucement en relevant les yeux vers les miens. Laisse-moi te raconter quelque chose, Lana. Je sais que tu n'as pas envie d'entendre parler d'Allie, mais j'aimerais t'expliquer quelque chose. Avec elle, j'ai tout précipité sans réfléchir. J'avais désespérément envie de quelque chose dont je ne voulais même pas de sa part, quelque chose qu'elle ne pouvait pas me donner parce qu'elle n'est pas toi. C'était facile, mais la facilité n'a pas fonctionné avec moi. Notre relation était basée sur le sexe et la commodité ; c'est cru, mais c'est la putain de vérité. Maintenant, je sais que les bonnes choses n'arrivent pas sans effort. Je peux être patient, prendre mon temps, parce que je sais que tu en vaux la peine.

— Qu'attends-tu de moi, Tracker ? m'informé-je.

J'ai l'impression qu'il n'y a rien de nouveau dans ce qu'il me dit. Il ne me dévoile pas son jeu.

— Je veux être avec toi. Pour aussi longtemps que tu voudras de moi, répond-il, l'air sérieux.

Plus sérieux que jamais.

— Tracker…

— Tu sais quoi ? ajoute-t-il en me gratifiant d'un sourire en coin. Je sais que tu finiras par céder. Quand ce sera le cas, tout sera sacrément parfait. Ma queue peut donc t'attendre, Lana, parce qu'il y a ton nom gravé dessus.

Sur ce, j'ai la mâchoire qui se décroche, ce dont il décide de profiter pleinement, bien entendu, pour me surprendre en m'embrassant. Ses lèvres sont douces, parfaites, délicieuses. Oubliant absolument tout le reste, j'enroule les bras autour de son cou et l'embrasse en retour. Il y a tellement sacrément longtemps que j'ai envie de ce baiser que maintenant que je l'ai...

J'ai l'impression que c'est le matin de Noël.

Ses mains se baladent dans mon dos et s'arrêtent sur mes hanches, s'y agrippant fermement, ce qui m'encourage à continuer. Me sentant intrépide, je laisse ma langue explorer. Il soupire contre mes lèvres, suçotant et mordillant ma lèvre inférieure avant de s'écarter. Avec un grognement de protestation, j'attire sa tête vers la mienne, mais il laisse tout de même sa bouche quitter la mienne.

— Lana, murmure-t-il en posant un baiser sur mon front.

Je laisse tomber ma tête contre son torse.

— Pourquoi as-tu arrêté ? protesté-je.

Il émet un doux gloussement.

— Parce que tu as dit que nous ne pouvions pas être plus que des amis, tu te souviens ? Des amis ne s'embrassent pas ainsi.

J'ai envie de le gifler.

Je lève la tête et le regarde en plissant les yeux.

— Tu es un véritable enfoiré.

— Hé, c'est toi qui as sorti la langue, pas moi. Je tentais de faire ça le plus amicalement possible, lâche-t-il pour plaisanter.

Un parfait enfoiré.

Je me tortille sur ses genoux pour essayer de me lever tandis qu'il essaie de me tenir en place.

— Continue de te tortiller, me dit-il. C'est agréable.

Je m'immobilise immédiatement.

Je sentais son érection sous son jean, mais je n'y portais pas attention ; je faisais comme si de rien n'était. Mais maintenant que nous baissons tous les deux les yeux entre nous, elle prend toute la place.

Vraiment *toute* la place.

Je suis sortie avec deux hommes dans ma vie et ni l'un ni l'autre ne prenait autant de place.

— C'est tout un morceau que tu as là, m'exclamé-je, grimaçant à l'instant où mes paroles quittent mes lèvres.

Oui, je viens de dire ça.

Pourquoi faut-il que je sois si maladroite ? Je devrais me contenter d'écrire et ne plus jamais ouvrir la bouche.

Enfin, pour parler, du moins. Je pourrais toujours m'en servir pour… faire d'autres choses.

Tracker rit, tout simplement.

— Il est tout à toi, Lana.

Si c'était vrai, je serais la femme la plus heureuse au monde.

***

Tracker finit par passer quelques heures ici, à traîner et à regarder la télévision avec moi.

— Tu lui ressembles un peu, indique-t-il en faisant un signe de tête en direction la télévision.

Nous regardons une reprise de *Smallville* et il fait référence à la superbe femme qui joue le rôle de Lana Lang.

— Vous portez le même nom, en plus.

J'écarquille les yeux.

— C'est ça, oui.

— Je suis sérieux, proteste-t-il. Menue, cheveux foncés, teint de porcelaine et traits magnifiques.

Je ne vois toujours pas la ressemblance, mais le compliment me fait tout de même plaisir.

— Eh bien, tu ne ressembles pas à Clark Kent, souligné-je avant de marquer une pause. Plutôt à Thor.

Mon commentaire le fait rire et il marmonne quelque chose à propos du fait d'avoir un marteau.

Lorsqu'il glisse nonchalamment son bras autour de mes épaules en l'allongeant sur le dossier du canapé, je fais semblant de ne pas le remarquer. Lorsqu'il va dans la cuisine nous préparer un goûter, je trouve la situation amusante. C'est comme s'il se sentait partout chez lui, toujours à l'aise et plein d'assurance.

J'aimerais être ainsi.

Lorsque son téléphone sonne, je suis blottie au creux de son bras.

— Salut, dit-il avant de marquer une pause. Oui, d'accord, répond-il. Donne-moi 10 minutes. Oui. À toute. Il faut que j'y aille, m'annonce-t-il en baissant la tête.

Il pose un baiser sur mon front, puis il se dirige vers la porte, d'où il m'appelle pour que je vienne verrouiller derrière lui.

Puis, je reste plantée là, perdue dans mes pensées.

Tracker et moi pourrions-nous former un couple, après tout?

CHAPITRE 5

— Tu as inventé un jeu à boire Ed Sheeran ? m'étonné-je au téléphone en clignant lentement des yeux.

— Ouais, hurle Anna, ce qui me fait tressaillir. J'ai bu chaque fois qu'il chantait les mots *me* et *I*. Je suis ivre, Lana. *Ivre*. IIIvvvvreee. Pourrais-tu venir me chercher ?

Sa voix inarticulée me fait sourire.

— *Me* et *I*, hein ? Combien de chansons as-tu écoutées ?

— Pas beaucoup, répond-elle gaiement. Oups. J'ai failli tomber.

J'adore Ed Sheeran.

— Lana, pourquoi n'es-tu pas sortie ? Tu as besoin d'une bonne baise. Je sais que ça fait longtemps, mais c'est comme aller à vélo, déclare-t-elle avant de faire une pause. Excepté que le vélo est un pénis.

Sur ce, je me mets à rire.

— Puis, j'ai faim, poursuit Anna. Je me demande s'il y a un restaurant de sushis qui est ouvert en ce moment.

Je me dirige vers le comptoir de la cuisine pour y attraper mes clés.

— Où est Arrow ?

Il ne la quittait jamais normalement, à moins d'y être obligé.

— Parti faire un tour, m'informe Anna avec un profond soupir. Je suis à l'extérieur du Rift. Rake est à l'intérieur, mais il est occupé à draguer.

Classique.

— Es-tu occupée ? poursuit-elle. Je peux prendre un taxi. Mais j'ai promis à Arrow de ne pas rentrer seule.

— Donne-moi cinq minutes, lui dis-je avant de raccrocher.

Le Rift est un bar appartenant aux Wind Dragons situé assez près de chez moi. Ma mère est à l'hôpital où elle est infirmière et je suis seule à la maison avec mon ordinateur. Je ne m'attendais pas à ce qu'Anna m'appelle à cette heure-ci de la nuit, mais son appel ne me dérange pas. Elle m'avait invitée à sortir, mais j'avais refusé. Je ne savais pas qu'Arrow était parti faire un tour et je n'avais pas envie de tenir la chandelle. Puis, j'avais un livre à terminer. Depuis que Tracker était parti de chez moi l'autre jour, j'étais étonnamment inspirée et les scènes érotiques que j'avais écrites étaient plus excitantes que jamais. On dirait bien qu'un baiser de sa part était tout ce dont j'avais besoin.

Je n'avais pas l'intention de descendre de ma voiture ; je n'ai donc pas pris la peine de me changer. Vêtue d'un bas de survêtement et d'un haut sans manches blanc, je mets des ballerines, attrape mon sac à main et monte dans ma voiture. Ronald, ma vieille Honda défoncée, est garé à côté de ma nouvelle Hyundai Tucson noire. Les housses de sièges sont d'un rose vif qui me fait sourire chaque fois que je les vois. Après m'être assurée de respecter les limites de vitesse pendant tout le trajet, je trouve un endroit où me garer, puis je sors mon téléphone pour rappeler Anna. Lorsqu'elle ne répond pas, je pousse un grognement avant d'essayer à nouveau.

Pas de réponse.

Je suis sur le point de sortir de ma voiture, tenue appropriée ou pas, lorsqu'elle me rappelle.

— Où es-tu ? me demande-t-elle en guise de salutation. Elle a un peu de mal à articuler.

— Garée.

Elle pousse un cri de joie.

— Quelle voiture as-tu prise ?

— La Tucson.

— D'accord. Nous arrivons, annonce-t-elle avant de raccrocher.

— Nous ?

Je suppose que Rake a aussi besoin d'être raccompagné. Erreur.

J'écarquille les yeux en voyant Anna et Tracker marcher l'un à côté de l'autre en direction de ma voiture. Il est *beau*. Ses cheveux blonds détachés lui tombent sur les épaules et il porte un jean foncé assorti à une chemise dont les manches sont roulées aux poignets. Avec ses bottes de moto, la chaîne à laquelle est accroché son porte-monnaie et son sourire suffisant, cet homme transpire le pouvoir et la sensualité. Y a-t-il seulement deux jours qu'il était chez moi ? A-t-il toujours été aussi beau ? Je m'émerveille du fait que j'ai eu suffisamment de retenue pour le repousser. Cet homme est un dieu. En bon gentilhomme qu'il est, il ouvre la portière pour Anna avant de se glisser sur le siège du passager. Il me gratifie d'un grand sourire, puis se penche pour poser un baiser sur ma joue. Je sens une légère odeur de parfum féminin, ce qui me fait grincer des dents.

— Passé une bonne soirée ? lui demandé-je avec un sourire forcé.

— Les choses viennent de s'améliorer, répond-il avant de tourner la tête pour regarder Anna. Je lui ai fait boire de l'eau pour l'aider à dégriser.

Je me tourne pour la regarder à mon tour.

— Comment te sens-tu, Anna Bell?

Elle a les yeux fermés.

Puis, elle se met à ronfler.

Tracker éclate de rire en tapant sur mon tableau de bord.

Je le regarde en plissant les yeux.

— Ce n'est pas une raison pour malmener ma voiture.

Ses lèvres frémissent.

— Désolé, poupée.

Poupée?

C'est nouveau, ce surnom.

Je ne sais pas trop s'il me plaît. Cet homme me perturbe, me trouble et me fait courir à ma perte. J'ai envie de lui. Je ne veux pas avoir envie de lui, mais je n'arrive pas à m'en empêcher. Je suis une épave et lui, il est la tempête. Je sens qu'elle approche, mais je ne m'ôte pas de son chemin.

Je démarre et regarde droit devant moi.

— Où allons-nous?

— Au club, m'informe-t-il. Tu peux dormir là, toi aussi.

— Pourquoi ferais-je ça? l'interrogé-je en le regardant du coin de l'œil. Je vais aller vous déposer, Anna et toi, puis je vais rentrer chez moi.

— Je ne veux pas que tu te promènes seule en voiture, déclare-t-il. Tu vas donc rester. Ne t'en fais pas, tu seras en sécurité. Ce n'est pas comme si nous allions être seuls tous les deux là-bas; il y a toujours quelqu'un au club. Nous pouvons aller chercher quelque chose à manger et le temps que nous rentrions, Rake sera probablement là de toute manière et certainement pas seul.

— Exactement ce dont j'ai besoin, rétorqué-je. Voir un spectacle qui met en scène le frère de ma meilleure amie.

Était-ce censé me mettre à l'aise ? Je suppose que Rake est comme une sorte de mesure de protection pour moi, parce que je le connais déjà, mais je n'ai pas envie de le voir dans son élément.

— On ne voit rien, m'assure Tracker avec un sourire en coin. On entend seulement la trame sonore. *Ahhhhh, Rake...*

Son commentaire me fait rire.

— Sérieusement, il y a quelque chose qui ne tourne pas rond chez vous, les gars.

— On n'a qu'une seule vie à vivre, Lana. Il faut en profiter. Sinon, à quoi bon ? Aucun regret.

— Mordre dans chaque journée à belles dents ?

Ma question le fait rire.

— Exactement.

— J'imagine que je pourrais essayer.

Sa manière de concevoir la vie est contagieuse. Il profite toujours au maximum de chaque instant, de chaque situation. J'aimerais lui ressembler un peu plus sur ce point.

— Tu peux commencer par dormir au club ce soir.

Pourquoi insistait-il tant pour que je dorme là-bas ?

— Qu'arrivera-t-il si je refuse ? le défié-je en croisant les bras.

— Dans ce cas, je devrai t'y obliger.

— Malheureusement pour toi, il existe une chose qui s'appelle le libre arbitre, répliqué-je en lui lançant un regard noir.

— Oui, mais je suis plus fort que toi. Je peux te porter d'une seule main ; tu dois donc faire ce que je dis.

— Petit chef, grommelé-je dans ma barbe.

— Pas petit chef. Grand patron.

— Dans tes rêves.

— C'est ce que tu portes pour aller au lit ? me demande-t-il.

Je me retourne juste à temps pour le surprendre à fixer ma poitrine. Je ne porte pas de soutien-gorge parce que je n'en ai pas vraiment besoin. Mes seins sont petits, mais ils me plaisent ainsi. Ils sont pointus et faciles à gérer. Mon arrière-train, en revanche, est gros et bien rond. J'essaie de le contenir, mais il n'en fait qu'à sa tête. Du haut de mon 1,57 m, je suis menue, mais mon postérieur n'est pas assorti à ma silhouette.

— Oui, confirmé-je en haussant les épaules, feignant la nonchalance.

— Doux Jésus, femme. Tu es séduisante peu importe ce que tu portes, dit-il, posant sa grosse main sur ma cuisse.

— Tracker ! m'exclamé-je, l'écartant d'une gifle.

— Lana ! m'imite-t-il d'une voix moqueuse. Tu parais tendue. Je pense que tu as besoin de baiser pendant quelques heures. Quelques orgasmes te feraient le plus grand bien. Laisse-moi t'aider. Au diable cette histoire d'amis seulement. Sincèrement.

Est-il ivre ?

Je hoche la tête, d'accord avec lui.

— Tu as raison. Je devrais peut-être trouver quelqu'un qui pourra m'aider à corriger la situation. Il y a quelques types dans mes cours qui m'ont invitée à sortir.

J'ai soudain l'impression que tout l'air a été aspiré hors de la voiture.

Je regarde Tracker, dont les yeux bleus sont rivés sur moi.

— Tu touches quelqu'un, il meurt. Je ne pensais pas que tu étais assoiffée de sang, mais soit.

Tout ce cirque me fait lever les yeux au ciel.

— Eh bien, quoi ? Je dois rester chaste jusqu'à ce que tu décides que tu en as marre de me courtiser, alors que tu as le droit de baiser la population féminine en entier ?

— Qui a dit que je baisais quelqu'un d'autre ? Je ne te demande pas de rester chaste. Ce sera loin d'être le cas, crois-moi, mais il n'y aura que moi dans ton lit, tous les soirs.

Je serre les cuisses.

— Allie se joindra-t-elle à nous ? lui demandé-je d'un ton sec.

Ce n'est qu'une question de temps avant qu'ils se remettent ensemble. Ils jouent à ce jeu depuis des années et il est hors de question que je sois coincée entre les deux.

Je l'entends grincer des dents.

Je l'embête ? Tant mieux. C'est mutuel.

— Je préfère ne pas partager, mais si c'est ce que tu veux, finit-il par dire sur un ton qui ne me plaît pas du tout.

— Je pense que je vais passer mon tour, refusé-je avec un profond soupir.

— Comment as-tu pu t'offrir cette voiture ? me demande-t-il, changeant efficacement de sujet. Faye t'a-t-elle donné une avance ou quelque chose du genre ?

Mes doigts se crispent sur le volant.

— Non que cela te concerne, mais j'avais un peu d'argent de côté.

— Vraiment ? Intéressant. Très mature de ta part.

— Une fille doit se protéger, déclaré-je.

Ce que je veux dire par là est évident.

— De qui ? De moi ? s'enquiert-il, incrédule. Jamais je n'ai eu autant envie de protéger une femme et tu penses que tu dois te protéger de moi ?

Cette conversation dégénère rapidement. J'ai envie de lui expliquer que je voulais dire que je devais protéger mon cœur, mais je ne le fais pas. Je ne lui dois aucune explication. Je ne lui appartiens pas et il ne m'appartient certainement pas non plus. Ne tenant pas compte du pincement au cœur que je ressens à cette idée, je passe en marche avant et me concentre sur la route devant moi.

— Veux-tu aller manger un morceau ? me demande-t-il au bout de 10 minutes de silence tendu.

— Anna m'a dit qu'elle avait faim, reconnais-je doucement.

— Anna est K.O., mais nous pouvons commander quelque chose pour elle pour qu'elle ait à manger lorsqu'elle se réveillera.

C'est gentil de sa part.

— D'accord, cédé-je. Où veux-tu t'arrêter ?

— Je connais un bon endroit, affirme-t-il.

— Y a-t-il un service au volant ? m'enquiers-je en baissant les yeux sur ma tenue.

Pourquoi donc ne m'étais-je pas changée ?

— Non, répond-il en riant. Mais personne n'osera te regarder de travers si tu entres avec moi.

— Tout de même, grommelé-je.

— Je vais te prêter ma chemise pour que tu la mettes par-dessus ton haut. Ça ira.

— Tu ne portes pas ton gilet, lui fais-je remarquer.

— Il n'allait pas avec ma tenue, plaisante-t-il, ce qui me fait sourire.

C'est le problème avec lui. Il est si doué pour me mettre à l'aise, même tout de suite après une situation tendue.

— Tu n'as pas les cheveux remontés en chignon, m'exclamé-je. Tu es séduisant avec un chignon.

— Je tâcherai de m'en souvenir la prochaine fois, rétorque-t-il d'une voix grave et rauque à laquelle je pourrais facilement m'habituer.

Je m'éclaircis la voix.

— Y avait-il beaucoup de gens au Rift?

Il sourit de toutes ses dents, l'air amusé par mon atroce tentative de bavardage.

— C'était plein à craquer. Cet endroit roule vraiment bien. Nous avons engagé de nouvelles filles pour tenir le bar.

— C'est la raison pour laquelle tu sens le parfum?

Puisqu'il ne répond pas, je me tourne pour le regarder. Il essaie de ne pas rire.

— Tu es affreusement jalouse pour quelqu'un qui ne rate pas une occasion de me repousser.

— Pfff! Je ne suis pas jalouse.

D'accord, je suis jalouse.

Je suis jalouse de toutes les femmes qui ont couché avec lui. Je préférerais que ce ne soit pas le cas, mais cet homme me fait perdre la raison. Je suis une femme indépendante. Je suis forte, éduquée et j'ai une bonne estime de moi-même, mais lorsqu'il est question de Tracker…

Le mot *désir* n'est pas assez fort pour représenter ce que je ressens pour lui.

Je suis attirée par lui.

Si je croyais aux âmes sœurs, je dirais qu'il est la mienne. C'est extraordinaire, la manière dont il me fait sentir, mais au bout du compte, je n'ai pas confiance en lui. La vérité, c'est que je le juge en fonction de son passé. Je ne suis pas suffisamment naïve pour croire que je serai la femme qui transformera Tracker. Je suis sortie avec quelques garçons et j'ai remarqué qu'ils avaient tous une chose en commun : ils disent et font tout ce qu'on attend d'eux au début. Mais il ne leur faut pas grand-chose pour se désintéresser et chercher à s'amuser ailleurs. Les hommes ont trop de facilité à mentir. J'ai du mal à accorder ma confiance, et les antécédents de Tracker avec Allie et les innombrables femmes qu'il a fréquentées ne me facilitent pas la tâche. Il croit peut-être réellement que je suis différente et qu'il éprouve envers moi de puissants sentiments, mais combien de temps dureront-ils ? Je n'ai pas envie de rivaliser avec d'autres femmes et de me battre pour son affection. Je n'ai pas envie de me demander où il est et avec qui.

Même si je le fais déjà. Pour l'instant, du moins, il ne m'appartient pas. Il n'est qu'un fantasme. Un rêve que je ne peux pas laisser devenir réalité.

Nous sommes deux êtres très différents et s'il me brise le cœur, je ne sais pas si j'aurai la force de m'en remettre.

CHAPITRE 6

Sa chemise est beaucoup trop grande pour moi, mais elle couvre mes mamelons et je ne peux pas demander mieux pour l'instant.

— Merci, lui dis-je en la boutonnant.

— À ton service, répond-il d'une voix rauque en reculant d'un pas pour m'examiner de la tête aux pieds. Elle te va bien.

Lorsque nos regards se croisent à nouveau, je plisse légèrement les yeux.

La lueur qui illumine la profondeur bleutée du sien ne m'échappe pas : possessivité.

— Ne me regarde pas comme ça, lui intimé-je en fronçant les sourcils.

— Comme quoi ? me demande-t-il, prenant ma main dans la sienne pour m'entraîner à l'intérieur du café ouvert en tout temps.

— Comme si je t'appartenais et que tu ne faisais qu'attendre que je m'en rende compte.

Il m'ouvre la porte.

— C'est pourtant la vérité.

C'est bien ce que je crains. Je lève les yeux au ciel et me dirige vers l'un des box. Il se glisse sur la banquette à côté de moi, sa cuisse pressée contre la mienne.

— Penses-tu que ça ira pour Anna dans la voiture ? m'inquiété-je en regardant par la fenêtre en direction de l'endroit où j'ai stationné.

— Elle va bien, me rassure Tracker en prenant la carte. Je peux l'entendre ronfler d'ici, putain. Si elle arrête, je vais sortir voir ce qui se passe.

Je n'arrive pas à m'empêcher de rire.

— Laisse-la tranquille. Elle est susceptible à propos de ses ronflements.

Il pousse un grognement.

— Le fait qu'Arrow endure ça toutes les nuits constitue une preuve irréfutable qu'il est sacrément amoureux d'elle.

Je lui enlève la carte des mains pour y jeter un coup d'œil.

— Je vais prendre un hamburger pour Anna. Il n'y a pas de sushis ici.

— Ce serait douteux s'il y en avait, rétorque Tracker avec un grand sourire. Qu'as-tu envie de manger ?

Je regarde le menu une fois de plus.

— Je vais prendre des nachos.

— Bon choix, acquiesce-t-il en appelant la serveuse d'un geste de la main.

Elle accourt pratiquement, ce qui me fait secouer la tête, mi-amusée, mi-agacée.

— Que puis-je faire pour vous ? roucoule-t-elle.

Elle est légèrement penchée au-dessus de la table, nous offrant un bel aperçu de ses énormes seins.

— Salut, ma jolie, dit-il à la blonde sans lever les yeux. Nous allons prendre des nachos, deux hamburgers avec des frites et du gâteau au chocolat. Ah, et des côtes levées.

Je lui jette un regard oblique. *Ma jolie ?* Il est tellement dragueur.

Il me regarde.

— Quelque chose à boire ?

— De l'eau, s'il te plaît.

Il hoche la tête et reporte son attention sur la serveuse.

— De l'eau et un coca.

— Voulez-vous le gâteau après le repas ou en même temps ?

— En même temps, répond Tracker. Merci.

Lorsqu'elle s'en va, il reporte son attention sur moi.

— Affamé ?

Un sourire illumine lentement ses traits.

— Ce n'est qu'une collation.

Mes lèvres frémissent.

— Un appétit insatiable ?

— Tu n'en as pas idée, déclare-t-il, les yeux rivés aux miens. Mais ça va changer.

Je déglutis péniblement. Je devrais savoir qu'il vaut mieux ne pas l'appâter, parce qu'il n'est pas le moindrement timide. Il dit tout ce qui lui passe par la tête et c'est moi qui finis par être embarrassée.

Tracker me donne un petit coup de coude pour me taquiner, ce qui m'incite à lever les yeux vers lui.

— Inutile de t'enfermer dans le mutisme, je ne fais que plaisanter, indique-t-il en inclinant la tête sur le côté pour m'observer. Que faisais-tu debout si tard ? Anna t'a-t-elle réveillée ? J'étais furieux quand elle m'a dit qu'elle t'avait appelée. Elle aurait pu appeler un des novices pour qu'il vienne la chercher.

— Ce n'est pas grave, je n'étais pas couchée. Qu'en est-il de toi ? me surprends-je à lui demander. Trop bu ?

Il hausse ses larges épaules.

— J'ai bu quelques verres. Mais je ne suis pas ivre, si c'est ce que tu veux savoir.

— Ça ne me dérange pas qu'Anna m'ait appelée, l'assuré-je. Si on ne peut pas appeler sa meilleure amie au milieu de la nuit quand on est ivre, qui peut-on appeler?

— Un taxi? propose Tracker, riant de sa propre blague. C'est un putain de novice qu'elle aurait dû appeler.

— Est-ce à cela qu'ils servent? m'enquiers-je en haussant un sourcil.

— Entre autres.

J'ai envie de lui poser plus de questions sur le mode de vie du club, mais nos boissons arrivent et il me passe ma bouteille d'eau avant d'attraper son coca pour en prendre une longue gorgée. Je regarde le mouvement de sa gorge, puis je suis des yeux son cou vers le bas jusqu'à son large torse visible sous son maillot de corps.

— Ce n'est pas ainsi que j'imaginais notre premier rendez-vous, mais je vais faire avec, affirme-t-il.

Je secoue la tête avec un sourire.

— Ceci n'est pas un rendez-vous. Si c'en est un, il faudra fournir un peu plus d'effort, Tracker.

Il se met à rire, rejetant la tête en arrière.

— Tu sais, je pense que tu as raison. Tu n'es pas comme les filles auxquelles je suis habitué et avant que tu te mettes à me lancer des insultes, je tiens à dire qu'il s'agit d'une bonne chose.

Nous nous regardons dans les yeux pendant quelques instants.

— Tu es sérieux, finis-je par dire.

Il presse sa cuisse encore plus contre la mienne.

— Je ne déconnerais pas avec une telle chose, Lana. Je veux être avec toi. Pour moi, c'est aussi simple que ça.

Si seulement il en était de même pour moi.

— Tu pensais vouloir être avec Allie, lui fais-je remarquer. Qu'arriverait-il si tu pensais vouloir être avec moi, mais que plus tard tu comprenais que tu t'es trompé une fois de plus ?

Dans quelle position me retrouverais-je ? Dans la même qu'Allie, à mendier des marques d'attention de sa part ? Dégoûtée des hommes ? Ouais, non merci. J'aimerais conserver ma dignité. Aucun homme ne vaut ce genre de drame.

Il prend ma main dans la sienne, puis la porte à ses lèvres et saupoudre des baisers partout sur mes jointures. La tendresse du geste me coupe le souffle.

— Tu n'es pas Allie. Rien n'est pareil. Rien. Pas la peine de suranalyser, Lana. Laisse aller les choses.

Faisant exactement le contraire de ce qu'il vient de me dire, je suranalyse la situation.

— Tu suranalyses, n'est-ce pas ? vérifie-t-il, une lueur d'amusement dans les yeux. Il faut parfois laisser les choses suivre leur cours, Lana. Ne pas avoir de regrets.

— Tu n'as *aucun* regret ? le questionné-je en l'observant attentivement.

— Je ne regrette jamais les choses que j'ai faites ; uniquement les choses que je n'ai pas faites, déclare-t-il. La vie est trop courte. Personne n'est parfait. Parfois, on tombe, mais il faut remonter sur la moto et en profiter au maximum.

Son analogie me fait sourire.

— Nous ne sommes pas tous aussi faciles à vivre.

Tracker arbore un grand sourire carnassier.

— Peut-être pouvons-nous nous équilibrer, dans ce cas. Tu me rappelles à l'ordre un peu, tandis que moi, je peux te libérer.

Nos regards restent rivés l'un à l'autre et le courant passe entre nous.

— Doux Jésus, ce que tu es belle, dit-il doucement. Je pense que tu n'as aucune idée à quel point. Les choses que je te ferais…

Nos assiettes arrivent, désamorçant heureusement la magie du moment. C'est trop pour moi.

Trop intense.

Trop tentant.

Tracker mange un peu de mes nachos et m'offre un peu de son hamburger. En prenant une grande bouchée, je comprends que n'importe qui penserait, à nous regarder, que nous formons un couple : la manière dont l'attention de Tracker ne fléchit pas quand je parle, les rires, la tension sexuelle et la manière désinvolte dont nos mains se touchent. Je ne peux pas nier que la situation me plaît. Les gens sont loin de se douter que nous ne formons certainement pas un couple, que nous nous disputons plus que la moyenne et qu'il est membre d'un club de motards sans pitié. Nous ne couchons pas ensemble non plus, mais je suppose qu'ils ne le savent pas. À moins que ce fait fasse de nous un couple marié ? Je ris de ma propre blague, ce qui me vaut une adorable expression perplexe de la part de l'imposant motard assis mes côtés.

— Tu veux m'expliquer ce mignon petit rire ?

— J'ai fait une blague. Dans ma tête.

Il hausse les sourcils.

— Tu veux m'en faire part ?

— Pas vraiment, réponds-je en lui volant une frite pour me la fourrer dans la bouche.

— Tu sais, dit-il en trempant une frite dans le ketchup, un jour, tu auras suffisamment confiance en moi pour me faire part de toutes ces petites pensées et petites blagues qui te passent par la tête. Un jour, tu sortiras de ta tête et tu me laisseras y entrer.

— Vraiment?

— Ouaip, confirme-t-il en hochant la tête, mâchant d'un air pensif.

— Un jour, Tracker, je vais te dégoûter de toutes les femmes.

Mon commentaire visait à le faire réagir, à lui faire peur.

— C'est ce que je crois aussi, rétorque-t-il simplement.

Merde.

***

Je reconduis Anna et Tracker au club, mais *non* n'est pas une réponse acceptable pour celui-ci lorsque je lui dis que je ne veux pas rester.

— C'est plus simple, argumente-t-il. Je ne veux pas que tu reprennes la route toute seule en pleine nuit.

— Tout ira bien, répliqué-je. Je me suis bien rendue jusqu'au Rift toute seule.

— Ça ne m'a pas plu non plus.

— T'es sérieux? grommelé-je. Tu as l'habitude d'obtenir ce que tu veux, pas vrai?

À la manière dont il me sourit, je suis persuadée qu'il s'agit de son sourire le plus charmeur.

— Avec les femmes, oui.

Je grince des dents.

— C'est peut-être ça, ton problème. Tu as besoin de te faire remettre à ta place un peu. D'être ramené à la réalité.

Il se penche un peu plus vers moi, se pressant presque contre moi.

— C'est toi qui le feras ?

— Non, rétorqué-je. Mais je suis certaine que plusieurs autres essaieront.

— Elles ne m'intéressent pas. C'est toi que je veux.

— On n'obtient pas toujours tout ce qu'on veut, répliqué-je.

— S'il te plaît, m'implore-t-il avec un regard suppliant. Je me conduirai de manière irréprochable. Putain, cesse de t'entêter et passe la nuit ici. Doux Jésus. Je me montre galant, je veux que tu sois en sûreté plutôt que seule sur la route quand il fait nuit noire.

Je soupire. Je ne peux pas nier le fait que j'ai envie de rester avec lui autant qu'il a envie que je reste. Peut-être même plus.

— Très bien.

Bon gagnant, il ne remue pas le couteau dans la plaie. Il descend plutôt de la voiture et porte Anna, endormie, dans ses bras. Je descends aussi de la voiture et le suis jusqu'à la chambre qu'Anna partage avec Arrow. Il la pose sur le lit tandis que je veille à son confort. Je la démaquille avec une lingette humide que j'ai trouvée dans sa salle de bain. Elle remue légèrement, mais puisqu'elle ne se réveille pas, je la borde avant de me rendre à la cuisine pour chercher Tracker. Lorsque j'y aperçois plutôt Rake en train de manger un hamburger, j'ai la mâchoire qui se décroche.

— Je t'en prie, dis-moi que tu n'es pas en train de manger le hamburger d'Anna, m'exclamé-je en attrapant un tabouret pour m'asseoir. Elle va te tuer.

Rake, la bouche pleine, sourit de toutes ses dents.

— C'était le sien? J'ai faim. Si elle le voulait à ce point, elle n'avait qu'à le manger.

— Elle dort, lui fais-je remarquer.

— Les absents ont toujours tort.

— Très mature, répliqué-je en posant les coudes sur le comptoir.

Il arbore un petit sourire en coin.

— De toute façon, que fais-tu ici, Lana? Je ne t'ai jamais vue ici après le coucher du soleil. Tu es comme un vampire, poursuit-il avant de marquer une pause. Mais à l'inverse.

— Rake, tu m'inquiètes, lui dis-je sincèrement en clignant lentement des yeux.

Il baisse sur moi ses yeux verts identiques à ceux d'Anna et me sourit.

— J'ai bu. J'ai baisé. Maintenant, je mange. La nuit parfaite.

— Merci d'avoir partagé ça avec moi.

— À ton service, Lana Ours, déclare-t-il, utilisant mon surnom d'enfant.

Je me demande si mes lectrices aimeraient un personnage masculin comme Rake. À mon avis, il n'est pas très attirant, bien qu'il soit beau. *Très* beau. Ses cheveux blonds bouclés lui encadrent le visage, son nez est droit et ses yeux verts, généralement amusés, sont entourés de cils foncés. Les anneaux qu'il porte, un à la lèvre et un autre au sourcil, lui vont bien. Mais je n'arrive pas à le prendre au sérieux. C'est peut-être parce que je le connais depuis l'enfance. Il criait toujours après Anna parce qu'elle faisait ceci ou cela, mais pas par méchanceté. D'une manière qui démontrait simplement qu'il l'aimait plus que tout et voulait la protéger.

— Jusqu'à demain matin, lorsqu'Anna t'étouffera dans ton sommeil et mettra dans l'embarras celle qui partage ton lit.

— Celle qui partage mon lit ? répète-t-il avec un petit rire. Putain, tu es tellement convenable, Lana.

— Que voudrais-tu que je dise ? m'enquiers-je en me tortillant sur mon siège. Celle qui partage ton putain de lit ?

Son petit rire se transforme en gros éclat.

— Beaucoup mieux. Mais *plan cul* fera parfaitement l'affaire.

— Qu'y a-t-il de si drôle ? demande Tracker en arrivant dans la cuisine, fraîchement sorti de la douche.

Torse nu, il porte un pantalon de pyjama noir très bas sur ses hanches.

— Plan cul ? poursuit-il en nous regardant tour à tour, Rake et moi.

Je reste impassible, me demandant à quoi il pense. Il vient se placer derrière moi, enroule ses bras autour de ma poitrine et me serre contre lui.

— Je ne pense pas qu'elle ait besoin d'entendre parler de tes séances de baise, mon frère.

Anna m'a dit que Rake était un adepte du ligotage et de ce genre de trucs. En tant qu'auteure, je suis extrêmement curieuse. J'aimerais tellement pouvoir disséquer son cerveau. Mais je ne suis pas certaine qu'il aimerait que je le fasse ; il est plutôt discret lorsqu'il est question de ses fétichismes sexuels. Enfin, aussi discret que possible, considérant le fait qu'il vit dans une immense maison pleine de gens qui vont et viennent toutes les heures du jour ou de la nuit.

Rake lance l'emballage du hamburger dans la poubelle, puis se tourne vers nous.

— Sors-tu avec lui, Lana ? S'il t'emmerde, appelle-moi. Je vais lui botter le cul.

Au ton de Rake, je ne sais pas s'il plaisante ou non.

— Tu peux toujours essayer, lance Tracker sans animosité en enfouissant son nez dans mes cheveux sur le dessus de ma tête.

Rake lâche un grognement.

— Vous, mes espèces d'enculés, vous tombez tous comme des mouches. D'abord, c'était Sin avec Faye, ensuite, Arrow avec Anna. Maintenant, vous deux ? Putain de merde, j'ai besoin d'un autre verre. De nouvelles chattes aussi.

Charmant.

Rake quitte la cuisine et Tracker enchaîne comme si Rake n'avait jamais existé.

— Tu dois être fatiguée. Allons nous coucher.

— Je vais dormir avec Anna, annoncé-je en faisant demi-tour pour le regarder.

— Dans le lit d'Arrow ? Sacrément pas question, grogne-t-il avant d'adoucir le ton. Allons, nous ne ferons que dormir. En cuillère, même.

— Tracker…

— Je suis tellement content que tu sois une femme aussi partante, affirme-t-il gaiement en me prenant par la main pour m'entraîner vers sa chambre.

J'ouvre la bouche, puis la referme, le laissant m'emmener dans sa chambre et fermer la porte. Il allume tandis que j'essaie de me calmer. Sa chambre est vaste et un immense lit blanc en occupe le centre. En balayant la pièce du regard, je constate que tout est blanc avec des touches de noir ici et là. Il y a quelques vêtements par terre, mais de manière générale, sa chambre est en ordre. Tracker ouvre la porte de sa salle de bain et disparaît à l'intérieur tandis que j'avance vers la monstruosité que constitue son lit pour m'asseoir tout au bout. Il revient un instant plus tard et grimpe dans le lit, m'attrapant par la taille pour me tirer vers l'arrière de sorte que je me retrouve au milieu du matelas.

— Beaucoup mieux, bâille-t-il. Dors, Lana. Tu es en sûreté ici. Le jour où je te toucherai, ce sera parce que tu me supplieras de le faire.

Je décide de faire comme s'il n'avait rien dit.

M'allongeant lentement sur les épais oreillers en plume, je m'installe confortablement et ferme les yeux.

Enveloppée par son odeur, je m'endors instantanément.

***

— *Lana, grogne-t-il en me touchant dans mon intimité. Tu es si douce.*

Tout endormie, j'ouvre les yeux et souris à Tracker tandis qu'il glisse un doigt en moi.

— *J'ai envie de te pénétrer, murmure-t-il.*

— *Vas-y, lui ordonné-je. Fais-le.*

— *Oh oui, grogne-t-il en écartant mes cuisses pour s'enfoncer en moi comme s'il l'avait déjà fait des millions de fois.*

Immobilisant mes mains contre la tête de lit, il va et vient, encore et encore, avec une telle intensité que le lit en tremble.

— *Oui, gémis-je. C'est si bon !*

Soudain, j'ouvre les yeux.

Je jette un coup d'œil autour de moi dans la pièce sombre.

Merde.

Ce n'était qu'un rêve.

Tracker est à côté de moi et nos corps se touchent. Il a les yeux fermés et les lèvres entrouvertes. Ses cheveux détachés lui chatouillent le visage. Je résiste à l'envie de l'embrasser.

J'envisage de le réveiller, mais décide ensuite de ne pas le faire. Il paraît si serein. Presque enfantin.

Je suppose que je devrai terminer cette scène sur mon ordinateur plutôt que dans la réalité. Heureusement, j'ai l'imagination débridée, ce qui me sert de carburant pour écrire.

CHAPITRE 7

Je me réveille avec une sensation de chaleur et de contentement. Tracker est pressé contre mon dos, ses bras musclés enroulés autour de ma taille et son visage enfoui dans mes cheveux.

Écarquillant comiquement les yeux, je m'assieds et baisse mon regard sur Tracker, endormi.

Il s'est blotti contre moi.

Comme un vrai pro.

Il ouvre un œil et me sourit paresseusement.

— Il est encore tôt. Recouche-toi.

— Comment sais-tu l'heure qu'il est ?

— Je sais, c'est tout, répond-il d'une voix empâtée par le sommeil. Reviens te coller contre moi.

Cet homme peut être si adorable.

Après m'être glissée à nouveau dans ses bras, je soupire en me demandant comme j'ai pu atterrir ici. Au moment où je suis sur le point de me rendormir, j'entends la porte de la chambre qui s'ouvre, puis un cri de surprise qui sort de la bouche de ma meilleure amie.

Je m'assieds.

— Tu… Tu…, bégaie Anna en pointant vers moi.

Elle était bouche bée, ce qui constitue une première.

— Nous avons seulement dormi, l'informé-je en me glissant hors des bras de Tracker pour me lever.

Je pointe vers la porte, puis nous sortons toutes les deux de la chambre. Elle attend que nous atteignions la cuisine pour me bombarder de questions.

— Putain, que s'est-il passé hier soir? hurle-t-elle, après quoi elle pousse un grognement et porte la main à son front en grimaçant.

Elle a les cheveux tellement emmêlés qu'on dirait qu'elle a un nid sur la tête. L'idée d'avoir à les démêler me fait tressaillir; je suis heureuse qu'il ne s'agisse pas des miens. Elle a toujours des traces de maquillage autour des yeux (apparemment, je n'ai pas fait du très bon travail lorsque je l'ai démaquillée hier soir), mais elle arrive tout de même à paraître éblouissante dans le genre chiquement crade.

— D'accord, pas de bruits forts.

Je me mets à rire.

— Je suis allée te chercher au Rift. Tu étais ivre et tu t'es endormie dans la voiture.

Elle grogne à nouveau.

— Merde, je suis désolée de t'avoir réveillée.

— Pas de soucis, la rassuré-je avec un sourire. Tracker était avec toi. Nous sommes allés manger, puis nous sommes revenus ici et avons dormi. C'est tout.

— Où est-elle, dans ce cas? s'enquiert-elle en essayant de dompter ses cheveux blonds qui partent dans tous les sens.

— Où est quoi?

— La bouffe. As-tu commandé quelque chose pour moi? me demande-t-elle, le regard plein d'espoir.

— Hum. Oui. Mais Rake l'a mangé, lui avoué-je sans trop savoir où me mettre.

— Le salaud! grommelle-t-elle en plissant les yeux.

Je me mets à rire et elle fait bientôt de même.

— Quand Arrow doit-il rentrer ?

— Demain, j'espère, rétorque-t-elle en ouvrant le réfrigérateur pour en fouiller le contenu. Sin, Trace, Irish, Ronan, Vinnie et lui sont tous partis.

Je m'adosse au comptoir et attache mes cheveux pour les écarter de mon visage.

— Sais-tu où il va ?

— Nope, répond-elle avec un «P» sonore. Enfin, je sais où, mais je ne sais pas pourquoi.

— Ça ne t'ennuie pas ? la questionné-je prudemment.

Elle ferme le réfrigérateur et me regarde attentivement.

— Pourquoi ? Tu envisages de sortir avec l'un d'eux ? Un certain membre avec une immense queue percée ?

Mon regard s'embrase.

— Pas si fort, Anna !

Elle sourit avec insolence.

— Pourquoi ? Tu ne veux pas que Don Juan nous entende parler de son…

— Pénis magnifiquement décoré ? termine Tracker, qui arrive dans la cuisine en se frottant les yeux. Doux Jésus, Anna. T'entendre hurler le mot queue à neuf heures le matin n'est pas la manière dont je rêve de me réveiller.

Anna trouve son commentaire drôle.

— Je parie que si c'était Lana qui le disait…

— Ce ne serait pas du tout la même chose, admet-il nonchalamment avant de se tourner vers moi. Tu as dormi comme un putain de bébé cette nuit. Admets-le.

Tandis que deux paires d'yeux me fixent, l'une curieuse et l'autre entendue, je hausse les épaules et m'éclaircis la voix.

— J'ai relativement bien dormi.

— Ha ! hurle-t-il. Tu as dormi comme un loir. Tu peux dire ce que tu veux, mais je sais que c'est la vérité, poursuit-il d'un ton moqueur. Maintenant, pour terminer le plus beau de tous les rendez-vous, je vais te préparer un petit-déjeuner.

— Tu ne sais pas cuisiner ! proteste Anna, qui regarde Tracker comme s'il venait de lui pousser une deuxième tête.

— Qui a dit ça ? s'enquiert-il, la tête enfouie dans le réfrigérateur.

— Moi.

— Qui es-tu ? La putain de police de la cuisine ?

— Je pourrais l'être, renifle Anna en me gratifiant d'un clin d'œil.

Elle me jette un regard curieux ; elle voudra obtenir des réponses. Mais que suis-je censée lui dire ? Je ne sais même pas ce qui se passe entre Tracker et moi. J'étais tellement convaincue que je ne voulais pas m'embarquer dans quoi que ce soit avec lui, mais il s'avère impossible de lui résister.

Espèce de salaud persévérant.

Du fromage et des œufs dans les mains, Tracker nous ordonne à toutes les deux de nous asseoir.

— Aimes-tu les omelettes, Lana ? vérifie-t-il d'une voix beaucoup plus douce que celle qu'il a utilisée pour s'adresser à Anna.

Je hoche la tête.

— Excellent, répond-il en attrapant une poêle pour se mettre au travail.

— Vas-tu cuisiner pour moi aussi ? espère Anna en jetant un regard avide dans la poêle.

Il pousse un soupir exagéré.

— D'accord, mais tu gâches vraiment notre petit-déjeuner en tête à tête.

Je sais que Tracker a un petit côté espiègle. Parce qu'il est si facile à vivre, les gens sont attirés vers lui. Il est marrant. En revanche, il a aussi la brutalité nécessaire pour faire partie du club de motards. Je ne connais pas encore cet aspect de sa personnalité et je ne suis pas certaine d'avoir envie de le connaître. Et si je n'arrivais pas à accepter son mode de vie ? Est-ce vraiment ce dont j'ai envie ?

Je suis toute confuse. Dieu merci, je suis seule dans ma tête ; personne d'autre n'arriverait à suivre le fil de toutes mes pensées. Je suranalyse tout et me critique beaucoup. J'ai aussi tendance à me repasser les conversations pour essayer de trouver un sens caché aux paroles des autres.

Je ne suis pas aussi aventurière qu'Anna. Je vis à travers les livres plutôt que dans la réalité. Je ne sais pas comment je réagirais si j'étais victime d'un enlèvement, comme elle l'a été l'année dernière, ou si des hommes s'introduisaient dans le club par infraction pendant que j'y suis. Ces choses se sont réellement produites, même si elles semblent irréalistes. C'est leur réalité. Je peux dire non à Tracker aussi souvent que je veux, il le sait.

Il le sait.

Il n'a qu'à me regarder et il le sait.

J'ai envie de lui.

J'ai envie de lui depuis la toute première fois que je l'ai aperçu.

Il a fait les premiers pas, il m'a montré son jeu.

Il a envie de moi. Pour combien de temps ? Je ne le sais pas. Je ne suis pas du genre à prendre des risques. Mais je devrais peut-être vivre un peu, pour une fois. Prendre le risque.

Si je le faisais, je pourrais me faire du mal.

Me brûler.

Gâcher mon avenir.

Ou… Je pourrais trouver ce qu'Anna et Faye ont trouvé.

Le pari semble trop risqué, mais mes sentiments sont trop puissants pour que je puisse les ignorer.

Tandis que je regarde Tracker essayer de préparer une omelette, je me demande ce qu'il me trouve. Non que je ne me trouve pas belle ni rien de ce genre. C'est simplement que je ne ressemble pas aux autres femmes ici.

— Tu ne portes pas tes lunettes, déclare Tracker, interrompant le fil de mes pensées.

— Je les ai laissées à côté de ton lit.

Il se penche vers moi et effleure ma joue de ses lèvres.

— Tes yeux sont très séduisants. Grands, marron et très expressifs. Des yeux de biche. Mais tu es mignonne avec tes lunettes aussi. Tu ressembles à une libraire coquine.

— Je suis toujours là, intervient Anna d'une voix sèche.

— Fais comme si elle n'existait pas, chuchote Tracker. Peut-être qu'elle s'en ira.

Anna lui donne une claque sur l'épaule, puis s'empare de la spatule pour retourner l'omelette.

— Les matins de week-end sont-ils toujours ainsi ? m'enquiers-je d'une voix amusée.

— Non, répond Tracker en m'embrassant sur la joue avant de regarder derrière moi. Ils sont habituellement comme ça.

Je me tourne pour regarder dans la direction où il pointe. Rake arrive dans la cuisine, chaque bras autour d'une femme. Elles sont toutes les deux de taille moyenne et pourraient être attirantes si elles s'étaient arrangées. Pour l'instant, elles ont les cheveux défaits et les robes qu'elles portent, probablement celles d'hier soir, paraissent vulgaires et fripées.

— Bonjour, grogne Rake. Oh que oui ! Petit-déjeuner.

Anna plisse les yeux.

— Demande à une de tes groupies de te préparer quelque chose, espèce de monstre voleur de hamburger.

Rake me regarde.

Je lève les bras dans les airs.

— Elle m'a demandé où il était. Qu'étais-je censée faire ? Lui mentir ?

— C'est exactement ce que tu étais censée faire, me sermonne Rake avec un sourire en coin en lâchant les deux femmes pour aller faire un câlin à sa sœur. Ne t'en fais pas, Anna, je vais t'acheter des sushis.

Je lève les yeux au ciel, puis regarde Tracker, qui m'observe d'un drôle d'air.

— J'espère que tu n'as rien de prévu aujourd'hui.

J'ai un livre à finir, mais je suppose que je pourrai rattraper mon retard ce soir.

— Pourquoi ?

— Parce que je vais enfin te faire faire un tour de moto.

— Hum, ça dépend, le défié-je.

— De quoi ? s'enquiert-il tandis qu'une expression déterminée se peint sur son visage.

— De la qualité de ton petit-déjeuner.

Il se met à rire.

— Que faisons-nous de ma voiture ?

— Je vais demander à l'un des novices d'aller la porter chez toi plus tard.

Je hoche la tête.

L'omelette était pourrie.

Mais je le laisse tout de même m'emmener faire un tour.

***

Les bras enroulés autour de la taille de Tracker, dont le dos est pressé contre ma poitrine, je n'ai qu'une seule idée en tête.

Je pourrais y prendre goût.

Être sur sa moto est exaltant.

Partager ce moment avec lui est extraordinaire ; c'est comme s'il m'offrait une partie de lui-même. Il s'agit non seulement de ma première balade en moto, mais aussi de ma première balade avec Tracker, et je vois bien à quel point il adore. À quel point il est fier. Il adore sa vie dans le club.

J'étais morte de trouille au début, certes, mais au bout des 15 premières minutes j'ai réussi à me calmer et à en profiter. Me cramponnant à lui de toutes mes forces, les doigts enfoncés dans ses abdos bien définis, j'étais assise un peu raide, mais je goûtais tout de même à la sensation d'être sur une moto.

À moins que ce ne soit que la sensation d'être sur *sa* moto ?

J'avais pris une douche et emprunté des vêtements à Anna ; un jean un peu trop grand pour moi et un t-shirt noir Harley. Puisque je ne pouvais pas réellement porter des pantoufles à moto, je porte aussi ses bottes. Je ne me ressemble pas vraiment en ce moment, mais j'ai l'impression d'être moi-même.

Je me sens libre.

Le vent sur mon visage, mes bras autour de Tracker et la vitesse. Chaque fois que nous faisons un arrêt, il me caresse la cuisse. Son odeur terreuse me remplit les narines. J'ai l'impression d'être au bon endroit. Ne pensant à rien d'autre qu'à notre balade à moto, j'ai l'impression que nous sommes tous les deux seuls sur Terre.

Rien d'autre n'existe et rien d'autre n'a d'importance.

Seulement lui.

Moi.

La route.

Nous nous promenons pendant une heure, puis nous arrêtons à un point de vue qui donne sur la ville. Le panorama est magnifique et la compagnie, encore mieux. Tracker est attentionné et sait écouter. Il ne cesse de m'étonner. Je suis toujours à la recherche de quelque chose qui ne me plaît pas chez lui, de quelque chose pour me rebuter, mais je ne trouve rien. Je m'attends toujours à me prendre une tuile parce que c'est presque trop beau pour être vrai.

— Je m'arrête ici lorsque j'ai besoin de réfléchir, explique-t-il en me prenant par la main. C'est tranquille et la vue est belle. Un peu comme dans ton cas.

Son commentaire me fait rire.

— La flatterie te mènera loin.

Il continue à me regarder intensément.

— Je n'ai jamais emmené personne d'autre ici auparavant.

— Jamais ?

Il secoue la tête.

— Jamais.

Je regarde vers la ville.

— Pourquoi m'as-tu emmenée ici, dans ce cas ?

Il se gratte distraitement le torse, juste vis-à-vis du cœur.

— Je ne sais pas. J'avais l'impression que c'était la chose à faire, je suppose. Comme s'il fallait que tu viennes ici, toi aussi.

Puisque je ne sais pas quoi répondre, je presse sa main dans la mienne. Il entrelace mes doigts avec les siens tout en continuant à regarder le ciel bleu.

— Je pense que je n'ai jamais pu simplement profiter du silence avec une femme, déclare-t-il soudain.

Je le regarde du coin de l'œil.

— Tu devrais peut-être apprendre toi-même à garder le silence.

Il sourit de toutes ses dents, des étincelles dans les yeux.

— Ce que je veux dire, c'est que la plupart des femmes sont sacrément bavardes. Parfois, il n'y a rien de mieux qu'un silence confortable. Quand la femme en profite, tout simplement, sans être en colère ou en train de manigancer quelque chose.

Je me mets à rire.

— Manigancer quelque chose ? Avec quel genre de femmes es-tu sorti, Tracker ?

Il me regarde l'air de dire : *Ne fais pas comme si tu ne le savais pas.*

— La plupart du temps, une femme qui ne dit rien est une femme en colère.

— Certaines d'entre nous sont simplement tranquilles, me défends-je. Ont tendance à tout suranalyser. Ça ne signifie pas nécessairement qu'elles manigancent quelque chose.

— Je vais tâcher de m'en souvenir, indique-t-il. Je dois prendre des notes en ce qui te concerne.

— Je ne suis pas très compliquée, réponds-je timidement.

— Pour une raison qui m'échappe, j'en doute fort, réplique-t-il en souriant. Veux-tu rentrer ?

Je ferme les yeux, goûtant la sensation du vent sur mon visage.

— Restons encore quelques minutes.

Lorsque j'ouvre les yeux, il me regarde. Il se penche vers moi, puis incline la tête sur le côté.

— Tu es magnifique, Lana.

Cette fois, je ne détourne pas les yeux.

— Merci.

Nous reprenons la route et nous arrêtons devant chez moi. Tracker m'aide à descendre de sa moto, laissant traîner ses mains sur mes hanches.

— Ça t'a plu, sont les premiers mots qui sortent de sa bouche tandis qu'un grand sourire se dessine sur ses lèvres.

— Oui, acquiescé-je avec un petit sourire incertain.

— Je le savais.

Il se penche et lorsqu'il me caresse la joue de la sienne, sa barbe naissante me chatouille. Posant d'abord un baiser sur l'arête de ma mâchoire, il se déplace ensuite vers mes lèvres pour m'embrasser tout doucement, me donnant très envie d'en avoir plus.

— Tu es à ta place, dit-il simplement.

Son affirmation me fait froncer les sourcils.

— Tracker…

— Je te verrai lundi matin, m'interrompt-il, une main sur ma joue, avant de faire un signe de tête en direction de la porte. Allez. Je vais attendre que tu sois à l'intérieur.

J'ouvre la bouche pour lui demander ce qu'il a voulu dire par *je suis à ma place*, mais pour une raison quelconque, j'ai l'impression qu'il n'a pas envie que j'insiste pour l'instant.

— Merci pour la balade, lui lancé-je avant de me diriger vers la porte.

Il enfourche sa moto et démarre, mais attend que je sois en sûreté à l'intérieur avant de partir.

Par la fenêtre, je le regarde disparaître au bout de la rue, craignant qu'il ait emporté mon cœur.

CHAPITRE 8

En arrivant au club le lundi matin, je me sens débordante d'énergie. Impatiente de voir Tracker, j'ai même une fois de plus fait attention à mon apparence : je porte une longue robe noire et de jolies sandales. Je me dirige vers le salon, d'où j'entends du bruit, et y trouve Rake en train de regarder des dessins animés avec Clover.

— Bonjour, Rake, le salué-je en me penchant pour poser un baiser sur le dessus de la tête de Clover. Où est Faye ?

— Elle a dû partir tôt pour le travail ce matin, je tiens donc compagnie à la princesse. N'est-ce pas, Clover ? Je lui ai même servi son petit-déjeuner.

Il semble fier de lui.

— Que lui as-tu servi ? lui demandé-je, suspicieuse.

— De la nourriture.

— De la nourriture qui vient d'où ?

— Du service au volant de McDonald's, admet-il en haussant les épaules d'un air penaud. Je recommencerais n'importe quand. C'était bon.

— Moi aussi ! lance gaiement Clover, un grand sourire aux lèvres.

Je lui retourne son sourire et m'assieds à côté de Rake.

— Où est Tracker ?

Rake s'enfonce dans son siège et se tourne vers moi.

— Il ne te l'a pas dit ? Il est parti rejoindre Sin et les autres. Ils avaient besoin de lui pour quelque chose.

Je me retiens de lui demander pourquoi ils avaient besoin de lui.

— Ah.

Rake me donne un petit coup sur l'épaule.

— D'abord Anna, puis toi. Vous étiez de si gentilles petites filles, soupire-t-il d'un air nostalgique. Toi avec tes lunettes et tes broches. Anna avec son petit visage potelé.

Je le gratifie d'un sourire narquois.

— Je me souviens de toi avant que tu deviennes le tombeur du siècle. C'*était* vraiment le bon temps.

Il m'attrape et me fait une prise de tête, m'ébouriffant les cheveux.

— Tu vois, l'ancienne Lana ne se serait jamais montrée aussi insolente. Tracker a déjà une mauvaise influence sur toi.

— Oncle Rake, laisse Lana tranquille ! intervient Clover. Vous êtes en train de rater l'émission !

Rake me lâche et nous jetons tous les deux un regard à Clover, qui nous fixe, les yeux plissés, d'un regard désapprobateur.

— Ça suffit, la télé, ne crois-tu pas ? Que dirais-tu d'aller au parc ? lui proposé-je.

Tout comme moi, elle est en vacances scolaires ; il faut donc que je trouve tous les jours des moyens de la divertir. Les piscines, le parc et la ferme constituent ses endroits favoris. D'ailleurs, je suis pratiquement certaine que cette enfant nage mieux que moi.

— Quel parc ? me demande-t-elle en retour, méfiante.

Je réprime un sourire.

— Celui que tu veux.

— D'accord, s'empresse-t-elle d'acquiescer.

Je sais quel parc elle préfère; c'est celui qui est le plus loin.

Je me tourne vers Rake.

— Son siège d'auto est-il dans ton quatre roues motrices?

Il hoche la tête.

— Veux-tu que j'aille l'installer dans ta voiture?

— Ce serait génial. Merci, Rake.

Je vais changer Clover, puis je l'installe dans la voiture. Rake a dû la laisser choisir elle-même ses vêtements parce qu'ils n'étaient pas coordonnés.

— Prête pour une journée de plaisir? lancé-je en me tournant vers la banquette arrière pour la regarder.

— Oui, acquiesce-t-elle. Je suis la princesse du plaisir.

Le sourire aux lèvres, je la conduis jusqu'au parc.

***

Puisque Clover fait la sieste, j'ai décidé de commencer à préparer le dîner pour que Faye n'ait pas à le faire en rentrant. Les pâtes au poulet et au brocoli sont prêtes et je suis en train de sortir le pain à l'ail du four lorsque Tracker arrive, l'air fatigué. Il est échevelé et ses vêtements sont fripés. Il enlève son gilet et le pose sur le dossier de l'une des chaises de la salle à manger.

— Putain, Lana, ça sent bon, souligne-t-il avec un petit sourire.

À l'instant où je pose le pain à l'ail, il m'attire dans ses bras et me serre contre lui.

— Être accueilli ainsi en rentrant, je pourrais y prendre goût.

Quel homme des cavernes.

— C'est pour Faye que j'ai cuisiné, pas pour toi, le taquiné-je en fermant les yeux et en posant ma tête contre son torse. Où sont les autres ?

— Dehors, indique-t-il. Puisque je savais que tu serais ici...

Il s'est précipité à l'intérieur ? Il sait vraiment se montrer adorable quand il veut.

— Je ne voulais pas te rater, poursuit-il tandis que j'essaie d'absorber cette marque de gentillesse. Je sais que Faye termine parfois tôt.

Je m'écarte à l'instant où les hommes commencent à entrer dans la cuisine les uns derrière les autres.

— Salut, Lana, me lance Sin avec un signe de tête.

— Salut, Sin, lui réponds-je avec un sourire. Clover dort et Faye est sur le point de rentrer.

Il hoche la tête.

— Ça sent bon.

Mes lèvres frémissent.

— Servez-vous ; j'en ai fait beaucoup. Je savais que Faye serait fatiguée en rentrant du travail.

Sin s'approche et pose un baiser sur ma joue en passant, puis il attrape une assiette et commence à la remplir.

— Laisse-m'en, enfoiré, ordonne Tracker à son président en attrapant une assiette avant de le bousculer pour prendre sa place.

— Lana, Anna est-elle ici ? me demande Arrow en passant un bras autour de mes épaules.

Je secoue la tête.

— Elle est toujours avec Talon.

Anna a connu son demi-frère il y a quelques mois seulement. Arrow ne l'aime pas parce qu'il appartient à un club de motards rival, mais il tolère son existence pour le bien d'Anna.

Il serre les dents, mais se contente de me répondre d'un simple signe de tête.

Trace, Irish, Ronan et Vinnie arrivent. Ils marmonnent tous des salutations à mon adresse, puis vont manger. Heureusement que j'en ai préparé suffisamment pour une petite armée.

— Puis-je y aller ou préfères-tu que je reste ? demandé-je à Sin.

— Reste, m'intime Tracker.

— Tu peux y aller, Lana, répond Sin en même temps.

Je les regarde tous les deux en haussant un sourcil. Sin lève les bras, l'air faussement indigné.

— Je dis simplement que tu peux y aller. Si tu veux rester, tu es la bienvenue, mais ta journée de gardiennage est terminée.

Je le remercie d'un sourire.

— As-tu mangé ? s'informe Tracker.

Je secoue la tête.

— Je n'ai jamais envie de manger ce que je cuisine. Je ne sais pas pourquoi.

Les hommes regardent leurs assiettes d'un air incertain.

— La nourriture est excellente, m'empressé-je de préciser. Je cuisine bien.

— C'est délicieux, poupée, me complimente Tracker avec un grand sourire. Le meilleur repas que j'ai jamais mangé.

Je ne tiens pas compte des regards curieux que me lancent les autres hommes après avoir entendu ses mots doux.

— À demain, tout le monde, lancé-je en les saluant maladroitement de la main avant de quitter la pièce.

Je me rends au salon pour ramasser mon sac à main et en faisant demi-tour, j'aperçois Tracker posté devant moi, son assiette à la main.

— Si tu crois que je vais te laisser partir ainsi alors que je viens de m'absenter pendant deux putain de jours, tu me connais très mal, déclare-t-il d'un air nonchalant. Nous pouvons donc y aller à la manière douce ou à la manière forte. À toi de choisir. La manière forte est tentante, par contre.

Je pose mon sac à main et m'assieds sur le canapé.

— Bonne fille, murmure Tracker en s'asseyant à mes côtés.

Il prend une bouchée de son repas et l'avale.

— Qu'ai-je raté ? me demande-t-il ensuite.

— Pas grand-chose, réponds-je. La routine. Qu'en est-il de toi ?

Il me jette un coup d'œil, puis reporte son attention sur son assiette.

— Il fallait que je m'occupe de quelque chose pour le club. Je m'en suis occupé, puis je suis rentré.

Est-ce que de m'envoyer un message pour me dire qu'il partait l'aurait tué ? Je sais que je n'ai aucun droit de lui poser la question à voix haute étant donné que nous ne formons pas un couple, mais ç'aurait été chouette qu'il me l'annonce lui-même.

— Tu sembles fatigué, remarqué-je plutôt.

— Je le suis, indique-t-il avec un soupir. J'ai besoin d'une douche, puis de partager mon lit avec toi pour pouvoir dormir.

— Tracker...

— Pourquoi ne laisses-tu pas des vêtements ici ? Juste quelques affaires. Ce serait logique, non ? poursuit-il en finissant son assiette avant de la poser sur le canapé. Il tend les bras, attendant que je m'approche.

Je me glisse vers lui et pose la tête sur son torse en soupirant. Mon corps se détend immédiatement et je me sens en paix.

— Que sommes-nous en train de faire, Tracker ?

— Je prends ce que je veux, réplique-t-il en enfouissant son nez dans mes cheveux. Toi, tu prends un risque.

C'est un excellent résumé de la situation.

— Puis-je avoir un baiser ? me demande-t-il d'une voix douce. Parce que j'en ai vraiment sacrément envie, Lana.

Je lui lance un regard oblique en haussant un sourcil, comme si j'analysais mes options.

— Lana…

Il émet un petit grognement taquin, ce qui me fait rire.

Je lève timidement la tête pour me rendre accessible.

Me tenant le visage à deux mains, il se penche et commence par effleurer doucement mes lèvres des siennes avant d'approfondir le baiser. Au premier coup de langue, j'ouvre la bouche pour le laisser entrer. Inclinant la tête, il prend la maîtrise du baiser, me pressant contre le cuir froid du canapé. Lorsqu'il s'écarte enfin, il m'embrasse une dernière fois sur les lèvres avant de m'observer attentivement de ses yeux aux paupières lourdes.

— Après ce baiser, vas-tu encore essayer de me dire que tu n'es pas mienne ? m'interroge-t-il d'une voix rauque tandis qu'un sourire étire les coins de ses lèvres. Parce qu'en te laissant aller ainsi, j'ai eu l'impression que c'était le cas.

Qu'il doive toujours me forcer à affronter la réalité alors que je suis heureuse de prétendre que je n'éprouve tout simplement aucun sentiment pour lui et qu'il ne s'agit que d'une histoire sans lendemain m'énerve. Affronter la réalité signifie que je dois prendre une décision et je ne me sens tout simplement pas prête à le faire. J'ai tellement peur.

J'émets un doux grognement de frustration.

— Tu veux que j'avoue? Très bien. Je suis folle de toi. Inéluctablement, obsessionnellement...

Il interrompt d'un baiser mon embarrassante diatribe.

Je ne m'en plains pas.

Il me soulève ensuite dans ses bras pour me porter jusqu'à sa chambre, où il me pose délicatement au milieu du lit.

— Ne bouge pas, m'ordonne-t-il d'une voix douce.

Les yeux écarquillés, je reste assise et le regarde disparaître dans la salle de bain. Il allume la douche et je vois bientôt de la vapeur s'échapper par la porte. Je sens l'excitation monter en moi. Lorsqu'il sort de la salle de bain vêtu uniquement d'une serviette (qu'il laisse tomber par terre), je ne peux qu'imaginer l'expression qui se peint sur mon visage.

Choc. Désir. Convoitise.

Extase?

Sa grosse queue percée est magnifique. C'est ainsi que je la décrirais si j'étais en train d'écrire. Elle est immense. Pas timide, semble-t-il.

— Mmm.

— J'aime dormir nu, explique-t-il avec un sourire carnassier. Puisque tu m'as avoué tes sentiments, je peux te montrer qui je suis sans craindre que tu t'enfuies à toutes jambes. Ne t'en fais pas, je vais prendre mon temps avec toi.

— Un instant. Pardon? bredouillé-je sans détourner les yeux de son pénis.

— Mes yeux sont ici, souligne-t-il d'une voix rauque. À moins que tu veuilles baiser tout de suite ? Parce que je n'aurais pas d'objection.

Je plisse les yeux.

— Je pense que je vais passer mon tour.

Je ne suis pas tout à fait prête. Je ne sais pas pourquoi, mais j'ai l'impression que je dois apprendre à connaître Tracker un peu plus avant que nous couchions ensemble.

— C'est ce que je croyais, répond-il, l'air amusé. J'ai besoin de dormir.

— Il n'est que 18 h.

Il se glisse à côté de moi et me prend dans ses bras.

— J'ai passé toute la journée sur la route, poupée, et je n'ai pas beaucoup dormi la nuit dernière.

Je passe la main dans ses cheveux.

— Dors, dans ce cas.

Il pousse un soupir de contentement tandis que je joue dans ses cheveux qui, soit dit en passant, sont plus beaux que les miens.

Lorsque je suis certaine qu'il dort, je sors lentement du lit, j'attrape mon sac à main et je quitte sa chambre, fermant doucement la porte derrière moi. En passant devant la salle de jeux, j'entends des rires. Curieuse, je passe la tête dans l'encadrement de la porte pour jeter un coup d'œil et j'aperçois Rake et Irish en train de jouer au billard. Deux femmes, vêtues de shorts courts et de leurs soutiens-gorges, se tiennent près d'eux.

— Je suppose que Faye et Clover sont parties, remarqué-je lorsque Rake se rend compte de ma présence.

Il se met à rire.

— Oui, elles sont parties. Veux-tu jouer au billard ?

— Au strip-billard, intervient Irish avec un clin d'œil. J'espère que tu joues sacrément mal.

Rake se remet à rire et frappe Irish sur le bras.

— Tu veux te faire tuer, mon vieux? Elle appartient à Tracker. Sans vouloir t'offenser, Lana, tu es comme ma sœur; je n'ai donc aucune envie de voir ça.

Je lève les yeux au ciel.

Irish hoche la tête.

— Tracker la revendique?

— Il est en voie de le faire, précise Rake en s'asseyant sur l'un des tabourets.

L'une des femmes se laisse tomber sur ses genoux et enroule les bras autour de son cou d'un geste possessif.

— Bon, je vais y aller maintenant, annoncé-je en les saluant de la main avant de sortir en vitesse.

Je suis devant la portière de ma voiture lorsque j'entends sa voix.

— Il va finir par se lasser, lance Allie d'une voix calme. Ce n'est pas toi qu'il veut.

— Je suppose que c'est donc toi qu'il veut? lui demandé-je d'un ton sec.

Elle arbore un petit sourire triste.

— En fait, non. Mais ce n'est pas moi qui vais finir par me faire du mal.

— Tu dois passer à autre chose, Allie, lui dis-je.

Elle hausse un sourcil.

— Je me souviens de toi, tu sais. J'ai mis un certain temps à te reconnaître, mais oui, je me souviens de toi, indique-t-elle avec un petit rire sec. D'abord William et maintenant Tracker. Tu as un faible pour mes restes, n'est-ce pas? Nous ne sommes plus à l'école, Lana. Me voler Tracker n'aura pas du tout les mêmes conséquences que me voler William.

Elle m'a donc enfin reconnue.

Mon esprit me ramène à la première fois où j'ai rencontré Allie, il y a huit ans.

Me sourit-il ?

Je regarde autour de moi et derrière moi, mais il n'y a personne d'autre ici.

Il me sourit.

Gigotant nerveusement, je glisse mes longs cheveux noirs derrière mon oreille et lui sourit timidement. Il y a une éternité que j'attends que William me remarque. J'ai le béguin pour lui depuis la toute première fois où je l'ai aperçu lors de notre première année au secondaire. Quatre ans plus tard, c'est la première fois qu'il me sourit.

Je ne suis pas le genre de fille qu'on remarque. Je ne suis pas populaire et je ne cherche jamais à attirer l'attention ; les gens ont donc tendance à passer à côté de moi sans me voir. Je sais que William sortait avec la chef de l'équipe de meneuses de claque, mais j'ai entendu dire qu'ils avaient rompu. C'est peut-être vrai ? Ma meilleure amie, Anna, dit toujours que William n'en vaut pas la peine. Mais Anna n'est pas ici, à présent. Elle a déménagé et m'a laissée toute seule pour ma dernière année. Ça craint, carrément. Je ne trouve pas facile de me faire de nouveaux amis ; la plupart des gens se méprennent sur ma timidité. Ils pensent que je suis snob, mais ce n'est pas le cas. Je trouve tout simplement difficile de créer des liens avec les gens. C'est peut-être parce que je suis timide, mais c'est peut-être plus complexe.

Oh mon Dieu. Il s'approche. Mon cœur bat si fort que j'ai peur qu'il l'entende.

— *Salut, Lana, lance William en s'asseyant à côté de moi.*

Je suis seule à la bibliothèque, en train de travailler sur un devoir d'écriture créative pour mon cours d'anglais.

— *Salut, couiné-je après m'être éclairci la voix en risquant un coup d'œil dans sa direction.*

Il me sourit, une lueur dans le regard.

— *Tu es jolie aujourd'hui.*

J'écarquille les yeux. Voilà une chose que je ne m'attendais jamais à entendre sortir de sa bouche. Bien que je sache que je ne suis pas laide, je n'ai rien d'extraordinaire non plus. Encore moins en comparaison avec ces éblouissantes blondes pulpeuses aux yeux bleus qu'il choisit habituellement.

— *Oh. Euh. Merci.*

Il se penche vers moi et je ne l'arrête pas.

C'est comme un rêve qui devient réalité.

— *As-tu envie de faire une promenade en voiture avec moi ? me chuchote-t-il à l'oreille tandis que ses lèvres effleurent ma joue.*

— *P... Pour aller où ? lui demandé-je après avoir dégluti avec peine.*

Il s'écarte, hausse les épaules, puis passe une main dans ses cheveux bruns en bataille.

— *Je pensais aller à la plage. Il fait beau.*

— *Ah, euh...*

Je baisse les yeux sur mon devoir, qu'il faut vraiment que je fasse, mais c'est le William Dean.

— *D'accord.*

Je ramasse mes affaires et me lève. Lorsqu'il enroule un bras autour de ma taille et m'attire vers lui, une pensée me vient à l'esprit.

— *Un instant. Qu'en est-il de ta petite amie ?*

Soudain, il paraît amusé.

— *Tu es en retard dans les nouvelles, poupée. Nous avons rompu. Tu viens ou...*

Je hoche la tête et le laisse me prendre par la main.

Anna ne me croira jamais !

***

Le lendemain matin, un grand sourire sur les lèvres, je me dirige vers mon casier d'un pas plus souple qu'à l'habitude. La veille, William m'avait embrassée. Il avait essayé d'aller un peu plus loin, mais je lui avais dit que je n'étais pas encore prête. Il avait paru contrarié, mais avait respecté mon choix, retenant ses mains baladeuses pour se concentrer sur les simples baisers.

Il s'agissait de mon premier véritable baiser. Les jeux et les paris ne comptent pas.

Aujourd'hui, il est censé m'inviter à sortir à nouveau.

M'arrêtant devant mon casier, je laisse tomber mon sac par terre.

C'est quoi ce bordel ?

Quelqu'un y a écrit le mot pute *avec un marqueur noir. Dessous sont inscrits les mots* briseuse de ménage*. Je suis perplexe. Blessée. Je vérifie pour m'assurer qu'il s'agit bien de mon casier. Enfin, je suis vierge et je ne suis jamais sortie avec personne. Comment diable puis-je être une pute ? J'étais pratiquement certaine que j'étais une des seules filles de l'école à être toujours vierge.*

Derrière moi, quelqu'un s'éclaircit la voix avec impatience.

— *Tu pensais pouvoir me voler mon petit ami, n'est-ce pas ?*

Lorsque je me tourne, l'ex-petite amie de William est postée en face de moi, flanquée de deux de ses amies. Croit-elle encore lui appartenir ? La veille, il m'avait dit explicitement qu'ils ne sortaient plus ensemble, qu'il était célibataire et qu'il s'intéressait à moi.

— Il m'a dit que vous aviez r… rompu, murmuré-je.

Qu'avait-elle l'intention de me faire ? Ce n'était pas de ma faute s'ils avaient rompu ; elle ne pouvait pas m'en vouloir.

— C'est faux. Nous sommes pratiquement fiancés, crache-t-elle d'une voix méprisante en agitant sous mon nez une banale bague d'apparence bon marché. Tu le savais. Tout le monde le savait. Nous faisons habituellement comme si tu n'existais pas parce que nous croyons que tu es une ratée, Lana, mais je vais désormais m'assurer que tu vives un véritable enfer pour le reste de tes jours.

Sur ce, elle s'éloigne en trombe, ses deux amies derrière elle comme de loyales servantes.

Ils sont toujours ensemble.

Il m'a menti.

Il pensait que je serais une proie facile. Il pensait que je coucherais avec lui sur la plage et l'idée de pouvoir dire à tout le monde qu'il avait baisé une vierge lui plaisait, mais j'avais refusé.

À présent, elle tiendra sa promesse. Elle va me faire vivre un véritable enfer. Je peux très bien imaginer comment les choses vont se passer. Personne ne voudra la mettre en colère ; tout le monde va donc faire comme si je n'existais pas parce que personne ne voudra me remplacer au sommet de la liste de ses ennemis.

À cet instant, tandis que je les regarde, ses amies et elle, s'éloigner fièrement dans le couloir, je sais que je suis condamnée à passer ma dernière année seule avec mes livres, mes études et l'écriture. William se moquera bien d'avoir fait de moi un paria. Il recommencera tout simplement à m'ignorer.

J'aimerais qu'Anna revienne. Elle est forte. Si elle était là, je n'aurais besoin de personne d'autre.

J'ai appris tellement de leçons importantes en si peu de temps.

Leçon numéro un : les hommes ne sont pas dignes de confiance.

Leçon numéro deux : il faut parfois apprendre à se plaire en sa propre compagnie.

Leçon numéro trois : je ne serai plus jamais vulnérable. Je ne laisserai personne m'enlever mon assurance ou me faire sentir comme une moins que rien par cruauté ou par étroitesse d'esprit.

À cet instant, la fille douce et anxieuse que j'étais quelques minutes plus tôt a développé un cœur d'acier.

Bien entendu, les gens diront toujours que je suis une intello.

Mais je suis plutôt comme Supergirl, parce que sous mes lunettes se cache une femme qu'il vaut mieux de pas chercher.

Fixant Allie, je secoue la tête pour revenir au moment présent.

— Ne commence pas à me faire des menaces, Allie. Tu as raison, nous ne sommes plus à l'école. Je ne suis plus la même fille, mais il semble que toi, oui. Tu te prends toujours pour la femelle dominante que rien ne peut atteindre. Je t'ai laissée m'intimider à l'époque, mais je n'ai plus peur de toi désormais. Puis, je ne te vole pas tes hommes. William était venu me chercher, et Tracker et toi ne sortez même pas ensemble. S'ils avaient vraiment voulu de toi, ils ne t'auraient pas quittée.

Je dissimule mes mains tremblantes. Je m'en veux d'avoir été si méchante, mais je veux qu'elle sache que je ne suis plus aussi faible qu'avant. Je ne laisserai ni elle ni personne d'autre me marcher sur les pieds.

Elle me gratifie d'un sourire suffisant.

— Tu t'es fait pousser une colonne vertébrale, n'est-ce pas ? Tu ne pourras pas dire que je ne t'avais pas prévenue au sujet de Tracker.

— Oui, je me suis fait pousser une colonne vertébrale, rétorqué-je. Tu ne me fais pas peur, Allie. Peu importe ce que tu me réserves, je peux m'en sortir. Bon sang, je vais même te le rendre au centuple.

Son visage se déforme en une grimace.

— Nous verrons bien laquelle de nous deux rira la dernière.

Elle se dirige vers l'intérieur et je rentre chez moi en me demandant ce qu'elle a bien pu vouloir dire.

 **CHAPITRE 9**

— Tu es partie, remarque Tracker, mécontent, lorsque j'ouvre la porte le lendemain matin.

— Euh, Tracker, pouvons-nous en parler plus tard ? réponds-je. Ma mère est ici, ajouté-je en baissant la voix.

— Excellent, réplique-t-il. Je vais enfin pouvoir la rencontrer.

Je secoue frénétiquement la tête.

— Non, non, non…

— Lana ? crie ma mère en s'approchant de la porte. Tu dois être Tracker.

Il tend la main.

— Heureux de vous rencontrer, Madame. Je vois d'où Lana tient sa beauté.

Je lève les yeux au ciel. Ma mère est belle, certes, mais cette réplique est vieille comme le monde.

— Entre, Tracker, l'invite ma mère en se tournant vers moi. Lana, as-tu oublié tes bonnes manières ? Fais-le entrer.

— Merci, répond poliment Tracker avant de me gratifier d'un petit sourire narquois. Tu lui as donc parlé de moi, n'est-ce pas ?

Ma mère émet un petit rire.

— Elle a mentionné ton nom à quelques reprises, oui. Puis-je t'offrir quelque chose à boire ? En passant, je m'appelle Nicole.

— C'est un joli prénom, commente-t-il. Je prendrais bien un verre d'eau, si ça ne vous gêne pas.

— Pas du tout. Assieds-toi.

Me prenant par la main, Tracker m'entraîne vers le canapé où nous nous sommes assis la dernière fois.

— Ta mère est vraiment canon, chuchote-t-il. Je sais maintenant à quoi tu ressembleras en vieillissant.

Je pince les lèvres.

— Désormais, elle va m'embêter en me posant tous les jours des questions sur toi !

Il applique un baiser sur la paume de ma main.

— Excellent. Ainsi, tu ne m'oublieras pas.

Je soupire.

— Sais-tu que tu es tout un numéro ?

Ses lèvres frémissent.

— Nous faisons une fête samedi soir. Des hommes d'autres chapitres des Wind Dragons viendront avec leurs régulières. Des trucs du genre. Veux-tu venir ?

Je me tortille sur mon siège.

— Euh. Anna y sera-t-elle ?

Il hoche la tête.

— Oui, tout le monde y sera.

— Dans ce cas, je viendrai.

— Excellent, rétorque-t-il.

Ma mère revient avec de l'eau et du thé glacé, puis elle s'assied avec nous et commence à interroger Tracker.

— Dis-moi, Tracker, que fais-tu dans la vie ?

Je le regarde en attendant qu'il réponde.

— Je suis copropriétaire d'un bar qui s'appelle le Rift. Vous en avez peut-être entendu parler. Je suis aussi copro-priétaire d'un atelier de réparation de motos, poursuit-il avant de s'éclaircir la voix. De quelques autres entreprises également.

Ouais, comme le Toxic, le club d'effeuillage du coin.

— Quelles autres entreprises? insisté-je d'une voix innocente tout en gardant mon sérieux.

— Bah, tu sais, tout et rien, répond-il vaguement en me lançant un regard qui veut clairement dire : *Tais-toi.*

— C'est extraordinaire, se réjouit ma mère. Surtout à ton âge. Tu as la mi-vingtaine, non? Comme Lana.

Tracker hoche la tête.

— Oui.

— Comme c'est charmant, reprend ma mère avant d'avaler une gorgée de son thé glacé. Lana ne ramène jamais de garçons à la maison. En fait, c'est la première fois; tu dois donc être quelqu'un de spécial.

Je fais la grimace.

Était-il vraiment nécessaire qu'elle le mentionne?

— Ce n'est pas exactement moi qui l'ai ramené ici, fais-je remarquer.

Ma mère balaie l'air de la main.

— C'est tout comme. Eh bien, je dois me rendre à l'hôpital pour ma journée de travail. Amusez-vous bien, tous les deux.

Avant de partir, elle m'embrasse sur la joue et fait de même avec Tracker.

S'enfonçant sur son siège, il sourit de toutes ses dents.

— Elle m'adore.

— Ça en fait au moins une, grommelé-je, ce qui le fait rire. Tu ne parles jamais de tes parents. As-tu des frères et sœurs?

— Mon père est décédé il y a plusieurs années. Ma mère s'est remariée et elle vit à l'étranger. Je n'ai pas de frère ni de sœur.

— Désolée pour ton père, dis-je.

— Qu'en est-il de ton père ? s'enquiert-il, les yeux rivés sur moi.

Je hausse les épaules et détourne le regard.

— Je n'ai pas de père.

D'accord, j'*ai* un père, mais je n'ai aucun contact avec lui. Puisqu'il est absent, je ne ressens pas le besoin de lui accorder de l'importance. Ni même de reconnaître son existence.

— Enfin, nous ne nous parlons pas, précisé-je. Il n'a jamais fait partie de ma vie.

— Tant pis pour lui, s'empresse de répondre Tracker. Ta mère a fait un travail formidable en t'élevant toute seule.

Je baisse la tête.

— Merci.

— As-tu envie d'aller mettre autre chose que cet autre pyjama sacrément mignon et de passer la journée avec moi ?

Je baisse les yeux sur mon short rose et mon haut assorti. Ils sont couverts de cerises rouges.

— Je dois travailler, tu te souviens ?

Un sourire se dessine lentement sur ses lèvres.

— Tu as congé pour la journée. Jess s'occupe de Clover.

— Tu as réussi à m'organiser une journée de congé ? m'étonné-je.

— Ouaip, confirme-t-il avec un sourire suffisant. Faye m'adore. Elle a dit que ce n'était pas un problème.

Ce qu'il est sournois, cet homme.

— Qu'avais-tu en tête ?

— Une longue promenade à moto. Un déjeuner. Un tour à la plage, propose-t-il. Putain, qui sait où ça nous mènera ?

Je souris.

— D'accord.

— Excellent, lance-t-il d'une voix plus douce. Maintenant, embrasse-moi et va te préparer.

Je fais ce qu'il dit.

***

— Dis-moi, sors-tu avec Tracker ? s'informe Anna en appliquant du vernis noir sur ses ongles d'orteils. Je ne voudrais pas que tu te fasses du mal, Lana.

— Je sais, murmuré-je en baissant les yeux sur mes propres ongles d'orteils couverts de vernis rouge. Je ne voulais pas lui donner l'occasion de me faire du mal, mais c'est… Tu sais.

— Tracker ?

Je souris de toutes mes dents.

— On dirait que je suis incapable de lui dire non. De toute évidence, il s'agit d'une chose sur laquelle je dois travailler.

Anna arbore un sourire en coin.

— As-tu déjà couché avec lui ?

Je secoue la tête.

— Pas encore.

— Bien joué. Ne lui rends pas la tâche trop facile, m'encourage Anna en agitant les orteils. Il est parfois trop charmeur pour son propre bien.

— Il m'a invitée ici samedi, annoncé-je. Comment devrais-je m'habiller ?

— La plupart des femmes s'habillent le moins possible, répond Anna avec un sourire narquois. Mais tu peux porter ce que tu veux, pourvu que tu te sentes à l'aise. Je porte habituellement un jean moulant et un haut. Tu peux porter une robe si tu veux. N'importe quoi.

— Tu m'étonnes.

— Pour info, vous allez bien ensemble, poursuit-elle. Je l'adore, mais s'il te fait du mal, je vais lui arracher la queue et l'étrangler avec.

J'écarquille les yeux.

— Ce ne sera pas nécessaire, Anna. Je m'embarque dans cette histoire en sachant très bien que je risque de finir par me faire du mal. Ce n'est pas la peine que tu gâches des amitiés pour ça.

Elle émet un grognement de frustration.

— D'ailleurs, si tu lui arraches la queue, il risque de lui en repousser deux.

Anna rit en se tenant les côtes.

— Tu as probablement raison. Allie t'a-t-elle emmerdée ?

— Pas vraiment. Quelques remarques ici et là. Rien que je ne puisse pas gérer.

— Hum. Ne la sous-estime pas, Lana. Tout le monde n'est pas aussi gentil que toi.

— C'est noté, dis-je à ma meilleure amie. Puis-je te poser une question, en revanche ? Que se passe-t-il entre Tracker et elle ? Je ne peux pas prétendre que cela ne m'embête pas ; enfin, ils sont sortis ensemble pendant des siècles.

J'aurais préféré ne pas en parler, mais j'avais besoin de savoir.

— Sortis ensemble sont de bien grands mots, remarque Anna. Ils ont beaucoup couché ensemble, mais ils ne sont jamais sortis en tête à tête et n'ont jamais vraiment rien fait ensemble. Je ne sais pas ce que Tracker recherchait auprès d'elle, mais elle prenait leur relation plutôt au sérieux. Peu importe. Ils n'ont pas couché ensemble depuis des mois, peut-être plus. Pas depuis qu'il a commencé à s'intéresser à toi, termine-t-elle avec un sourire entendu.

Satisfaite de sa réponse, je change de sujet.

— Combien de temps avant que votre maison soit prête ?

Anna et Arrow étaient en train de se construire une maison.

— Encore six mois, explique-t-elle avec un sourire. Elle est magnifique. Il y a amplement d'espace pour toi au cas où tu voudrais habiter avec moi.

— Je suis certaine qu'Arrow en est ravi.

— Il est un peu avare de mon temps, n'est-ce pas ? soupire-t-elle en levant les yeux vers moi. Mais tant pis pour lui, parce que tu seras toujours la bienvenue où que je sois. Je sais que c'est égoïste de ma part, mais j'espère sincèrement que ça fonctionnera entre Tracker et toi. Ainsi, tu seras prise avec moi et le club pour toujours.

Je souris de toutes mes dents.

— Tu es prise avec moi, peu importe que je sorte avec lui ou non.

— Je sais, s'empresse-t-elle de dire. Mais tu ne serais pas invitée à la fête de samedi soir, par exemple.

— C'est vrai.

— Sais-tu que tout le monde ici t'adore ? ajoute-t-elle. Tout le monde a un petit faible pour toi. Je sais que tu ne corresponds pas vraiment à l'image de la salope à motards cinglée et folle furieuse, mais tu es tout de même à ta place ici… Comprends-tu ce que je veux dire ? Tu n'as pas à changer pour sortir avec Tracker ou pour t'intégrer au club parce que tout le monde t'aime comme tu es. Tu es douce et gentille, mais tu as le cran d'une princesse guerrière.

À sa description, un grand sourire se dessine sur mes lèvres.

— Je pense que tu n'es pas tellement objective.

— Probablement pas, concède-t-elle, des étincelles dans les yeux. Mais de toute évidence, Tracker voit la même chose. Rake t'adore aussi.

— Je pense que tu exagères un peu, protesté-je, embarrassée. Tracker va finir par se lasser et passer à autre chose.

— Je ne crois pas, se contente de répondre Anna. Je connais Tracker et je reconnais la lueur dans ses yeux lorsqu'il te regarde parce qu'Arrow me regarde de la même manière. Il n'arrive pas à la dissimuler.

— Ne viens-tu pas de dire que tu ne voulais pas que je me fasse du mal?

Elle hausse ses maigres épaules.

— C'est un homme.

Les hommes finissent toujours par tout foutre en l'air. N'est-ce pas la dure réalité?

Je passe une main sur mon visage.

— J'ai essayé de me tenir loin de lui. Vraiment.

Toutefois, j'aurais pu essayer un peu plus; mais au plus profond de moi-même, je n'en avais pas envie.

Je ne suis tellement pas dans mon élément.

— Attends de voir ce qui se passe, me dit doucement Anna. Découvrez ce que vous voulez tous les deux. Assure-toi que tu es heureuse. Tu le mérites. Nous savons tous que tu as un faible pour Tracker depuis l'instant où tu l'as aperçu pour la première fois.

Comme si j'avais besoin qu'on me le rappelle.

J'entends le grondement de motos.

— On dirait que nos hommes sont de retour, indique Anna en se levant.

Je fais de même.

Je n'ai pas vu Tracker depuis que nous avons passé toute la journée ensemble la veille. Nous avions déjeuné, nous nous étions baladés en moto pendant une heure, puis nous avions mis nos maillots pour nous baigner à la plage. Après, nous nous étions laissés sécher au soleil, étendus sur le sable, avant de rentrer.

Anna et moi sortons à l'avant du club, là où les hommes sont en train de stationner leurs motos. J'ai un pincement au cœur en apercevant Allie qui descend de la moto de Tracker. Je regarde Anna, qui pince les lèvres. Oui, elle a remarqué, elle aussi. Je ne le comprends pas. Il m'a fait croire que c'était toute une affaire de monter à l'arrière de la moto de quelqu'un. Pourquoi l'avait-il laissée monter avec lui ? Il n'a pas arrêté d'essayer de me prouver qu'elle ne signifie rien pour lui, que leur relation, c'est du passé, et qu'il ne se remettra jamais avec elle. Mais que suis-je censée penser quand je les vois ainsi ? Je me sens trahie. Stupide, même.

Oui, je suis jalouse.

Au début, lorsque j'ai rencontré Tracker, je les ai vus ensemble. Il n'était pas mien à l'époque et jamais je n'aurais cru qu'il le serait un jour, mais comme il me plaisait tout de même, ce fait me rendait triste, bien que j'aie gardé mes sentiments pour moi parce que je ne toucherais jamais à un homme qui n'est pas libre.

Un grand sourire étire les lèvres de Tracker lorsqu'il lève les yeux et m'aperçoit. Il se précipite vers moi, mais ralentit en voyant mon expression.

— Qu'est-ce qui ne va pas ?

Il ne pouvait tout de même pas être si idiot, si ?

— Rien, réponds-je. J'allais partir.

Il se tourne pour lancer un coup d'œil en direction d'Allie, puis fait la grimace.

— Nous sommes sortis. Elle avait besoin que quelqu'un la conduise. Ça ne veut rien dire, Lana.

N'importe lequel des autres hommes aurait pu la conduire.

N'importe lequel.

Mais non, il fallait que ce soit lui.

Je me tourne vers Anna et l'embrasse sur la joue.

— À plus.

— Veux-tu que je te raccompagne chez toi ? m'offre-t-elle, les sourcils froncés.

— Non, va passer du temps avec ton homme, lui intimé-je avec un sourire forcé.

Sans tenir compte de l'air suffisant d'Allie, je me dirige vers ma voiture et Tracker me suit.

— Lana, m'interpelle-t-il patiemment. Tu dramatises.

Je déverrouille ma portière pour l'ouvrir, puis je lève les yeux vers lui.

— Donc, ça t'est égal que j'aille me promener à moto avec n'importe lequel des autres membres du club ?

Il fronce les narines.

— Putain, non. Ils sont assez intelligents pour ne pas te laisser faire.

— Exactement, craché-je. C'est ton ex. Tu es sorti avec elle pendant des années et elle agit comme si tu lui apparte-nais toujours. Je ne voulais pas m'engager avec toi, Tracker, pas parce que tu ne m'intéressais pas, mais parce que tu m'intéressais trop. Donc, ne joue pas avec mes sentiments. Ou tu t'intéresses à moi et à personne d'autre, ou non. Je pense que tu as une décision à prendre parce qu'on dirait que la chasse t'a plu, mais que maintenant que je suis à toi, tu ne sais pas très bien que faire de moi.

— Tu es à moi ? répète-t-il en fronçant les sourcils. Nous n'avons même pas couché ensemble.

Ouah. D'accord.

— Donc, l'absence de sexe signifie qu'il n'y a rien entre nous ? D'accord, c'est bon à savoir.

— Ce n'est pas ce que j'ai voulu dire, réplique-t-il, l'air contrarié, en tendant les bras vers moi.

— J'ai l'impression que c'est exactement ce que tu as voulu dire, réponds-je d'un ton sec. Je savais que ça arriverait, mais je ne m'attendais pas à ce que ça arrive si vite.

— Lana…

— Oui, Tracker ? Déjà las de la chasse ? Eh bien, laisse-moi te faciliter la vie. Je ne joue plus.

Je monte dans ma voiture et verrouille les portières juste avant qu'il essaie de les ouvrir. Je démarre et le vois reculer d'un pas.

Je m'éloigne. Il me laisse faire.

***

En arrivant chez moi, je me plonge dans mon livre. Je décris un homme qui peut se montrer extraordinaire un instant, mais être un véritable salaud l'instant suivant. Je décris de parfaits baisers, une baignade dans l'océan et de méprisables ex-petites amies. Je décris la complexité de l'amour.

Des issues incertaines aussi.

CHAPITRE 10

Le problème avec le fait de travailler pour Faye, c'est que je ne pouvais pas éviter Tracker. J'avais mélangé les amours et le travail et j'allais maintenant devoir l'affronter. Lorsque j'arrive au club le lendemain matin, je ne suis pas du tout étonnée de le voir planté là, les bras croisés sur son torse nu.

— Tu as des ennuis, grogne-t-il en m'attrapant par le bras pour m'entraîner dans sa chambre. Assieds-toi, m'ordonne-t-il en pointant vers le lit après avoir fermé la porte.

Je n'obéis pas.

Il soupire et s'assied, puis m'attire sur ses genoux.

— Sais-tu que tu peux être têtue quand tu veux ?

— Je crois que tu devrais plutôt être en train de me faire des excuses, grommelé-je en m'écartant lorsqu'il essaie de m'embrasser sur la joue.

— C'est vrai. Mais toi aussi, rétorque-t-il en m'attrapant par le menton pour ramener mon visage vers le sien. Je ne la laisserai plus monter sur ma moto. Oui, j'ai merdé, mais tu n'as pas bien géré la situation. Premièrement, ces choses-là restent entre nous ; tu ne me tournes pas le dos devant mes frères. Tu attends que nous soyons seuls et là, si nécessaire, tu peux me sonner les cloches. Mais tu ne me bats pas froid devant les membres de mon club.

Je n'avais même pas vu les choses ainsi.

— J'étais en colère et j'ai réagi, tout simplement. Je n'ai pas pensé à ce dont tu aurais l'air devant tes frères. Sur le coup, je m'en fichais pas mal. J'étais blessée, Tracker. Ça peut te paraître anodin, mais je n'ai pas envie de te voir avec Allie. Tu sais que c'est l'une des raisons pour lesquelles je ne voulais pas sortir avec toi. L'histoire montre que tu finiras par te remettre en couple avec elle.

— Je sais, murmure-t-il. Je sais qu'il s'agit d'un sujet délicat pour toi, Lana, mais, putain, lorsque je la vois, je ne ressens rien pour elle. Elle n'est rien d'autre qu'une femme que je connais et avec laquelle j'avais l'habitude de baiser, d'accord? Je suis obnubilé par toi, Lana. Je ne vois personne d'autre que toi. Tu n'as aucune raison d'être jalouse.

— Ça ne m'a tout de même pas plu, marmonné-je.

— Je sais. Ça ne se reproduira plus, mais tu ne me feras plus de crise devant les autres non plus. D'accord?

— D'accord, acquiescé-je à contrecœur, toujours en colère. Ce que tu as dit à propos du fait que nous ne couchons pas ensemble…

Son regard s'adoucit.

— J'étais en rogne et j'ai dit des conneries, moi aussi. Je ne le pensais pas. Tu n'es pas pressée d'avoir des relations sexuelles? Eh bien, soit! Je vais me promener avec une putain d'érection jusqu'à ce que tu décides de me laisser te pénétrer.

— Vraiment? lui demandé-je d'un ton sec. Es-tu certain que tu ne passes pas à l'acte aussitôt que je sors d'ici?

Une source d'inquiétude supplémentaire. Tracker peut-il m'être fidèle? Je ne voulais pas coucher avec lui simplement parce que je craignais qu'il couche avec quelqu'un d'autre.

Ce n'était pas une bonne raison pour coucher avec quelqu'un. Avais-je envie d'avoir des relations sexuelles avec lui ?

Oui.

Pensais-je que lui offrir cette partie de moi signifierait aussi lui offrir tout le reste ?

Oh, que oui.

Il s'agissait de mon dernier rempart contre lui.

Si je lui offrais le sexe, eh bien… Je serais fichue.

Avec un soupir, je tends les lèvres vers lui, prenant pour la première fois l'initiative de l'embrasser. Il me laisse prendre les commandes du baiser et pousse un grognement lorsque nos langues se touchent.

— Si douce, gémit-il en me soulevant pour m'étendre sur le lit avant de reprendre possession de mes lèvres.

J'emmêle mes doigts dans ses cheveux détachés, dont je tire doucement les extrémités pour l'encourager à continuer. Ses lèvres descendent le long de mon cou et, lorsqu'il suçote un point en particulier, j'en ai les orteils qui frémissent.

— Tracker, dis-je d'une voix rauque.

— Nous devrions arrêter, m'interrompt-il en levant la tête pour me regarder.

Je me lèche les lèvres et le regarde dans les yeux. Puis, je me souviens qu'il y a une raison pour laquelle je suis ici.

— Merde, hurlé-je presque en me redressant. Faye n'est pas encore partie, n'est-ce pas ? Je suis la pire nounou au monde.

Tracker glousse, puis me prend par le bras pour me tirer hors du lit. Je me lève et cours pratiquement jusqu'à la porte, poursuivie par son rire. Lorsque j'arrive dans la cuisine, j'aperçois Clover assise là avec Anna.

— Je suis tellement désolée! m'exclamé-je.

Anna semble trouver la situation sacrément drôle. Elle couvre les oreilles de Clover de ses mains.

— Est-il si rapide? Je pensais que vous en auriez pour encore une heure au moins.

— Anna, intervient Tracker avec un regard noir en venant se poster derrière moi. Ce sont là des termes provocateurs.

Elle sourit d'un air narquois.

— Je ferais mieux de partir pour le travail.

Anna travaille à temps partiel au zoo. Elle travaillait à Knox's Tavern, un bar local populaire, mais puisqu'Arrow s'y rendait tout le temps et y foutait le bordel, Reid Knox l'avait renvoyée. Nous la taquinions tous à ce sujet.

— Dis bonjour à la tortue de ma part, lui dis-je, faisant référence à son animal favori.

— D'accord, accepte-t-elle en me donnant une tape sur les fesses au moment où elle passe derrière moi.

— Hé, c'est mon c...

Tracker s'interrompt, prenant soin de ne pas dire de gros mots devant Clover.

— Euh, mes fesses. À moi.

Anna se contente de le gratifier d'un sourire.

— Dans tes rêves.

— Effectivement, grommelle-t-il en se dirigeant vers le réfrigérateur. Veux-tu que je te prépare encore quelque chose à manger, Lana?

— Non! hurlé-je presque avant d'adoucir la voix. Enfin, non merci. Laisse-moi plutôt te préparer quelque chose.

— D'accord, concède-t-il, rayonnant, en s'asseyant à côté de Clover pour lui demander ce qu'elle a envie de faire aujourd'hui.

J'ai l'impression que je viens de me faire avoir.

Je fais cuire du bacon et des œufs brouillés avec des champignons sautés. Clover en mange un peu, disant qu'il s'agit de son second petit-déjeuner de la journée.

— Je peux traîner avec vous deux pendant quelques heures, mais il faudra ensuite que j'aille travailler, précise Tracker après m'avoir aidée à nettoyer la cuisine.

— Chouette. Que veux-tu faire ?

— Aux dames de choisir, offre-t-il en regardant Clover. Qu'as-tu envie de faire aujourd'hui, princesse ?

— Je veux faire une promenade à moto, déclare-t-elle fièrement.

Amusée, je jette un coup d'œil à Tracker.

— Bonne chance.

Il prend un air songeur.

— Je pense que tu devrais demander à ton père, Clover.

Elle hoche la tête.

— D'accord. Nous pouvons aller au cinéma.

— Quel film veux-tu voir ?

— Un film avec des princesses.

Tracker pousse un soupir de mécontentement.

Je souris de toutes mes dents, amusée.

Nous nous préparons à emmener Clover voir un film de princesses.

***

Je me regarde dans le miroir, me tournant d'un côté puis de l'autre pour admirer ma tenue. Je porte un jean blanc moulant, un haut sans manches blanc, plusieurs chaînes en argent et des ballerines rouges. Je ne sais pas si mon ensemble cadrera avec ce que les autres porteront, mais je m'en fiche.

Je me sens bien et j'assume mon choix. Après m'être aspergée d'un peu de parfum, je pince mes lèvres rouges et retouche ma coiffure. Des boucles noires cascadent sur mes épaules et dans mon dos. Je garde mes lunettes. Après avoir sursauté en entendant frapper à la porte, je m'empresse d'aller ouvrir. Tracker est là, sublime. Je lève la main pour caresser sa joue couverte d'une barbe naissante.

— Tu es... Putain, Lana, souffle-t-il entre ses dents en m'examinant de la tête aux pieds. Sens-tu à quel point je bande ? me demande-t-il en prenant ma main sur sa joue pour la porter à son entrejambe. Ça montre à quel point tu es magnifique. Putain. Je sens que je vais devoir casser la gueule d'un de mes frères ce soir.

Je rougis en tâtant son érection, puis je retire ma main.

— Tu es beau, toi aussi, Tracker. L'homme le plus séduisant que j'ai jamais vu.

Il émet un grognement et s'empare de mes lèvres pour un baiser poignant tandis qu'il agrippe mes fesses à pleines mains.

— J'adore ce cul, grogne-t-il en s'écartant. En fait, je n'ai encore rien trouvé qui me déplaît chez toi, Lana.

— Tu as encore le temps, répliqué-je d'une voix tremblante, le souffle coupé par son baiser.

— Laisse-moi un instant pour me calmer, puis nous partirons, demande-t-il, le regard rivé sur ma poitrine. Putain. Je peux te prêter mon blouson en cuir pour que tu n'aies pas froid, poursuit-il en l'enlevant pour ne garder que son t-shirt noir.

— Tu sens bon.

— Toi aussi, lance-t-il en enfouissant son nez dans mon cou. Sacrément bon.

Tandis qu'il m'aide à mettre son blouson, la tension entre nous est palpable. J'ai l'impression que je vais exploser lorsque ses doigts effleurent mon cou. Son contact est électrisant. J'ai envie de lui, grave. Qui essayé-je de berner? Dans ma tête, je suis déjà sienne. S'il me brise le cœur… C'est un risque que je vais devoir courir.

— Tracker, murmuré-je en levant les yeux vers lui.

Il est grand, environ 1,88 m; je dois donc lever le menton.

— Oui? répond-il sur le même ton.

— Ce soir.

Il écarquille les yeux. Il sait ce que je veux dire. Ce soir. J'ai envie de lui ce soir.

Je suis prête à m'offrir à lui.

— En es-tu certaine? me questionne-t-il en prenant ma main pour y poser un baiser. Je ne voudrais pas que tu le regrettes. Je sais que tu n'es pas comme… les filles que j'ai l'habitude de fréquenter.

Sur ce, mes lèvres frémissent.

— Je pense que je suis exactement comme elles. Mais oui, j'en suis certaine. Allons au club. Je suis curieuse de voir ce qui se passe lors de ces fêtes.

Il sourit de toutes ses dents.

— Au diable la fête. Je vais te balancer sur mon épaule et t'emmener directement dans ma chambre.

Sa proposition me fait rire.

— Poupée, je suis parfaitement sérieux, insiste-t-il. Je n'ai aucune putain d'idée de la raison pour laquelle tu ris.

Je secoue la tête et monte derrière lui sur sa moto.

Je vais tellement récupérer cette scène pour un de mes livres.

CHAPITRE 11

Le club grouille d'hommes inconnus qui font peur et de belles femmes dures à cuire. Tracker s'arrête à tout instant pour saluer ses amis des autres chapitres des Wind Dragons. Il y a tant de monde que je ne sais pas comment il arrive à se souvenir de tous ces gens. Rake se retourne sur mon passage et ses yeux sortent presque de leurs orbites. Après avoir éteint sa cigarette, il s'approche et se plante droit devant moi.

— C'est comme la scène de *Grease*, remarque-t-il avec un grand sourire. Celle où Sandy sort et tout le monde se dit : *Putain, où cachait-elle ce corps de déesse ?* Ouah, Lana, tu es splendide.

— Cesse de la regarder ainsi, l'avertit Tracker d'un ton sec, mi-sérieux, mi-blagueur.

Rake se met à rire.

— Tu l'as vraiment dans la peau, espèce d'enculé, répond-il avant de reporter son attention sur moi. Anna te cherchait.

Sin, qui s'approche de nous, écarquille les yeux en m'apercevant.

— Ouah, magnifique, Lana.

— Merci, réponds-je en baissant timidement la tête.

— Tracker, j'ai besoin de te parler, annonce Sin, l'air sérieux.

— Rake, reste avec Lana un instant, lui ordonne Tracker avant de baisser les yeux vers moi. Lana, ne bouge pas.

Je hoche la tête et le regarde ressortir avec Sin.

— Veux-tu que j'aille te chercher un verre? m'offre Rake en balayant la foule du regard.

— Non merci, refusé-je.

Je ne veux pas être ivre lors de ma première fois avec Tracker. J'ai l'impression qu'il s'agira d'une nuit dont je voudrai me souvenir longtemps.

— Nous avons de l'eau et des boissons gazeuses aussi, tu sais, ajoute Rake d'une voix amusée. Nous ne buvons pas seulement de l'alcool pur directement au goulot.

Je lève les yeux au ciel.

— Ah non? Les gros méchants motards ont besoin de verres pour faire descendre les autres?

Il se met à rire, plissant les yeux.

— Moi, non. Mais d'autres, si.

— Hum hum, marmonné-je en échangeant un sourire avec lui. Merci de me faire sentir la bienvenue ici, même si je ne suis pas du tout dans mon élément.

— Tu es quelqu'un de bien, Lana, souligne-t-il doucement. En fait, tu es probablement beaucoup trop bien pour nous, tout comme Anna, mais si tu as envie d'être ici, nous veillerons toujours sur toi. Tracker est irrécupérable à ton sujet. C'est une bonne chose, d'ailleurs. Il mérite quelqu'un comme toi.

— J'espère que ça fonctionnera, avoué-je après m'être dandinée d'un pied sur l'autre. Mais je suppose que nous devons encore apprendre à nous connaître.

Qu'arrivera-t-il si nous sommes incompatibles sexuellement?

Il a de l'expérience et moi, non. J'ai couché avec deux hommes, une fois avec chacun. J'ai tellement peur de ne pas être à la hauteur comparée à ses autres partenaires.

Puis merde, je compenserai mon manque d'expérience par l'intensité de mon désir. Je pense qu'aucune femme n'a jamais eu envie de lui autant que moi et je ne parle pas uniquement de son corps.

— Sacré veinard, marmonne Rake en secouant la tête. J'ai vu ce regard dans tes yeux.

Je m'éclaircis la voix.

— Je prendrais peut-être une boisson gazeuse, après tout.

Souriant de toutes ses dents, Rake passe un bras autour de mes épaules et m'entraîne vers la cuisine, où je tombe sur Anna.

— Lana! crie-t-elle avec un grand sourire. Putain de merde, tu es magnifique. Je suis si heureuse que tu aies pu venir.

— Je ne me suis pas enfuie à toutes jambes… pas encore, la taquiné-je en l'attirant vers moi pour la serrer brièvement dans mes bras. Salut, Arrow.

— Lana, fait-il en levant le menton. Tu as quelque chose de différent.

— Subtile, Arrow, le réprimande Anna en lui donnant un coup de coude.

Il hausse les épaules, puis prend une gorgée de sa bière tout en la serrant dans son autre bras. Elle tire doucement sur sa barbe, puis l'embrasse sur la bouche.

— Veux-tu danser, Lana? me propose-t-elle, les yeux toujours fixés sur Arrow.

— Je vais danser avec elle, intervient Rake en me tendant un verre.

Anna regarde son frère.

— Rake, je ne t'avais pas reconnu sans une femme pendue à ton bras.

— Il y en a une, réplique-t-il en faisant un signe de tête dans ma direction.

— Où est Tracker? s'enquiert Anna en fronçant les sourcils.

— Il discute avec Sin.

Soudain alerte, Arrow lève la tête.

— Tout va bien?

Rake hoche la tête.

— Tout va bien, mon frère.

Anna m'attrape par le bras.

— Allons danser.

— Tracker m'a dit de ne pas la quitter des yeux, déclare Rake. Donc, je viens aussi.

— Viens, dans ce cas, répond Anna. Montre-nous comment tu danses, frérot.

Un bras autour d'Anna et l'autre autour de moi, Rake nous conduit jusqu'à la salle de jeux, d'où parvient la musique. Nous dansons sur deux chansons avant que je me retrouve dans les bras de Tracker.

— Tu danses bien, me chuchote-t-il à l'oreille. Je suis prêt à t'avoir tout à moi, à présent.

— N'as-tu pas l'intention de danser avec moi? crié-je pour qu'il m'entende.

— Bien sûr, réplique-t-il. Sous les couvertures.

Je couine lorsqu'il me soulève pour me balancer sur son épaule, exactement comme il avait dit qu'il le ferait. Je ne tiens pas compte des sifflements et des cris qui s'élèvent lorsqu'il m'emmène directement dans sa chambre sans porter attention aux gens qui essaient de lui parler. Il allume, puis ferme la porte d'un coup de pied, nous enfermant dans la pièce. Il me jette ensuite sur le lit, baissant les yeux sur moi à l'instar d'un prédateur sur sa proie. Je déglutis péniblement tandis qu'il enlève son t-shirt pour révéler son physique puissant. Mon cœur bat à tout rompre dans ma poitrine lorsqu'il détache sa ceinture, déboutonne son pantalon et descend sa fermeture à glissière avant de laisser son jean tomber par terre. Il s'en débarrasse d'un coup de pied, puis enlève son caleçon, s'exposant entièrement à ma vue. Baissant les yeux sur moi, il expire bruyamment et se gratte la tête.

— Putain, je devrais peut-être prendre une douche froide avant de m'approcher de toi, marmonne-t-il. Je n'arrive pas à me souvenir de la dernière fois que je n'ai pas baisé pendant si longtemps… De plus, c'est *toi*. Je ne voudrais surtout pas t'effrayer.

— Je suis capable de prendre tout ce que tu veux me donner, indiqué-je d'une voix qui me semble étrangère.

Elle paraît forte.

Sensuelle.

Comme celle d'une femme qui sait ce qu'elle veut et qui l'obtiendra.

Je me permets de baisser les yeux sur sa queue qui se dresse, forte et fière. Je m'attarde sur son perçage, me demandant quelles sensations il créera.

— Putain, siffle-t-il entre ses dents. Quand tu me regardes ainsi…

Me glissant jusqu'au bord du lit, j'enlève mes ballerines et mes bijoux, puis je me lève.

— Déshabille-moi, lui ordonné-je doucement.

Se léchant les lèvres, il tend les mains et m'ôte mon haut, prenant le temps de regarder mon soutien-gorge en dentelle blanc avant de détacher mon jean et de le baisser. Il a de la difficulté à me l'enlever (il est sacrément serré), ce qui me fait rire. Il pousse un grognement.

— Comment as-tu fait pour le mettre ? Bon sang, Lana, il est comme une seconde peau.

— T'en plains-tu ? le taquiné-je, à bout de souffle, lorsqu'il me force à m'allonger sur le lit afin de pouvoir me l'ôter.

— Pour l'instant, oui, répond-il en m'embrassant sur le ventre après avoir finalement réussi à l'enlever, me laissant ma culotte et mon soutien-gorge.

— Magnifique.

L'admiration que j'entends dans sa voix me fait frémir.

Après avoir embrassé mon nombril, ses lèvres se déplacent vers le bas, me couvrant de baisers par-dessus ma culotte en dentelle, jusqu'à ce qu'elles atteignent le centre de mon plaisir. Son visage directement au niveau de ma chatte, il se sert ensuite de ses pouces pour baisser le bout de tissu. Sans aucune hésitation, ses lèvres s'emparent de moi et il fait de la magie avec sa langue, léchant et suçant avec adresse. Je baisse les yeux sur ses cheveux blonds, emmêle mes doigts dedans et tire dessus. Soulevant les hanches, je le supplie en silence de m'en donner encore plus et il s'exécute à petits coups de langues sur mon clito.

La vague déferle sans avertir.

Je cambre le dos et serre les dents pour m'empêcher de crier au moment de l'orgasme.

Il se montre impitoyable envers moi; il agrippe mes cuisses pour les écarter davantage et y enfouit son visage en entier.

— Tracker, gémis-je en reprenant mes esprits lorsque je deviens trop sensible.

Il s'agenouille et s'essuie la bouche du revers de la main.

— Parfait, dit-il d'une voix rauque. Mais la prochaine fois, je veux t'entendre crier, Lana. N'essaie pas d'être silencieuse. Je veux t'entendre.

— Jamais je n'ai autant joui, lancé-je d'une voix tout aussi rauque.

Tracker sourit de toutes ses dents, l'air satisfait.

— Ce n'est que le début, poupée.

Montant sur le lit, il se met à califourchon au-dessus de moi, un genou de chaque côté de mes hanches, laissant reposer sa queue contre mon ventre.

— Ça va? vérifie-t-il doucement en faisant glisser les bretelles de mon soutien-gorge sur mes épaules avant d'en baisser les bonnets. Je me suis montré gourmand, n'est-ce pas? Je n'ai même pas encore goûté ces deux-là; je me suis précipité directement sur ta délicieuse chatte.

Qu'il l'ait fait m'était complètement égal.

Baissant la tête, il aspire un mamelon entre ses lèvres, puis s'écarte pour goûter l'autre. Il remonte mes seins ensemble, puis lèche l'espace entre les deux.

— C'est encore mieux que je l'avais imaginé.

— Tracker, soupiré-je.

— Prends-tu la pilule? s'informe-t-il en tendant la main entre nous pour se positionner.

— Oui.

— J'ai envie de te baiser au naturel, affirme-t-il en m'embrassant sur la bouche. J'ai passé des tests en t'attendant. Laisse-moi te prendre, Lana.

Sans réfléchir, n'écoutant que mes sentiments, je hoche la tête.

— D'accord.

— Merci, mon Dieu, grogne-t-il en me pénétrant doucement.

Je vois bien qu'il se retient autant qu'il le peut pour ne pas s'enfoncer entièrement d'un seul coup.

— Tracker, murmuré-je. Tu peux y aller.

Il s'enfonce jusqu'à la garde et lâche un juron.

— C'est si bon, Lana. Ça valait sacrément la peine d'attendre.

Je soulève les hanches en rythme avec lui. Je constate rapidement que les nouvelles sensations que j'éprouve sont attribuables à son perçage, ce avec quoi j'ai l'intention d'expérimenter davantage. Ses lèvres restent scellées aux miennes, ne les quittant jamais. Je vois bien que cet homme adore embrasser et je ne pourrais pas m'en réjouir davantage. Sa méthode est parfaite ; tellement sensuelle et érotique, surtout la manière dont il glisse sa langue sur la mienne et mordille ma lèvre inférieure. Lorsqu'il se met à m'embrasser dans le cou, je sens monter l'orgasme.

— Jouis en même temps que moi, poupée, murmure-t-il contre mes lèvres avant de recommencer à m'embrasser.

Levant mes bras au-dessus de ma tête, nos doigts enlacés, il me plaque contre le matelas pour prendre ce dont il a besoin et me donner la même chose en retour.

Ses coups de hanches se font plus profonds, plus rapides, et je n'arrive pas à retenir le cri qui s'échappe de mes lèvres.

Tout est tellement intense, y compris la manière dont je lui réponds, tant physiquement qu'émotivement.

— Lana, murmure-t-il avant de reprendre possession de ma bouche pour m'embrasser comme s'il s'agissait de la toute dernière fois qu'il allait goûter mes lèvres.

Il attend que je jouisse une seconde fois avant de me rejoindre au septième ciel, laissant jaillir en moi son sperme chaud.

— Je ferais n'importe quoi pour te protéger, Lana, promet-il en laissant reposer son front contre le mien. Pour protéger ceci.

C'est à cet instant qu'il m'a volé mon cœur.

Je lui appartiens, entièrement.

Je sais que si je le perds, la douleur sera aussi intense que cet amour.

CHAPITRE 12

Il est temps d'affronter la réalité.

Je vais devoir rentrer chez moi.

Mes chaussures rouges à la main après avoir remis mes vêtements de la veille, qui ne me paraissent plus aussi extra-ordinaires ce matin, j'embrasse Tracker sur la joue avant de quitter la pièce. Sentant le bacon, je fais un détour par la cuisine pour voir ce qui s'y passe. Là, deux femmes que je ne connais pas font comme si elles étaient chez elles. Ne voulant pas les déranger, je passe devant la chambre d'Anna et manque m'étouffer en entendant sa voix.

— Arrow, mets cette machine à bébés entre mes jambes et baise-moi!

Machine à bébés ?

Je n'arrive pas à m'en empêcher.

Je ne me maîtrise plus.

La main devant la bouche, j'éclate de rire.

— Lana, c'est toi? l'entends-je crier.

Je ris tellement que je n'arrive pas à répondre.

Puis, je l'entends rire aussi.

Arrow grogne.

Riant toujours bêtement, je sors et me dirige vers ma voiture. Tandis que je m'éloigne, je vois un homme déposer Allie. Je ne le vois pas vraiment, mais elle porte vraisemblablement les mêmes vêtements que la veille et tient ses talons hauts à la main. Elle se penche pour lui donner un dernier baiser par la fenêtre. Je me sens soulagée ; je suis heureuse de voir qu'elle passe à autre chose. Bien que je sache que Tracker ne veut plus rien avoir à faire avec elle, il est bon de savoir qu'elle a peut-être décroché, elle aussi. Je n'ai ni besoin ni envie de vivre ce genre de drame.

Faisant comme si elle n'existait pas, je regarde droit devant et conduis jusque chez moi. Après avoir fait l'amour avec Tracker la nuit dernière (il peut dire ce qu'il veut ; nous avons fait l'amour), j'ai soudain l'inspiration nécessaire pour écrire la meilleure de toutes les scènes de sexe. Penser à lui, à la nuit dernière, suffit à me faire sourire. Qui aurait cru qu'un membre d'un club de motards puisse être si sacrément adorable ? Certes, il dit des obscénités, ce qui me plaît. En fait, j'adore.

La nuit dernière a été… à tomber en pâmoison. Je n'arrive pas à trouver une meilleure manière de la qualifier.

Nous avons passé toute la nuit dans sa chambre, à nous découvrir l'un l'autre. Je ne sais pas comment il a fait, mais il a réussi à me faire sentir à l'aise, à me faire sortir de ma coquille. Je me sentais… belle. Ç'avait quelque chose à voir avec sa manière de me regarder, comme si c'était *moi* qui étais parfaite. Pas lui, moi. Il n'y a aucun tabou avec lui. Aucun jugement.

Tout n'était qu'une question de sensations.

Il est insatiable. Animal.

Un homme dans toute sa splendeur.

Curieusement… il m'appartient.

***

— Dis-moi, commencé-je. Essayez-vous de faire un bébé, Arrow et toi ?

Anna écarquille les yeux.

— Qu'est-ce qui te fait croire ça ?

Je hausse les épaules avec désinvolture.

— C'est peut-être cette histoire de *machine à bébés* que j'ai entendue l'autre jour.

Elle enfouit son visage entre ses mains.

— Ah oui, ça. Je savais que c'était toi qui riais !

J'affiche un petit sourire narquois.

— Je ne me souviens pas de la dernière fois que j'ai ri autant.

Anna retire ses mains de son visage et sourit de toutes ses dents.

— Oui, nous essayons. Arrow adore essayer.

— J'imagine, oui, reconnais-je en prenant mon café pour en boire une gorgée. Comment se fait-il qu'Allie ne traîne plus dans les parages ?

Anna hoche la tête.

— C'est vrai, n'est-ce pas ? Elle n'a pas envie de te voir avec Tracker, je pense. Elle passe de temps en temps ; je pense qu'elle a trouvé un autre homme à persécuter.

Je hoche la tête en soupirant.

— Au moins, ce n'est pas moi qu'elle persécute. Toutefois, elle a mentionné quelque chose l'autre jour. Quelque chose à propos du fait que ce n'est ni elle ni moi que Tracker veut. As-tu une idée de ce qu'elle a pu vouloir dire ?

Anna m'observe pendant un interminable instant.

— Il se pourrait que j'aie entendu parler de quelque chose, mais j'ai l'impression que tu y accorderas plus d'importance que nécessaire.

— De quoi s'agit-il? l'interrogé-je en me redressant sur mon siège.

Elle soupire.

— Lorsque Faye est arrivée au club, il paraît, et je dis *il paraît* parce que je n'y étais pas et que je ne peux donc pas savoir si c'est vrai, mais j'ai entendu dire que Tracker en pinçait pour elle. Il s'intéressait à elle, mais ne pouvait évidemment pas l'avoir, donc il a commencé à coucher avec Allie à la place.

— Il s'intéressait à Faye? murmuré-je péniblement.

Faye? Ce fichu top-modèle?

Génial. Tout simplement génial. Je n'arrive pas à empêcher la souffrance de se propager lentement dans tout mon corps.

— Lana, grommelle Anna. Premièrement, c'était il y a des années. Ils sont simplement amis maintenant. Tracker est fou de toi. Arrow dit qu'il ne l'a jamais vu s'intéresser à une femme à ce point… Jamais. Écoute, poursuit-elle lorsque je ne réponds pas. Je vais être la première à admettre que j'ai averti Tracker plusieurs fois de te laisser tranquille. Je ne pensais pas que c'était une bonne idée. C'est… Tracker et je ne voulais pas qu'il te fasse du mal. Je n'arrive pas à croire que je vais dire ça, mais j'avais tort. Il est tellement gentil avec toi. Je ne l'ai même pas vu poser les yeux sur une autre femme. Tu es heureuse, je le vois bien. Je sais aussi que tu hésites, que tu as peur de te faire du mal, mais je pense qu'il se passe quelque chose d'extraordinaire entre vous. Si tu penses pouvoir les supporter, son mode de vie et lui, je pense qu'il fera de toi une femme heureuse et comblée.

— Tu as raison, admets-je. Si c'est du passé, dans ce cas… Tant qu'il ne se languit pas d'elle en cachette.

Anna se met à rire.

— Non. Ils sont amis, exactement comme nous sommes amis, lui et moi.

Dans ce cas, pourquoi Allie a-t-elle essayé de me balancer cette histoire au visage ? À moins que ce soit elle qui ait un problème avec ce fait, puisqu'elle constituait son second choix. Je chasse cette idée et change de sujet.

— Je dois te parler de quelque chose. Je n'avais pas vraiment besoin de l'emploi de nounou. Je l'ai accepté parce que j'avais besoin de changement, de vivre autre chose, et parce que je savais que Faye avait besoin d'aide.

Je veux tout raconter à Anna. Je n'ai plus envie de tout garder pour moi. J'ai envie d'essayer d'être franche et, mis à part ma mère, il n'y a personne en qui j'ai plus confiance qu'en Anna.

— Je suis contente que tu l'aies accepté. Faye ne cesse de raconter à quel point tu es extraordinaire avec Clover, souligne Anna. Mais si tu n'as pas besoin de l'emploi, dis-le tout simplement un peu à l'avance à Faye pour qu'elle puisse te remplacer. De toute manière, elle devra trouver quelqu'un d'autre lorsque tu recommenceras les cours.

Elle ne comprend pas.

— Oui, je sais, mais ce que j'essaie de te dire, c'est que…

— Lana ! m'interpelle Tracker depuis la porte d'entrée.

— Je suis ici ! crié-je en retour en me tournant vers Anna d'un air contrit. Conversation à suivre.

Elle hoche la tête, arborant un grand sourire narquois.

— Je pensais qu'il devait travailler toute la journée.

— Moi aussi.

Tracker arrive dans le salon, scrutant la pièce à ma recherche. Lorsqu'il pose les yeux sur moi, son regard s'illumine.

— Veux-tu venir faire un tour ?

— Qu'en est-il de Clover ?

Il se tourne vers Anna.

— Peux-tu garder Clover pour le reste de la journée ?

Anna hoche la tête.

— Bien sûr. Je l'emmènerai au zoo avec moi lorsqu'elle se réveillera.

Tracker sourit de toutes ses dents.

— Merci, Anna. Lana, va mettre tes chaussures.

Je me prépare, puis le suis à l'extérieur.

— Où allons-nous ? m'enquiers-je tandis qu'il me met son casque.

— Je dois retourner au travail.

— Oh. Pourquoi es-tu venu me chercher, dans ce cas ? lui demandé-je en fronçant les sourcils.

— Parce que tu me manquais et que j'avais envie que tu sois là avec moi, me rétorque-t-il avant de m'embrasser.

— Oh.

— Oui, oh, répète-t-il avec un gloussement.

— Allons-y, dans ce cas, dis-je avec un sourire timide.

Après un autre baiser, plus long celui-ci, nous partons.

Je repense à ma conversation avec Anna et comprends qu'elle a raison. Je dois juger Tracker en fonction de qui il est à présent, de qui il est avec moi, plutôt qu'en fonction de qui il était ou de ce qu'il pourrait faire. Je dois laisser le passé derrière et prendre le risque.

***

Debout à l'extérieur du Toxic, un club d'effeuillage, je prends un air renfrogné.

— Ce n'est pas ce que j'avais en tête quand j'ai dit que je passerais la journée avec toi, Tracker.

Il sourit de toutes ses dents et m'attrape par le menton.

— Rentre tes griffes, nous ne faisons qu'un arrêt en passant.

Pinçant les lèvres, je le laisse m'entraîner à l'intérieur. L'endroit ressemble à n'importe quel club d'effeuillage, hormis le fait qu'il n'y a aucune fille qui danse.

— C'est fermé ? m'étonné-je tandis que nous nous dirigeons vers le bar, où un homme astique des verres.

— Oui, ils ouvrent dans une heure ou deux, précise Tracker, qui baisse les yeux vers moi avec un sourire narquois. Pourquoi ? Tu es déçue ?

Je hausse les épaules.

— Je ne suis jamais allée dans un club d'effeuillage. Aussi bien vivre l'expérience complète.

Je sens presque venir une nouvelle intrigue.

— Nous reviendrons une autre fois, dans ce cas, murmure-t-il en secouant la tête, amusé. Tu ne réagis jamais comme je m'y attends.

— L'idée que tu viennes ici ne me plaît pas, avoué-je.

— Pourquoi ? réplique-t-il. Tu n'as rien à envier à aucune des femmes ici.

Je rougis.

— Tracker…

Il approche ses lèvres de mon oreille.

— Pour moi, tu es la plus belle femme au monde. Mon opinion est la seule qui compte, poupée.

Je le regarde droit dans les yeux et vois bien qu'il pense réellement ce qu'il dit.

— Tu n'arrêteras pas tant que tu ne posséderas pas chaque cellule de mon être, n'est-ce pas ? murmuré-je.

— Je n'arrêterai pas tant que tu ne me le demanderas pas, renvoie-t-il en posant un baiser sur mon front. J'ai besoin que tu aies besoin de moi autant que j'ai envie de toi.

C'est déjà le cas.

— Assieds-toi ici un instant, d'accord ? Je dois aller derrière régler un truc. Si quelqu'un s'approche de toi, tu dis que tu m'appartiens et s'ils ont le moindre bon sens, ils s'éloigneront.

Je hoche la tête et m'assieds. De toute façon, il n'y a personne dans les environs.

— Veux-tu que j'aille te chercher quelque chose à boire ?

— Une boisson gazeuse serait pas mal.

Il se rend au bar et me rapporte une cannette de boisson gazeuse. Il la pose, me donne un baiser sur la tempe, puis disparaît derrière l'une des portes qui mènent dans les coulisses. Après avoir ouvert ma cannette, j'en prends une gorgée tout en balayant le club du regard. Voyant les quelques scènes et plateformes différentes, je me demande à quoi ressemble cet endroit lorsque la soirée bat son plein. La porte s'ouvre, laissant entrer deux jolies femmes.

— J'ai vu sa moto dehors, remarque l'une d'elles. De quoi ai-je l'air ?

— Très bien, comme toujours, répond l'autre en hochant la tête.

L'une des deux m'aperçoit et me regarde de travers.

— Es-tu une nouvelle danseuse ?

Je la vois m'examiner de la tête aux pieds, comme si j'étais une rivale, puis sourire lorsqu'elle conclut que je ne suis pas de taille.

— Tu ne ressembles pas aux danseuses qu'ils engagent habituellement.

— C'est parce que je n'en suis pas une, l'informé-je en remontant mes lunettes sur mon nez.

— Ah. Es-tu une femme de ménage ou quelque chose du genre, dans ce cas ? me demande sérieusement l'une d'elles, la blonde.

— Non, lancé-je en serrant les dents.

Non qu'il y ait quelque chose de mal dans le fait d'être une femme de ménage, mais pourquoi s'agit-il de sa première hypothèse ?

Tracker sort des coulisses à cet instant et écarquille les yeux en me voyant aux prises avec ces deux femmes. Me fixant du regard, il se précipite directement vers moi.

— Ça va ?

— Tracker ! s'exclame la blonde avec un grand sourire. Je savais que c'était ta moto que j'avais vue.

Elle pose la main sur son torse.

Je vois rouge.

Je me lève.

— Je préférerais que tu ne fasses pas ça.

Elle se tourne vers moi.

— Pardon ?

Faisant comme si elle n'avait rien dit, j'écarte la femme de mon chemin pour m'approcher de Tracker. Emmêlant mes doigts dans ses cheveux, j'attire son visage vers le mien pour l'embrasser ardemment. Lorsque je m'écarte, il est à bout de souffle et une lueur de passion brille dans ses yeux.

— Bon Dieu, Lana.

C'est tout ce qu'il arrive à dire. Je lève les yeux vers lui en souriant, fière de ma propre audace. Je fais un signe de tête en direction des deux femmes, qui semblent à la fois en rogne et perplexes, et il comprend l'allusion.

— Mesdemoiselles, commence Tracker en se tournant vers elles, mais sans me quitter des yeux. Je ne suis plus sur le marché. Voici ma régulière et si j'étais vous, je me tiendrais sacrément loin d'elle. Maintenant, poupée, me dit-il, allons-y.

Lorsque nous sommes dehors, il se tourne vers moi.

— Doux Jésus, Lana, c'était la chose la plus excitante que tu aies faite. Je suis sacrément bandé en ce moment.

Je hausse les épaules, sentant que le rouge me monte aux joues.

— Tu m'appartiens. Je voulais qu'elles le sachent.

Mon homme m'observe attentivement.

— Je pense que tu es parfaitement à ta place avec nous, Lana.

Mes lèvres frémissent.

— C'est uniquement grâce à toi.

CHAPITRE 13

À la fin de la journée que j'ai passée avec Tracker, lors de laquelle nous nous sommes arrêtés au Rift et à leur atelier de réparation de motos, il m'emmène manger un morceau, puis me dépose chez moi.

— Pourquoi ne déménages-tu pas tout simplement au club? grommelle-t-il en me raccompagnant jusqu'à la porte. Je n'aime pas quand tu n'es pas là.

— En fait, je vais me chercher un endroit à moi, annoncé-je avant de marquer une pause. Tu sais, tu peux passer la nuit ici. Ma mère est au travail.

Il incline la tête sur le côté.

— Veux-tu que je reste?

Je hoche la tête.

— Oui.

Un sourire se dessine lentement sur ses lèvres.

— Es-tu en train de devenir aussi accro à moi que je le suis à toi?

Je me mords les lèvres.

— Est-ce ce que tu veux?

Il déglutit, activant les muscles de sa gorge.

— Tu sais que c'est tout ce que je demande en ce moment. Je ne veux pas que tu aies envie de t'enfuir si tu vois quelque chose qui ne te plaît pas. J'ai besoin que tu t'attaches. Que tu sois bien accrochée. Investie tout entière.

Je secoue la tête.

— Tu veux que je m'attache pour éviter que je m'enfuie à toutes jambes lorsque la réalité de ton univers me rattrapera?

Il hoche la tête, puis passe la main sur son visage.

— Ça paraît complètement dingue, mais c'est la vérité.

— Au moins, tu es honnête, lancé-je d'un ton sec.

— Je serai toujours honnête avec toi, Lana, réplique-t-il avec sérieux. Je ne mens pas. La vérité fait mal, mais les mensonges causent encore plus d'emmerdes.

Effectivement.

J'incline la tête d'un côté.

— Très bien, dans ce cas, j'ai une question à te poser. Mais d'abord, entrons.

J'ouvre la porte et nous nous rendons tous les deux directement dans ma chambre. Nous nous asseyons confortablement sur mon lit, face à face.

— Que voulais-tu me demander?

— As-tu déjà éprouvé des sentiments envers Faye? lâché-je.

Il fronce les sourcils.

— Où as-tu pris ça?

Puisque je n'ai aucune intention de lui donner des noms, je fais comme s'il n'avait rien dit.

— C'est vrai?

Il s'assied à mes côtés.

— Lorsque Faye est arrivée au club, troublée, perdue et enceinte, nous sommes devenus amis. Comme ç'a été le cas avec Anna. Oui, j'ai éprouvé des sentiments envers Faye. J'ai cru qu'elle m'intéressait. Si Sin n'avait pas voulu d'elle, oui, je m'en serais occupé. Mais plus important encore, je pense que j'enviais ce qu'ils vivaient. Faye était une femme bien. Elle est fidèle, ne ment pas et ne joue pas dans le dos des autres. On peut avoir confiance en elle. Elle prend soin non seulement de son homme, mais aussi des autres membres du club. Une véritable régulière. C'est cela que j'enviais.

— Pourquoi as-tu choisi Allie, dans ce cas ? grommelé-je.

Il glousse.

— Elle était là ; elle s'intéressait à moi. Je me sentais seul, je suppose. Arrow et Sin semblaient si heureux après avoir trouvé leurs femmes, je suppose que je cherchais la même chose. En y repensant, je sais que ce n'était pas de réels sentiments que j'éprouvais envers Faye. Ni envers Allie. Sais-tu comment je le sais ?

— Comment ?

— Parce que les sentiments que j'éprouvais envers elles n'avaient rien en commun avec ceux que j'éprouve pour toi. Ils font pâle figure. Ils sont carrément inexistants. Comprends-tu ? C'est *toi* que je cherchais. Que j'attendais. Pas elles. Je n'arrive même pas à comprendre. Je t'ai vue, j'ai eu envie de toi et j'ai su que tu étais la bonne. J'ai résisté pendant un certain temps parce qu'Anna ne cessait pas de me menacer pour me tenir à distance, mais rien ne pourra me retenir loin de toi désormais.

— C'est aussi simple que ça, hein ? prononcé-je d'une voix à peine audible.

— Ça n'a pas été si simple de t'avoir, rétorque-t-il d'une voix amusée. Tu t'es bien défendue, poupée.

— J'ai essayé, en tout cas, le taquiné-je.

— N'es-tu pas heureuse d'avoir cédé ? me demande-t-il en m'attirant sur ses genoux. Je vais si bien prendre soin de toi.

— Je n'ai pas besoin qu'on prenne soin de moi, déclaré-je franchement. Mais oui, je suis heureuse. Autrement, je ne pourrais pas faire ceci.

Je l'embrasse.

— Ni ceci.

Je lui mordille le cou.

— Prends-moi, Tracker, lui chuchoté-je ensuite à l'oreille.

— Putain, Lana, grogne-t-il. Tu es la seule qui peut me faire perdre la tête ainsi. Déshabille-toi et allonge-toi sur le dos. Tu vas être une bonne fille et faire exactement ce que je te dis, n'est-ce pas ?

Je hoche la tête.

Dans les limites du raisonnable, bien entendu.

— Très bien, énonce-t-il entre ses dents en se déshabillant lui-même et en me regardant faire de même sous ses paupières mi-closes.

Je m'allonge, complètement nue.

— Maintenant, écarte les jambes.

J'obéis.

— Veux-tu ma bouche ou ma queue ? me questionne-t-il en se caressant, les yeux rivés aux miens.

— Les deux, réponds-je.

Un sourire séduisant se dessine sur ses lèvres.

— Femme avide, dit-il. Je pense que je vais commencer par prendre avant de te donner tout ce que tu veux. Ouvre cette jolie bouche pour moi.

J'ouvre la bouche et le laisse se glisser doucement entre mes lèvres. Je commence lentement, avec un mouvement de va-et-vient. Je laisse courir ma langue sur son perçage et, en l'entendant gémir, je recommence, enroulant mes doigts à la base de son pénis en imitant le geste qui signifie *OK*. Puis, j'accélère la cadence et il se met à remuer légèrement les hanches, doucement, comme s'il craignait de me faire mal. Mes mains se déplacent jusqu'à ses fesses, dont je me sers pour l'enfoncer plus profondément dans ma bouche, lui donnant silencieusement la permission de donner de plus grands coups de hanches. Je sens son corps tressaillir et ma bouche se remplir.

Après avoir joui, il tient sa promesse et me fait jouir avec sa bouche et sa queue. Deux fois.

***

Je me réveille en entendant ma mère dans la cuisine en train de préparer un petit-déjeuner pour Tracker. On pourrait croire qu'elle s'opposerait à ce que je sorte avec un immense motard tatoué, mais non. Ma mère prend les choses comme elles viennent. Connaissant mon père, je suppose qu'elle avait aussi un faible pour les mauvais garçons.

— J'espère que tu as faim, l'entends-je lui dire en lui servant une assiette garnie d'une montagne de bacon.

Elle se démène dans la cuisine tandis que Tracker est assis au comptoir.

Il écarquille les yeux.

— Merci, Nicole.

— Bonjour, les salué-je en les regardant tour à tour, ma mère et lui.

— Bonjour, poupée, dit Tracker avec un sourire en se levant pour s'approcher de moi et me faire un câlin. S'il te plaît, aide-moi à manger tout ça.

Je souris contre son torse.

— Comme si tu ne pouvais pas tout manger.

— Je vais me coucher, indique ma mère. Je viens de rentrer. Prends soin de ma fille, Tracker.

— Toujours, l'assure Tracker en me regardant. Merci pour le petit-déjeuner.

— De rien, crie-t-elle en se dirigeant vers sa chambre.

Je lève les yeux vers Tracker.

— Ça t'est déjà arrivé que la mère d'une fille prépare ton petit-déjeuner ?

Il sourit de toutes ses dents.

— Non, c'est une première. Ta mère est une femme charmante. Je comprends que tu sois si adorable. C'est aussi la première fois qu'une mère m'aime bien.

Je me mets à rire.

— Elle ne porte pas de jugement. Si je suis heureuse, elle l'est aussi.

— Dans ce cas, j'ai intérêt à m'assurer de te garder heureuse, murmure-t-il en se penchant pour suçoter ma lèvre inférieure.

— Mmm, soupiré-je.

J'adore le naturel de notre conduite, sa manière de me regarder et de me toucher.

— Mangeons et rendons-nous au club avant que Faye parte pour le travail.

— D'accord, acquiesce-t-il. Je ferais mieux de commencer à travailler sur cette pile de bacon.

— Tu n'es pas obligé de la manger en entier, le rassuré-je en riant.

— Je sais, mais… c'est du bacon.

— Gourmand.

— Mignonne.

Nous arrivons au club juste à temps.

***

— Je vais m'absenter pour quelques jours, m'annonce Tracker plus tard ce soir-là tandis que nous sommes allongés dans son lit.

— Où vas-tu ? m'informé-je doucement.

Je ne veux pas qu'il parte.

— Faire un tour avec les gars. Affaires du club, poupée, dit-il en traçant de son doigt des lignes sur mon épaule nue.

J'ai envie de lui demander où il va et ce qu'il fait, mais je sais qu'il ne me répondra pas. Qu'il ne *pourra* pas me répondre. Puis-je m'habituer à cette vie ?

— Un des novices ira te chercher pour t'emmener où tu voudras.

— Ce n'est pas nécessaire…

— Le fait que tu sortes avec moi signifie que des gens pourraient essayer de te faire du mal pour m'atteindre, m'interrompt-il en posant un baiser sur ma clavicule. Fais-moi plaisir, d'accord ? Pour ma putain de tranquillité d'esprit, laisse-moi simplement m'assurer que tu es en sécurité.

— Je ne connais pas les novices, protesté-je. Ça me mettra mal à l'aise.

— Tu as déjà rencontré Blade, souligne-t-il doucement. C'est lui qui ira te chercher et te reconduire. J'ai confiance en lui. S'il arrive quoi que ce soit, tu n'as qu'à m'appeler, d'accord ?

J'ai rencontré Blade. Il est plus jeune que moi, environ 21 ans, et il paraît plutôt bien.

— D'accord, concédé-je.

Je me souviens de ce qui est arrivé à Anna lorsqu'elle a essayé de sortir du club sans être accompagnée : elle a été enlevée. Je ne veux certainement pas qu'une telle chose se produise. Tracker parti, je pourrai au moins écrire un peu, même s'il va terriblement me manquer. Il en est si vite venu à occuper une si grande place dans ma vie. C'est extraordinaire, mais terrifiant.

— *D'accord*? répète-t-il sur le ton de la méfiance en baissant la couverture pour lécher un de mes mamelons. Tu ne m'enverras pas sur les roses? *D'accord*, tout simplement?

Je hoche la tête, désormais concentrée sur ce qu'il fait avec sa langue.

— Oui.

— Putain, tu es si bonne pour moi, remarque-t-il en aspirant mon mamelon entre ses lèvres.

— Je crois plutôt que c'est toi qui es bon pour moi en ce moment, répliqué-je d'une voix rauque en fermant les yeux et en agrippant les draps.

Pour me taquiner, il souffle sur un sein, puis sur l'autre.

— Tu m'appartiens, Lana. Je prendrai toujours soin de ce qui m'appartient.

Libérant ses cheveux de son chignon, j'enfouis mes mains dans sa chevelure pour tenir tendrement sa tête tandis qu'il me vénère. Tracker adore faire l'amour, mais il aime aussi s'amuser, comme il le fait en ce moment, avec des caresses paresseuses et une lente séduction. Il n'est pas toujours pressé de nous faire jouir tous les deux. Comme c'est le cas en ce moment, il aime parfois simplement être avec moi et prolonger mon plaisir. Un de ses doigts touche maintenant mon intimité dans la plus douce des caresses. Il va me faire mourir. Mourir de plaisir; je suis certaine que c'est possible. Sinon, ce devrait l'être.

— Vais-je te manquer? me demande-t-il en laissant courir sa langue vers le bas sur mon ventre.

— Non, réponds-je, ce qui me vaut une petite morsure juste sous le nombril.

— En es-tu certaine ? insiste-t-il en embrassant l'intérieur de mes cuisses à bouche que veux-tu.

— J'en suis certaine, confirmé-je d'une voix rauque. Tu ne me manqueras pas du tout.

D'un geste rapide, il me tourne sur le ventre et me claque les fesses.

— Ne me mens pas, Lana, dit-il d'une voix amusée. Je vais tellement te manquer que tu vas devenir complètement folle. Mets-toi à quatre pattes.

Je me redresse sur les genoux, puis j'écarte les jambes.

— Bonne fille, déclare-t-il d'une voix douce. Maintenant, dis-moi.

Écartant mes cuisses de sa poigne ferme, il donne un coup de langue juste au bon endroit.

— Dis-moi ce que je veux entendre.

— Tu vas me manquer, cédé-je, puisque j'ai envie de sa langue.

Il me claque les fesses à nouveau. J'adore.

— Qu'ai-je fait pour mériter ça ? m'enquiers-je d'un ton brusque.

— Celle-là, c'était juste pour le plaisir, indique-t-il en riant.

Salaud.

Puis, sa bouche s'empare de moi et je change d'avis.

CHAPITRE 14

Le lendemain matin, Tracker part avec Rake, Irish, Arrow, Trace, Ronan et Sin. Vinnie, qui est resté derrière, jette actuellement un coup d'œil par-dessus mon épaule pendant que je prépare le petit-déjeuner. Pour une fois, il y a un peu de cheveux sur son crâne habituellement rasé.

— Patience, le taquiné-je.

— Oncle Vinnie a faim, crie Clover depuis la table de la salle à manger où elle dessine. Il faut lui donner à manger, autrement il devient grognon.

— C'est ce que je vois, constaté-je en regardant Vinnie, qui sourit affectueusement à Clover. Clover est plus patiente que toi.

Il fixe les gaufres avec envie, puis lève les yeux vers moi.

— Ça sent tellement bon, putain.

Clover a un hoquet de surprise.

— C'est un mauvais mot. Mais je ne le dirai pas à maman. Je ne suis pas une balance. J'ai entendu papa dire à oncle Arrow que personne n'aime les balances.

Vinnie et moi échangeons un regard, puis nous nous mettons à rire. C'est fou ce que cette enfant retient !

Lorsque les gaufres sont prêtes, je commence par servir Vinnie et Clover, puis j'en fais cuire une grosse montagne pour tous ceux qui en voudraient aussi. Lorsque Blade arrive dans la cuisine, je pointe la montagne de gaufres et il sourit de toutes ses dents.

— Pouvons-nous te garder ?

— Je serai ici tous les jours de la semaine jusqu'à ce que les cours reprennent, annoncé-je en riant.

— As-tu besoin d'aller quelque part aujourd'hui ? s'informe-t-il en mangeant.

Je regarde Clover.

— Où veux-tu aller aujourd'hui, Clo ?

Elle prend le temps d'y réfléchir.

— Pouvons-nous aller à la ferme ?

Je hoche la tête.

— Bien sûr. Viendras-tu avec nous, Blade ? Nous pouvons aussi déjeuner là-bas.

Il se tortille sur son siège, l'air soudain mal à l'aise.

— Désolé, Lana, s'excuse-t-il, ses yeux foncés rivés aux miens. Je peux seulement vous y conduire et aller vous rechercher.

Je le regarde en plissant les yeux, me demandant s'il s'agit d'une consigne qu'il a reçue de Tracker ou s'il a autre chose à faire. Il passe la main dans ses courts cheveux bruns, attendant que je dise quelque chose.

— Ah, réponds-je. D'accord. Si ça ne t'ennuie pas.

— Je suis là pour ça.

Clover et moi nous préparons à partir et Blade nous conduit à la ferme dans un quatre roues motrices noir. Lorsque nous arrivons là-bas, il vérifie par deux fois que mon téléphone est bien chargé et que j'ai son numéro avant de s'en aller. Nous commençons par déjeuner, puis nous allons voir les animaux. Quelques heures plus tard, il vient nous rechercher et nous revenons au club. Faye, qui est rentrée tôt du travail, nous y attend.

— Maman! Je me suis tellement bien amusée aujour-d'hui, lance Clover après avoir fait un câlin à Faye. J'ai nourri un cheval!

— Tu t'es éclatée, on dirait, remarque sa mère en posant un baiser sur sa tête.

Clover part en courant et Faye me regarde.

— Tu sais tellement bien t'y prendre avec elle, Lana. Je sais que chaque fois que je pars, elle va sortir explorer le monde et s'amuser plutôt que de simplement rester ici à regarder la télé toute la journée.

Je hausse timidement les épaules.

— Elle est géniale.

— C'est vrai, reconnaît Faye avec un grand sourire. Veux-tu rester à bavarder un peu ou dois-tu partir?

Je pense à tout le travail qui m'attend à la maison.

— J'adorerais rester, mais il vaudrait mieux que j'y aille.

Elle hoche la tête.

— Pas de soucis. À demain.

— Salut, Faye, dis-je avec un sourire en me dirigeant vers la porte.

Je balaie l'endroit du regard à la recherche de Blade, mais je ne le trouve pas. Apercevant Vinnie, je lui demande s'il peut me conduire chez moi.

— Bien entendu, accepte-t-il. Mais puisque je dois me rendre ailleurs après, nous irons en moto.

Je ne suis jamais montée sur la moto de quelqu'un d'autre.

— Euhhh, bredouillé-je.

Je ne sais pas si j'ai le droit.

Vinnie se met à rire.

— Je vais seulement te conduire. Je me charge de Tracker.

Ce n'est pas comme s'il s'agissait de l'un de mes ex, contrairement à ce qui s'était passé avec Allie. C'est Tracker qui m'a fait promettre de ne pas sortir seule. Avec un haussement d'épaules, je monte derrière Vinnie sur sa moto, mais sans me presser contre lui comme je le fais normalement avec Tracker. Lorsque nous arrivons chez moi, je le remercie, puis me dirige vers la porte en cherchant mes clés dans mon petit sac à main. Lorsque je les trouve, je déverrouille la porte en saluant Vinnie d'un geste. Une fois en sûreté à l'intérieur, j'entends le grondement de sa moto qui s'éloigne. Je ferme la porte, puis la verrouille. Je suis sur le point de faire demi-tour lorsque je suis projetée sur la porte par un coup à l'arrière de la tête.

Je vois des étoiles.

J'entends une voix. Féminine.

Puis, une autre. Masculine.

Un autre coup.

Des rires.

Je glisse le long de la porte, m'effondrant au sol.

Je lutte pour ne pas perdre connaissance.

Je ne veux pas quitter Tracker. Je viens juste de le trouver.

— Tracker, articulé-je, mais aucun son ne sort de ma bouche.

Tout n'est que douleur, tout n'est qu'obscurité.

***

Lorsque je me réveille, j'ai mal partout.

Chaque centimètre de mon corps est douloureux. Mes côtes élancent. Mes jambes sont engourdies. Ma mâchoire est enflée.

Mon œil droit est trop gonflé pour s'ouvrir, mais je réussis à ouvrir le gauche.

— Lana ?

J'entends ma mère qui m'appelle.

— Merci, mon Dieu.

Je sens sa main dans la mienne. Je la serre.

Puis, je me rendors.

***

— Lana ?

J'entends sa voix.

— Putain, Lana, m'entends-tu ?

J'ouvre l'œil gauche pour le regarder. Les yeux rouges et le teint pâle, il a une sale gueule.

— Tracker ?

Ma voix est faible.

Brisée.

— Que s'est-il passé ? lui demandé-je.

— Tu es blessée, chuchote-t-il. Doux Jésus, Lana, la personne qui t'a fait ça va le regretter amèrement.

L'intensité de sa voix me fait tressaillir.

— On t'a frappée derrière la tête. Le médecin pense que tu as perdu connaissance sur le coup. Tu as surtout des contusions. Ainsi que quelques côtes fracturées. On t'a rouée de coups de pieds.

Qui pourrait bien vouloir me faire du mal ? Je n'ai fait de mal à personne.

— Depuis combien de temps suis-je ici ? m'enquiers-je.

Il prend ma main dans la sienne et pose des baisers sur mes jointures.

— C'est la deuxième nuit que tu passes ici. Ils t'ont donné des antidouleurs et tu t'es réveillée à quelques reprises, mais tu te rendormais immédiatement. Je suis revenu dès que Faye m'a appelé. C'est ta mère qui t'a trouvée et qui l'a appelée pour lui raconter ce qui était arrivé et lui dire que tu ne pourrais pas t'occuper de Clover.

Lorsque je lèche mes lèvres sèches, il me tend immédiatement de l'eau avec une paille.

— Bois, poupée.

Je bois avidement jusqu'à ce qu'il m'enlève le verre.

— Pas si vite.

Même avaler est douloureux.

— As-tu besoin de quelque chose ? me demande-t-il.

— Non, chuchoté-je. Simplement que tu restes ici avec moi.

— Je n'ai pas quitté ton chevet, m'informe-t-il. C'est sacrément difficile de te voir dans cet état, mais j'essaie de ne pas être égoïste puisque c'est toi qui souffres, pas moi. Crois-moi, si je pouvais apaiser tes souffrances, je le ferais immédiatement.

— Tracker, murmuré-je. Je t'aime.

Il presse ma main entre ses doigts.

— Je t'aime aussi, Lana. Mais il était à peu près temps que tu t'en rendes compte.

Me sentant en sécurité, je me rendors.

***

— Je vais bien, rassuré-je Anna, agitée, qui refuse de me ficher la paix.

— Tu ne vas pas bien, s'exclame-t-elle d'un ton sec, les yeux pleins de larmes.

— Anna, reprends-je d'une voix douce. Je vais bien. Je suis amochée, mais je vais bien. La personne qui m'a battue doit frapper comme une fille.

Elle tourne brusquement la tête vers moi, à l'instar de la fille dans *L'Exorciste*.

— Une fille?

— Quoi? lui demandé-je en voyant son expression.

— Rien, s'empresse-t-elle de répondre tandis que ses traits s'adoucissent. Laisse-moi être aux petits soins avec ma meilleure amie, veux-tu? Sinon, je vais péter les plombs.

— Très bien, capitulé-je.

J'ai passé deux nuits à l'hôpital et je suis maintenant au club parce que Tracker refuse que je rentre chez moi. Franchement, je vais bien. Mes côtes sont douloureuses, certes, et mon visage est enflé et tuméfié, mais ç'aurait pu être bien pire. Je prends des antidouleurs et je fais un peu de rattrapage en matière de lecture. Rien n'a été volé chez moi ; je ne sais donc pas pourquoi c'est arrivé, mais c'est arrivé. Vinnie s'est senti terriblement mal. Tracker m'a raconté qu'il avait refusé de dormir jusqu'à ce que je reprenne connaissance. J'ai rassuré Vinnie en lui disant que j'allais bien et qu'il n'avait rien à se reprocher. Je me sens en sûreté au club et je suis entourée de gens qui tiennent à moi. Tracker est extraordinaire.

— Veux-tu regarder un film? propose Anna.

Je hoche la tête.

— D'accord.

Nous sommes au beau milieu de ma partie favorite du film lorsque Tracker fait irruption dans la pièce et pose rapidement un baiser sur mon front avant de regarder Anna.

— Je dois te parler.

Je me redresse.

— Que se passe-t-il?

Il jette un coup d'œil dans ma direction et son regard s'adoucit.

— Rien dont tu doives t'inquiéter, poupée. Repose-toi. Faye sera bientôt ici pour te tenir compagnie.

Anna se lève et suit Tracker hors de la pièce.

Que diable se passe-t-il?

Faye arrive quelques minutes plus tard, esquivant ou ignorant carrément mes questions indiscrètes.

— Peu importe ce que tu veux savoir, tu poses les questions à Tracker, indique-t-elle. Je ne suis au courant de rien.

Elle était tellement au courant.

— Comment va Clover? la questionné-je. Elle me manque.

— Elle va bien, confirme Faye. J'ai pris une semaine de vacances.

Merde.

— Je suis désolée, bredouillé-je.

Faye me gratifie d'un regard sévère.

— Tu n'as pas à être désolée. Tu fais désormais partie de la famille, Lana. Les membres d'une famille prennent soin les uns des autres. Si tu t'es fait battre à cause de tes liens avec le club, Tracker va gérer la situation. Même si ça n'a rien à voir, Tracker va gérer la situation.

— Je ne voudrais pas qu'il soit blessé.

Ni qu'il finisse en prison.

Faye se met à rire.

— Tu sais pourquoi on l'appelle Tracker, pas vrai ? Il peut retrouver n'importe qui. N'importe qui. La personne qui t'a fait ça va le payer.

À la manière dont elle le dit, on dirait un serment.

À cet instant, je vois Faye, la femme du président.

Elle est plutôt effrayante.

— Rappelle-moi de ne jamais t'embêter.

Elle sourit de toutes ses dents.

— Tu ne ferais jamais ça. Tu es quelqu'un de bien, Lana, et tu rends Tracker heureux. C'est tout ce que je demande : que tous les hommes soient heureux.

— Hors de prison, aussi, ajouté-je.

Elle arbore un petit sourire triste.

— Hors de prison, aussi. En tant qu'avocate du club, j'essaie aussi que ce soit le cas.

— Ce doit être un emploi à temps plein, plaisanté-je.

— Tu n'as pas idée, reconnaît-elle en riant, des étincelles dans les yeux. Mais j'ai compris qu'ils sont pleins de contradictions. Ils peuvent être dangereux. Arrow en est un bel exemple. Mais tu vois comment il se conduit avec Anna ? Il ne laisserait jamais personne lui faire du mal. Tout n'est pas noir ou blanc.

Je hoche la tête.

— J'avais des idées préconçues sur les hommes d'ici, mais ils ne sont pas du tout comme je l'aurais cru. La plupart se sont montrés très accueillants.

Faye sourit d'un air suffisant.

— Ça, c'est parce que tu faisais déjà partie de la famille. Si tu avais été une femme quelconque, ç'aurait été très différent. Tracker les avait avertis qu'ils avaient intérêt à adopter une conduite irréprochable s'ils voulaient rester en vie, explique-t-elle avant de s'éclaircir la voix. Je pense qu'il a dit : *Si vous voulez vivre assez longtemps pour baiser une autre chatte.*

Sur ce, je m'étouffe presque, ce qui fait rire Faye encore plus.

— Ce ne sont pas tous des hommes bien, mais toi, Lana, tu en as trouvé un bien.

Je souris.

— Il est gentil avec moi.

— Il a tout intérêt s'il ne veut pas te perdre, ajoute-t-elle. Il n'est pas stupide ; il sait ce qu'il a entre les mains.

— Tu es vraiment géniale, lâché-je.

— Pareillement, réplique-t-elle, une lueur d'amusement et de bonté dans les yeux. Repose-toi. Appelle-moi si tu as besoin de quoi que ce soit.

— D'accord, acquiescé-je. Merci, Faye.

— La famille, c'est là pour ça, m'assure-t-elle en se dirigeant vers la porte. Sais-tu qui d'autre est géniale ? Ta mère.

Je souris de toutes mes dents.

— C'est vrai, n'est-ce pas ?

CHAPITRE 15

Deux semaines plus tard

Ce sont mes derniers jours avec Clover.

La plupart de mes blessures sont guéries. Mes côtes sont encore un peu douloureuses et il me reste quelques contusions, mais de manière générale, je suis redevenue moi-même. Clover et moi avons passé la journée à lire des livres, à colorier et à la préparer pour son retour à l'école.

Je suis sur le point de partir lorsque Tracker arrive au club. Il n'est pas seul. Il est accompagné d'un groupe d'hommes dont l'un attire immédiatement mon attention. Je laisse mon regard s'attarder sur lui un instant, puis je reporte les yeux vers Tracker. Avec un sourire forcé, je le serre dans mes bras.

— J'allais justement rentrer, affirmé-je contre son torse.

— Non, proteste-t-il nonchalamment en enfouissant son nez dans mes cheveux. Je ne t'ai pas vue de toute la journée.

Il se tourne vers les autres hommes.

— Donnez-moi un instant, lance-t-il en m'entraînant vers sa chambre.

Dès que la porte est fermée, il se jette sur moi, m'embrasse et me caresse de ses mains baladeuses.

— Reste ici pour la nuit, m'ordonne-t-il. Je vais prendre quelques verres avec les autres, puis je vais passer toute la nuit avec toi. À te faire crier.

— Je dois rentrer chez moi, Tracker, insisté-je.

Je dois écrire. Si je n'écris pas tous les jours, j'ai l'impression de devenir folle. Je voudrais mettre Tracker au courant de ma carrière, mais je pense que je vais le faire de manière amusante. Peut-être vais-je lui faire lire un de mes livres et lui demander ce qu'il en pense. Je suis certaine qu'il aura quelques tuyaux pour moi concernant les scènes de sexe.

— Reste.

— J'ai du travail à faire à l'ordinateur et je n'ai pas apporté le mien…

— Utilise le mien, m'interrompt-il en glissant une main dans ma culotte. Mmm. Toute mouillée. Mais je vais te faire mouiller encore plus.

Étant donné qu'il ne peut visiblement pas attendre, j'enlève mon short en coton et ma culotte pour lui faciliter l'accès tandis qu'il me pénètre doucement d'un doigt. Lorsqu'il me pousse contre le mur et s'agenouille devant moi, j'ai le souffle coupé. Me prenant par la cuisse, il passe ma jambe droite par-dessus son épaule et se met à me dévorer comme un affamé.

— Oh mon Dieu, sifflé-je entre mes dents.

— J'adore cette chatte, grommelle-t-il en mordillant l'intérieur de ma cuisse avant de reporter son attention sur mon clito pour le suçoter.

De toute évidence, il veut me faire mourir.

Lorsqu'on frappe à la porte, j'agrippe sa tête pour l'empêcher de bouger.

— Tracker! Nous sommes attendus à la chapelle, mon frère, crie Vinnie.

La chapelle? Après un instant de confusion, je comprends qu'il doit parler d'une réunion du club. C'est la première fois que je les entends y référer en ces termes.

— J'arrive, lâche Tracker.

Puis, il s'empare de mes fesses à deux mains et me soulève pour m'attirer vers sa bouche tandis que mon dos est
pressé contre le mur.

Tellement. Sacrément. Excitant.

Je jouis, murmurant son nom tandis que l'intensité des
vagues de plaisir successives me donne presque envie de
pleurer. Il me pose par terre, mais j'ai les jambes molles. Il
me prend donc dans ses bras d'un geste fluide pour me
porter jusqu'au lit.

— Il faut que j'y aille, poupée, mais quand je reviendrai,
je veux ces jolies lèvres autour de ma queue, exige-t-il en
posant un doux baiser sur mon front. J'ai envie de toi, mais
j'ai des choses à régler pour le club. Je vais revenir. Je veux
que tu sois nue et prête, poupée.

Il quitte la chambre, me laissant à me demander sur quoi
porte cette importante réunion du club.

Avec un haussement d'épaules, je me laisse tomber sous
ses couvertures, endormie et repue.

***

Je me réveille au son de la voix d'Ed Sheeran qui chante *Afire
Love*.

La sonnerie de mon téléphone.

— Allô ? réponds-je d'une voix rauque en levant la tête
pour regarder Tracker, qui dort profondément à côté de moi,
monopolisant toutes les couvertures.

C'est ma mère qui me reproche de ne pas lui avoir dit
que je ne rentrerais pas. Elle s'est inquiétée. J'ai vraiment
besoin de me trouver un endroit à moi.

— Je rentre bientôt, maman, la rassuré-je.

Nous nous disons au revoir, puis nous raccrochons.

Après avoir jeté un coup d'œil à Tracker, à son chignon défait, à sa barbe naissante et à ses longs cils marron, je décide de le réveiller de la meilleure façon qui soit. Soulevant les draps, je me glisse vers le bout du lit en admirant son corps nu.

Aucun homme ne devrait être aussi parfait.

Prenant son membre en main, je le lèche de la base au gland avant de l'aspirer entre mes lèvres. Je le sens bander instantanément.

— Allie, prononce-t-il d'une voix rauque empâtée par le sommeil.

Je m'immobilise, sa queue toujours en bouche.

Allie ?

Soudain, j'enrage.

Écartant ma bouche avec un *pop* sonore, je lui lance un regard noir. Puisqu'il ne bouge pas et ne dit rien, je comprends qu'il dort toujours.

Mais qu'il dorme ne change rien, en fait, n'est-ce pas ? Il pense à elle. Il rêve à elle. Cet épisode ravive mes soupçons.

Je m'habille et je fiche le camp du club.

***

Tracker m'appelle.

Sans répondre, je mets mon téléphone en mode silencieux. Je ne suis pas prête à lui parler. Je suis bouleversée et je ne sais que faire.

Je sors donc mon ordinateur et me réfugie dans un autre monde.

***

Lorsque j'arrive au club le lendemain matin, Tracker n'y est pas. Anna et Arrow non plus. Rake et Irish sont les seuls à traîner dans les parages.

— Où est ta sœur ? demandé-je à Rake, qui est debout dans la cuisine, à moitié nu, à se gratter le torse d'une main, une pointe de pizza froide dans l'autre.

— Elle est partie quelque part avec Arrow et Tracker, m'informe-t-il. Ils ont dit qu'ils reviendraient ce soir.

Booooon, d'accord.

J'enrage encore plus. Ils sont simplement partis passer une journée à s'amuser ou quoi ?

— Ont-ils dit où ils allaient ?

Rake m'examine, un peu trop attentivement à mon goût.

— Ils avaient des trucs à régler pour le club.

— Que fait Anna avec eux, dans ce cas ? m'enquiers-je.

Rake hausse les épaules, un peu trop concentré sur sa pizza.

Me sentant troublée et contrariée, je hoche la tête et fais comme si tout allait bien. Je n'ai pas dû y arriver parce que Rake s'approche de moi et m'embrasse sur la joue.

— Tout va bien, Lana.

— Je ne sais même pas ce qui se passe, grommelé-je.

Il arbore un grand sourire.

— Tu connais ton homme. Tu connais Anna. Aie confiance en eux. Tu aurais peut-être dû répondre à ton téléphone hier soir. Tracker était furieux.

Je grimace. Il a raison. J'aurais dû.

Rake émet un gloussement.

— Putain, il tournait en rond comme un lion en cage. Je ne l'avais jamais vu ainsi.

— N'as-tu rien à faire ? m'énervé-je.

Ses lèvres frémissent.

— Non. Tracker m'a demandé de rester ici et de vous tenir à l'œil, Clover et toi.

Je lui lance un regard méfiant.

— Pourquoi faudrait-il que quelqu'un me tienne à l'œil ?

— Eh bien, tu viens juste de te faire défoncer la gueule, donc c'est probablement une bonne idée, rétorque-t-il franchement.

Je ne dis rien, mais je suppose qu'il a raison.

Il hausse les épaules et attrape une autre part de pizza dans le réfrigérateur.

— En veux-tu ?

— Non merci, refusé-je. J'ai horreur de la pizza froide.

Il grommelle quelque chose à propos du fait que je serais difficile, puis lève les yeux vers moi.

— Tu devrais préparer des gaufres.

— Je vais t'en préparer en échange de certaines informations.

— Du chantage ? s'enquiert-il en haussant un sourcil. Tu passes trop de temps avec nous, Lana. Nous t'avons corrompue.

— Rake…

— Tracker est mon frère, Lana, m'interrompt-il d'une voix douce. Si tu veux savoir ce qui se passe, tu lui poses des questions à lui, pas à moi, d'accord ? Je ne veux pas être coincé entre vous deux.

Il a raison.

Je soupire.

— Très bien, je vais te préparer des gaufres.

— Merci, dit-il avec un grand sourire. Je vais aller regarder la télé avec Clover. Grâce à moi, elle aime mainte-nant tous les bons dessins animés comme *Transformers*.

Je viens de finir de cuisiner lorsqu'Irish arrive. Je remarque ses jointures éclatées qui paraissent très douloureuses.

— Irish! Que t'est-il arrivé? lui demandé-je avec un hoquet de surprise.

Il me regarde l'air de dire que je devrais savoir qu'il vaut mieux de pas poser de questions.

— Tu devrais voir l'autre, finit-il par grommeler.

— J'imagine bien, lancé-je d'un ton sec. Reste ici, je vais chercher la trousse de premiers soins.

— Ce n'est pas nécessaire, Lana, réplique-t-il avec son séduisant accent. Ce ne sont que des égratignures.

Des égratignures, mon œil.

— Eh bien, dans ce cas, tu n'auras aucune objection à ce que j'aille chercher la trousse de premiers soins et que j'applique une solution antiseptique, insisté-je. Tu pourras ensuite manger des gaufres.

— Putain de merde, grommelle-t-il. Très bien. Perds ton temps à t'occuper de moi.

Prenant son commentaire pour un oui, je cours à la salle de bain pour chercher la trousse, puis je reviens à la cuisine pour appliquer une pommade sur ses jointures afin de prévenir l'infection.

— Voilà, dis-je, fière de moi. Tu peux manger, maintenant.

Lorsque je lève les yeux, j'aperçois Rake qui me fixe, appuyé contre l'encadrement de la porte, un bras dans les airs.

— Amoureuse de l'homme, amoureuse du club, lâche-t-il avec un doux regard affectueux.

Ces mots sont tellement chargés de sens.

J'aime Tracker.

J'aime également les hommes de son club parce qu'ils font partie de lui.

Ils constituent sa famille.

La mienne aussi, désormais. Le club est ma famille. Je suis faite pour le mode de vie du club parce qu'ils en font partie. Je ferais n'importe quoi pour ma famille.

Peu importe ce que Tracker mijote en ce moment, je vais gérer.

Après lui avoir botté le derrière pour avoir prononcé le nom d'une autre femme.

**

La soirée est déjà entamée lorsqu'ils reviennent. J'attends Tracker en lisant dans son lit lorsque la porte s'ouvre enfin. Je suis déterminée. C'est tellement bon de savoir ce que je veux, de savoir que Tracker est tout ce que je veux.

— Lana, dit-il. Tu es là. Merci, mon Dieu !

Se glissant à mes côtés dans le lit, il m'attire dans ses bras et m'embrasse.

— Où étais-tu aujourd'hui ? l'interrogé-je tandis qu'il essaie de me distraire en me bécotant le cou.

— Lana, pouvons-nous commencer par baiser et parler ensuite ? Tu m'as abandonné hier soir et ça ne m'a sacrément pas plu, mais pour l'instant, j'ai juste envie de toi.

Une lueur d'anxiété dans ses yeux me pousse à hocher la tête.

Il lâche un profond soupir de soulagement, puis continue à me couvrir de baisers en se dirigeant vers ma poitrine tandis qu'il m'enlève mon haut. Je ne porte pas de soutien-gorge. Il se débarrasse de mon short et de ma culotte, puis me pénètre sans prévenir.

— Oh oui, s'exclame-t-il entre ses dents tandis que ses lèvres remontent vers les miennes pour m'embrasser frénétiquement.

Ses coups de bassin se font plus puissants, plus rapides et plus désespérés. Mes hanches se soulèvent à la rencontre des siennes, mes bras s'enroulent autour de lui et mes ongles s'enfoncent dans ses omoplates. En ce moment, la manière dont nos corps s'emboîtent parfaitement me met en rogne, car je sais qu'après ceci, je vais lui faire une scène.

CHAPITRE 16

Il se retire et appuie son front contre le mien.

— Il faut que nous discutions.

— En effet, acquiescé-je sur le ton de la colère.

Il lève la tête, plissant les yeux.

— Qu'est-ce qui te met en colère ainsi ?

Je serre les dents.

— Combien de temps as-tu devant toi ?

— Lana…

— Ah, donc tu *sais* comment je m'appelle, craché-je.

— Mais de quoi diable parles-tu ? On pourrait croire que la baise t'aurait calmée, mais tu es toujours à cran.

Je grince des dents.

— Pourquoi ne commencerions-nous pas par ce qui s'est passé hier ? Puisque tu dormais, j'ai décidé de te réveiller en te suçant.

Il écarquille ses yeux bleus.

— De quoi…

Je l'interromps. C'est à mon tour de parler.

— Alors que ta queue était dans ma bouche, tu as murmuré. Sais-tu ce que tu as murmuré, Tracker ?

— Quoi ? s'enquiert-il, méfiant.

— Le putain de nom d'*Allie* ! Ta belle queue bien bandée était dans ma bouche et tu as prononcé son nom. Comment diable penses-tu que je me suis sentie ?

— Lana, attends un instant…

— *Toi*, attends un instant, espèce de trou du cul! Imagine si tu étais en train de me manger et que je prononçais le nom d'un autre homme! Tu aurais pété les plombs. Il n'y a rien que tu puisses dire pour t'en sortir, cette fois!

— Évidemment que je pensais à Allie, grogne-t-il. Je ne pense qu'à elle depuis les dernières putain de semaines.

J'ai la mâchoire qui se décroche.

Je sens littéralement mon cœur se fendre et ma colère se déchaîner au même moment.

Je lève la main et lui mets une gifle en pleine figure, qui est trop séduisante pour son propre putain de bien.

Qu'il aille se faire foutre.

— Va la rejoindre, dans ce cas, Tracker, parce que j'en ai marre, hurlé-je. Va te faire foutre! Je n'arrive pas à croire que tu m'aies dit ça!

— Calme-toi, lance Tracker d'une voix rageuse. Laisse-moi terminer.

— Va te faire foutre.

— C'est déjà fait.

— Espèce de salaud!

— Hé, tigresse, du calme, putain, m'intime-t-il en m'attrapant pour me tirer sous lui.

Retenant mes mains au-dessus de ma tête, il me plaque contre le lit tandis que j'essaie de maîtriser ma respiration.

— Calme-toi, murmure-t-il. Voilà, prends de grandes respirations.

J'expire lentement.

— Bonne fille, me félicite-t-il en me caressant la joue de son nez. Maintenant, écoute avant de t'énerver encore contre moi. M'écoutes-tu?

Je hoche la tête.

— Nous avons appris que c'est Allie qui s'était introduite chez toi et qui t'avait défoncé la gueule. Donc, évidemment que cette garce m'occupait l'esprit. J'étais tellement en colère, Lana. Je le suis toujours et je crois que jamais je n'ai été aussi en colère. Ne t'es-tu pas demandé pourquoi elle ne traînait plus dans les parages ? Après t'avoir fait ça, elle a mis les voiles. J'ai dû me mettre à sa recherche et nous l'avons finalement retrouvée aujourd'hui. Si je pensais à elle, c'était probablement parce que je la tuais à mains nues en rêve. Je hais cette garce.

La première chose à laquelle je pense, c'est qu'elle doit vraiment me détester.

Je savais que c'était une garce, mais je ne l'aurais pas crue capable d'une telle chose.

— Je suis désolé, souffle Tracker d'un murmure à peine audible. Tout ça, c'était de ma faute. Elle était jalouse et… Putain, Lana. Comment suis-je censé continuer à vivre en sachant que ce qui t'est arrivé est ma faute ?

— Ce n'est pas toi qui l'as fait, Tracker. Ce n'est donc pas ta faute.

— Pfff. Elle l'a fait à cause de moi, de mes actions. C'est l'effet domino ou quelque chose du genre. Tu t'es retrouvée à l'hôpital à cause de mes erreurs.

En voyant le chagrin dans ses yeux, je me sens mal. Je n'avais même pas pensé à ce qu'il pouvait ressentir. Évidemment qu'il se sent responsable. J'ai envie de le rassurer. Ce n'est pas sa faute ; il n'a pas d'emprise sur les actions des autres.

— Tracker…

— Je ne sais pas comment les autres font pour tolérer que les femmes qu'ils aiment soient mêlées à toutes ces histoires dangereuses, reconnaît-il doucement sans écouter un seul mot de ce que je dis. Putain, Lana. Ce n'est que le début. Il en sera toujours ainsi.

Je n'aime pas du tout la direction que prend cette conversation.

— Je suis assez forte pour être ta femme, Tracker, le rassuré-je lentement, détachant chaque mot. Ne dis jamais le contraire. Si Faye et Anna ont leur place ici, alors moi aussi.

— Lana, reprend-il avec un soupir en couvrant mon épaule de baisers. J'ai envie de la tuer.

— Que lui est-il arrivé ? m'informé-je, méfiante.

— Nous lui avons dit de ne plus jamais mettre les pieds au club, rétorque-t-il tandis que la colère assombrit ses traits. Parce qu'elle était la fille d'un de nos frères, nous lui avons dit que nous pouvions lui donner de l'argent, mais elle ne reviendra pas. Ah, et Anna lui a balancé un coup de poing sur le nez.

— Elle a fait ça ? m'étonné-je en levant la tête.

Tracker arbore un grand sourire carnassier, montrant toutes ses dents blanches, bien droites et acérées.

— Elle lui a éclaté la tronche. Cette garce l'avait mérité. Elle a de la chance que je ne frappe pas les femmes. Si elle avait été un homme, elle serait morte.

Je prends un air renfrogné.

— Pourquoi ne m'avez-vous rien dit ? C'est n'importe quoi. J'aurais dû être la première à savoir ce qui se passait. J'aurais dû l'affronter moi-même. C'est moi qu'elle a blessée et c'est moi qui aurais dû la remettre à sa place. Maintenant, je passe pour quelqu'un de faible et incapable de se défendre.

— Poupée, dit-il pour m'apaiser. Je ne veux même pas que tu t'approches d'elle. Je ne voulais pas que tu t'inquiètes, comprends-tu ? Je suis ton homme et je m'en suis chargé. C'est tout.

— Anna…

— Anna n'a pas voulu entendre raison. Elle était plus qu'en rogne. Arrow a dû l'éloigner d'Allie de force pour qu'elle ne cause pas plus de dommages.

Je grimace en imaginant l'ire d'Anna.

— Exactement, poursuit Tracker. Anna est une sacrée bonne boxeuse. Je suis pratiquement certain qu'elle lui a cassé le nez.

Anna a passé son enfance à se battre ; elle est coriace. Je ne voulais pas en faire toute une histoire ni me plaindre, mais je ne suis pas un bébé. J'ai l'impression qu'ils ont décidé qu'ils devaient gérer la situation à ma place. Ils auraient dû me dire qu'il s'agissait d'Allie, me raconter ce qui s'était passé. J'aurais dû avoir l'occasion de l'affronter. Je lève les yeux vers Tracker, heureuse qu'il prenne soin de moi, même s'il peut se montrer contrôlant et autoritaire.

— Puis, je dormais pendant que tu me suçais, ajoute-t-il. Je ne m'en souviens même pas, mais je suis convaincu que c'était sacrément bon. Je dormais profondément, poupée. Mais tu peux me montrer à nouveau comment tu fais et je te promets que je ne penserai qu'à toi. Je ne pense jamais à quelqu'un d'autre. Je pensais à elle uniquement parce que j'imaginais toutes les manières dont j'avais envie de l'éliminer.

— Je t'ai observé avec elle, tu sais. La première fois que nous nous sommes rencontrés. J'ai eu de la peine, mais je savais que tu ne m'appartenais pas ; j'ai donc essayé d'oublier.

Il arbore un petit sourire triste.

— Je n'ai pas pu te laisser tranquille. Je t'ai vue et, putain, j'avais tellement envie d'être avec toi. Anna a essayé de me dissuader. Rake a essayé de me dissuader. Mais qu'ils aillent se faire foutre. J'ai essayé de te laisser tranquille, mais je n'ai pas pu. Je ne le regrette pas. Sais-tu pourquoi ?

— Pourquoi ?

— Parce que tu es la meilleure chose qui me soit arrivée et j'ai suffisamment de couilles pour l'admettre.

En entendant ses paroles, j'ai le cœur léger. Puis-je vraiment avoir une telle chance ?

— Nous ne sortons pas ensemble depuis très longtemps, lui fais-je remarquer.

Les si bonnes choses ne durent généralement pas très longtemps. C'est triste, mais c'est la dure réalité.

Il se contente de sourire.

— Rien à foutre. Ça ne fait aucune différence. Je ne joue pas avec toi, Lana. N'en doute pas ; c'est ainsi.

Son ton désinvolte me fait lever les yeux au ciel. Je ne lui ai pas encore pardonné d'avoir prononcé le nom d'Allie. J'aimerais le faire, mais la blessure est encore vive.

***

— Je suis désolée, s'excuse-t-elle pour la troisième fois. Mais tu es ma meilleure amie et personne ne te touche !

— Vous me traitez comme une enfant, grommelé-je. Je n'ai pas besoin que tu prennes ma défense, Anna.

— Je sais, reconnaît-elle en levant les mains en l'air. Mais tu es trop gentille et indulgente. Elle avait besoin qu'une punition un peu plus physique lui serve de leçon. Je ne le regrette pas. Je recommencerais n'importe quand si elle était ici. Je lui enverrais peut-être un coup à la gorge, aussi.

Je déteste le fait que mes lèvres frémissent, un rire menaçant de s'en échapper.

— Tu as besoin d'apprendre à gérer ta colère.

— Regarde qui parle ! hurle-t-elle avant de se mettre elle-même à rire.

— Je ne suis pas si mal. D'accord, je craque de temps en temps, la belle affaire. Mais toi, tu es toujours en colère ; ça bouillonne constamment sous la surface en attendant l'occasion d'exploser.

— Je ne suis pas en colère, je suis une salope ; ce n'est pas la même chose.

Je lève les yeux au ciel.

— Tu n'es pas une salope.

— Si, j'en suis une, insiste-t-elle d'une voix amusée en coinçant ses cheveux derrière ses oreilles.

Ses lèvres s'étirent en un sourire.

— Très bien, tu es ma salope, dans ce cas, concédé-je avec un clin d'œil.

Elle me regarde en écarquillant les yeux.

— Je crois plutôt que je suis la salope d'Arrow.

— Quelle féministe tu fais, Anna, dis-je en secouant la tête.

Elle rit.

— C'est la pure vérité. Je suis sa régulière. Même chose, non ? C'est du pareil au pareil.

— Ce n'est pas du tout l'expression, rétorqué-je, impassible. Quel est l'intérêt de dire deux fois *pareil* ?

Anna incline la tête.

— Es-tu grincheuse ? Tracker ne partage pas son immense queue avec toi ?

J'ai la mâchoire qui se décroche.

— Je n'arrive pas à croire que tu viens de me poser cette question.

— Tu éludes. Intéressant.

— Fouineuse !

— Prude.

— Mal baisée !

— Malade mentale qui cherche toujours à tabasser les gens, relancé-je à toute vitesse pour ne pas perdre le rythme.

— Allons, fait Anna en me donnant un petit coup sur l'épaule, mettant fin à notre querelle. Qu'elle aille se faire foutre. Elle a laissé la jalousie la transformer en garce finie. Elle méritait ce qui lui est arrivé. Elle a eu de la chance que je puisse la frapper une seule fois.

Je passe une main sur mon visage.

— J'ai l'impression d'être de retour à l'adolescence.

Excepté que c'est Allie et non moi qui a des ennuis cette fois.

— Toi, ajouté-je en pointant ma meilleure amie qui arbore maintenant une expression de parfaite innocence. Terminé, les bagarres, Mademoiselle J'essaie-de-faire-un-bébé.

Elle passe une main dans ses cheveux.

— Je suis une salope à motards. Personne ne s'en prend à moi ni aux miens.

Je commence à avoir mal à la tête.

— J'ai besoin d'un verre. Genre, tequila.

Anna s'approche et me serre dans ses bras.

— Tu étais blessée, Lana. Je ne veux plus jamais te voir ainsi.

Sa voix se brise sur ses derniers mots.

Je la serre dans mes bras à mon tour.

— Je vais bien. La vie n'est pas toujours rose, pas vrai ?

— Tracker doit être une vraie bête au lit pour qu'elle soit devenue à ce point zinzin rien que parce qu'elle l'a perdu, remarque Anna, les yeux écarquillés.

— C'est le perçage, la taquiné-je.

Elle me regarde en secouant la tête.

— Tu sais que tu peux tout me dire, pas vrai ?

Je hoche la tête, même s'il y a tant de choses que je ne lui ai jamais dites, ni à elle ni à personne d'autre. J'ai tout gardé à l'intérieur.

Je déglutis péniblement.

— Te souviens-tu quand tu m'as demandé pourquoi je n'étais restée en contact avec personne du secondaire et n'avais pas beaucoup d'amis ? Après ton départ, je suis devenue un genre de paria.

Anna écarquille les yeux.

— Que s'est-il passé ?

— Te souviens-tu de William Dean ?

— Oui, confirme-t-elle en hochant la tête. Ce salaud de BCBG pour qui tu avais le béguin.

— Eh bien, c'est ce qui est arrivé, annoncé-je avec une grimace avant de lui raconter toute l'histoire. Toute personne qui s'asseyait avec moi commençait à se faire intimider aussi, donc tout le monde m'évitait comme la peste. Les garçons qui m'invitaient à sortir étaient mis sur la liste noire, pour ainsi dire. Enfin, avec le recul, ça ne paraît pas si mal. Je pourrais traverser cette épreuve sans trop de séquelles, mais à l'époque, être acceptée à l'école était tellement important que ça m'a vraiment blessée, comprends-tu? J'ai appris à me débrouiller seule et à ne me fier qu'à moi-même.

— Qu'ils aillent se faire foutre, grogne Anna. À présent, je souhaiterais n'être jamais partie.

Je lui souris tristement.

— C'est du passé. Je suppose que j'ai voulu te raconter ça simplement parce que j'ai tendance à tout garder pour moi. J'ai confiance en toi, Anna. Je te confierais ma vie, mais je suppose que je ne suis pas très douée pour les confidences. Je n'ai pas voulu que tu te sentes coupable ni rien de ce genre.

— Oui, mais quand même, rétorque-t-elle. Ça me rend triste de savoir que tu as dû endurer tout ça. Surtout parce que nous étions toujours ensemble lorsque nous allions à la même école ; nous n'avons pas cherché à nous faire d'autres amis, car nous n'en avions pas besoin. À nous deux, nous avions tout ce qu'il nous fallait.

— C'est vrai, répliqué-je avec un grand sourire. Pourquoi aurions-nous eu besoin de quelqu'un d'autre, n'est-ce pas? Une véritable amie, c'est plus que ce que la plupart des gens ont de nos jours.

— Jamais je n'aurais cru que…

Anna semble démoralisée.

— Ça va, Anna. Ça m'a rendue plus forte et tu ne peux pas me protéger de tout. Je dois pouvoir veiller sur moi-même. Quand j'y repense, je me sens idiote. Ce n'était que le secondaire. J'aurais dû lui balancer mon poing au visage à cette fille, plutôt que de me laisser intimider et brutaliser.

— Les garces, prononce Anna d'un air renfrogné. Elles étaient probablement simplement jalouses.

Son commentaire me fait rire.

— J'en doute fort.

Anna hausse les épaules.

— Lorsque Clover sera au secondaire, je vais m'assurer que personne n'ose même respirer dans sa direction.

— Pauvre Clo, rétorqué-je. Elle sera la fille la plus surprotégée de toute l'histoire des filles surprotégées.

Anna hoche la tête.

— Toutes les princesses de clubs de motards le sont.

— Il y a une dernière chose, indiqué-je en l'observant attentivement pour voir sa réaction.

— Quoi ? me demande-t-elle en s'approchant.

— La meneuse de claque, la petite amie de William…

— Oui ?

— C'était Allie, lâché-je.

— Putain ! s'exclame-t-elle avec un hoquet de surprise. J'y crois pas ! Raconte-moi tout.

Je commence depuis le début et lui raconte toute l'histoire en détail.

CHAPITRE 17

Plutôt que d'aller en cours, je fais un détour. Après y avoir bien réfléchi, je conclus qu'Anna et Tracker auraient dû me laisser m'occuper d'Allie. En rogne parce que je n'ai pas eu l'occasion de l'affronter, je décide de prendre les choses en main. Je sais qu'ils veulent me protéger, tous les deux, et même me dorloter à cause de ma silhouette menue et de mon tempérament habituellement calme, mais si je veux survivre auprès de Tracker, je dois me tenir debout. Les gens doivent savoir que j'ai une colonne vertébrale et que je mérite leur respect. Après m'être renseignée, je trouve Allie à l'extérieur d'un bar du coin et me dirige droit vers elle.

Elle écarquille les yeux en m'apercevant, puis elle regarde derrière moi comme si elle se demandait qui m'accompagnait.

— Pourquoi as-tu fait ça, Allie ? lui demandé-je sans préambule.

Pas de chichi.

— Qu'en penses-tu ? lance-t-elle d'une voix rageuse. J'avais Tracker. J'avais le club. Tu m'as tout pris. Fiche le camp d'ici à présent, parce que je leur ai promis que je ne m'approcherais plus jamais de toi.

Je fais un pas de plus vers elle pour la regarder en face.

— Tu m'as frappée par-derrière. Sans prévenir. La prochaine fois que tu auras envie de te battre, ne le fais pas comme une trouillarde et une lâche. Viens me voir comme une vraie femme et nous pourrons régler ça.

Elle se met à rire.

— Très bien, Lana. Que dirais-tu de maintenant? Il est plus que temps, ne crois-tu pas?

Je hoche la tête.

— En effet.

Allie prend son élan pour me gifler, mais je bloque sa main et utilise un truc que Faye m'a appris : levant mon pied pour le lui enfoncer dans le ventre de toutes mes forces, je l'attrape par les cheveux et lui éclate la tête sur mon genou. Elle jure, puis tombe à la renverse en se tenant le visage à deux mains.

— Putain de salope!

Je lève la main une fois de plus, mais elle lève les bras au-dessus de sa tête et je vois du sang goutter sur son menton depuis sa lèvre fendue.

Je regarde autour de nous. Les gens nous observent, mais personne ne bouge.

Tant mieux.

Qu'ils regardent.

Il y a une nouvelle salope à motards dans les parages.

***

— Tu as fait quoi? hurle Anna, qui paraît aussi surprise qu'impressionnée.

Je jette un coup d'œil à Tracker, qui est assis à côté de moi sur le canapé et me regarde d'un air intrigué.

— Comment l'as-tu su, de toute manière? lui demandé-je, curieuse de voir sa réaction.

— Tu es allée à un bar de motards, Lana, siffle-t-il. Tout le monde sait que tu es ma régulière. Pourquoi penses-tu que personne ne t'a arrêtée ? Ils m'ont appelé à l'instant où tu es partie.

— Tu as ensuite appelé Anna ? Rapporteur, grommelé-je.

Il secoue la tête.

— Anna était avec Arrow et moi quand j'ai reçu le coup de fil. Putain, Lana. Nous étions là à te protéger et à te dorloter, mais tu n'as pas besoin de nous, pas vrai ?

Je secoue la tête.

— Je peux me défendre toute seule.

Anna rejette la tête en arrière et éclate de rire tandis que l'amusement fait frémir les lèvres de Tracker.

— Pourrais-tu au moins m'aviser la prochaine fois que tu pars en putain de mission ? Ç'aurait pu mal tourner, Lana. Que serait-il arrivé si Allie avait été accompagnée d'un groupe de filles pour assurer ses arrières ?

— Donc, la prochaine fois, je devrai emmener des renforts, juste au cas où ? m'enquiers-je avant de regarder Anna, un sourcil froncé en guise d'invitation silencieuse.

Elle rit à nouveau.

— Tu es sacrément folle, le sais-tu ? Bien sûr que tu peux compter sur moi. Toujours.

— Doux Jésus, s'exclame Tracker avec un soupir en se grattant le front.

— Tu devrais être content, souligne Anna. On dirait que tu as trouvé quelqu'un qui est parfaitement à la hauteur, après tout.

Tracker reporte son attention sur moi et son regard s'adoucit.

— Ça, je le savais déjà.

Pâmoison.

***

L'homme qui était avec Tracker, l'homme que j'ai reconnu, est de retour au club.

Il ne me reconnaît pas.

Il me gratifie d'un sourire amical, le regard empreint de respect, parce qu'il sait que je suis la femme de Tracker.

Mais il ne sait pas que je suis sa fille.

Je vois rouge.

— Qu'est-ce qui ne va pas ? s'informe Tracker à voix basse pour que personne n'entende.

— Rien, l'assuré-je, l'air maussade, en fusillant du regard Quinn Rhodes.

Je n'avais pas envie d'entrer dans les détails maintenant. Pour éviter que Tracker fasse une scène, je lui raconterai tout lorsque Quinn sera parti.

— Tu l'as reconnu, n'est-ce pas ? déclare Tracker, sur quoi je me fige. Il faisait partie d'un groupe de rock.

Je pousse un soupir de soulagement.

— Oui, je sais.

Mon père est un musicien célèbre. Enfin, il l'était, je suppose, puisque le groupe s'est séparé. J'ai entendu dire qu'il chantait en solo à présent, dans des bars et des clubs locaux. C'est un tel salaud qu'il ne sait même pas à quoi ressemble sa propre fille. Bien qu'il ne fasse pas partie de ma vie, il m'a enseigné une leçon très précieuse.

Peu importe les circonstances, les hommes ne restent pas.

— Que fait-il ici ? questionné-je Tracker en essayant de contenir le mordant dans ma voix.

Tracker me jette un drôle de regard, puis fronce les sourcils.

— C'était un ami de Jim, notre ancien président avant que Sin prenne la relève.

— Ah, d'accord, réponds-je avec un sourire forcé.

Un ami du club. C'est bien ma chance.

— Si tu veux aller au lit, tu n'as qu'à me le dire, me chuchote-t-il à l'oreille. Je préfère de loin m'enfoncer en toi plutôt que regarder leurs affreuses chopes.

Mes lèvres s'étirent en un sourire tandis que je lui montre mon verre.

— Prenons d'abord quelques verres. Nous n'avons encore jamais baisé ivres.

Arborant un immense sourire, Tracker glisse sa main libre le long de mon dos.

— Tu as envie que je sois encore plus intense ?

— J'ai envie de toi, point, admets-je. Tout ce que tu as à donner, je vais le prendre. Tu feras de même pour moi.

— Doux Jésus, grommelle-t-il. Tentatrice.

— Seulement pour toi, le rassuré-je en souriant, cachée par mon verre.

— Ça, c'est clair.

Je reporte mon attention sur mon donneur de sperme. Je suis un mélange de ma mère et de lui ; comment diable est-ce possible qu'il n'ait pas reconnu sa propre progéniture en la regardant en face ? Je m'aperçois que je le fixe lorsque Tracker m'attrape par le menton pour tourner ma tête, ramenant mon regard vers lui.

— Je n'aime pas que tu regardes d'autres hommes, m'avertit-il, les yeux plissés.

— Ce n'est pas le cas.

Ce n'est pas un homme, c'est un trou du cul.

— Lana, grogne Tracker. Parle-moi.

Vais-je simplement lui balancer mon histoire ainsi? Je regarde autour de moi, balayant la pièce du regard à la recherche d'une distraction.

— Pouvons-nous en parler plus tard? En privé? chuchoté-je avec un regard suppliant.

J'évite de reporter mon regard sur le premier homme qui m'a laissée tomber. Je sais que l'absence de père a alimenté ma méfiance et que c'est la raison pour laquelle j'ai tendance à tout garder pour moi, bien à l'abri. Je n'ai pas besoin d'un psy pour me le dire. Si mon propre père avait pu m'abandonner sans se soucier de savoir si j'étais vivante ou morte, comment d'autres personnes pouvaient-elles être dignes de confiance? J'avais vu ma mère, toujours amoureuse de lui après son départ, souffrir et travailler dur pour s'en sortir tandis qu'il connaissait un succès monstre. Elle pleurait lorsque nous le voyions à la télévision. Malgré tout, elle n'a jamais vendu son histoire ni demandé de pension. Ma mère était, et est toujours, sacrément forte et si je finis par valoir la moitié de la femme qu'elle vaut, j'en serai heureuse. Que mon père ne se soit pas soucié de moi me fait de la peine. Qu'il ne se soucie toujours pas de moi. Je sais que ce n'est pas ma faute, que c'est uniquement la sienne, mais son indifférence fait tout de même sacrément mal.

À le voir assis là, à boire son verre, parfaitement insouciant… j'ai comme une envie de lui lancer quelque chose. J'ai envie de crier. De hurler. De lui demander des explications.

Mais je fais plutôt de mon mieux pour refouler mes émotions, pour prétendre que je n'ai pas le cœur gros et que les vieux souvenirs, les vieilles blessures, ne se bousculent pas dans ma tête.

Le regard de Tracker m'informe qu'il veut *immédiatement* savoir ce qui se passe. Mes doutes sont confirmés lorsqu'il se lève et me prend par la main pour m'entraîner en direction de sa chambre. Redoutant de lui raconter la vérité, je lambine derrière lui, le laissant m'entraîner doucement. Je sais que je dois me confier à lui et j'ai envie de le faire ; ce n'est tout simplement pas mon sujet favori. Au fil des ans, j'ai essayé de ne même pas penser à mon père ni au fait qu'il était absent et j'ai passé la majeure partie de ma vie à prétendre que je m'en fichais. Lorsque nous entrons dans la chambre de Tracker, je pose mon verre sur sa commode, puis je m'assieds tout au bout de son lit. Tracker, pour sa part, reste planté là les bras croisés, tenant toujours fermement son verre, la mine sombre. Croyait-il que je trouvais Quinn séduisant ou quelque chose du genre ?

Gros malaise.

— Pourquoi le fixais-tu ainsi ? me demande-t-il d'une voix grave en m'observant attentivement.

— Tracker, je…

Il se met à faire les cent pas.

— Te souviens-tu quand je t'ai dit que je n'avais rien à voir avec mon père ? m'empressé-je de commencer. Quinn Rhodes est mon père. Il y a si longtemps qu'il ne m'a pas vue qu'il ne me reconnaît même pas. Donc, oui, je le fixais, grommelé-je pour finir.

Tracker s'arrête, ses traits s'adoucissent, puis se durcissent à nouveau.

— L'enculé. Je vais le tuer.

Je me lève et l'attrape par le bras.

— Tu ne feras rien de tel.

— Il t'a fait de la peine. Il te fait encore de la peine, je le vois dans tes yeux, lance-t-il avant de finir son verre d'un trait et de le poser à côté du mien.

Je hausse les épaules, minimisant la situation.

— Alors ? C'est tout de même mon père. Tu ne peux pas lui faire du mal, Tracker ; laisse-le tranquille. N'oublie pas que la manière dont tu vas gérer la situation aura une influence sur ce que je te confierai à l'avenir.

Il serre les dents.

— Tu voudrais que j'aille m'asseoir là-bas avec lui, que j'aille boire un verre avec lui en faisant comme si de rien n'était ?

— Non, l'assuré-je rapidement. Je ne veux tout simplement pas que tu ailles lui exploser la tronche.

— Ce que je ne ferais pas pour toi, réplique-t-il en s'emparant de mes lèvres pour un baiser poignant. Veux-tu y retourner ? Je préférerais simplement te baiser. Parce que si j'y retourne, tu sais ce qui va se passer.

Je baisse ma robe, qui tombe par terre.

— S'agit-il d'une réponse assez claire ?

Il se lèche les lèvres.

— Il y a tant de choses que j'ai envie de te faire. Hmm.

Sa voix rauque me fait frémir.

— Par où devrions-nous commencer ?

— Par le haut, indique-t-il en fixant mes lèvres. Puis, nous nous dirigerons vers le bas, poursuit-il en fixant ma culotte en dentelle. J'ai soudainement un petit creux.

Je déglutis.

— Ensuite, je vais te mettre à quatre pattes et te baiser jusqu'à ce que tu en perdes connaissance.

J'adore quand il dit des obscénités.

— Dis-moi, vas-tu me baiser ou simplement continuer à en parler ? le nargué-je, audacieuse.

— Poupée, répond-il avec un grand sourire. Tu devrais savoir qu'il vaut mieux ne pas me mettre au défi.

En un clin d'œil, je suis sur le lit, ma culotte baissée, sa tête entre mes jambes.

Toutes les femmes devraient avoir un Tracker.

***

— C'est quoi ce bordel ? rugis-je deux jours plus tard en jetant brusquement un magazine sur la table.

Tout en prenant une gorgée de son café, Tracker y jette un coup d'œil désinvolte.

— Un magazine à potins ?

— Ils disent que Quinn Rhodes s'est fait tabasser devant chez lui. Ils pensent qu'il s'agissait d'un acte de violence fortuit puisque rien n'a été volé.

Tracker hausse un sourcil.

— Tu ne devrais pas croire tout ce que tu lis.

— Il y a une photo de son œil tuméfié, renchéris-je en la pointant du doigt.

— Lana, essaies-tu de me dire quelque chose ? me demande-t-il en prenant une autre gorgée de café.

J'émets un grognement de frustration.

— Lui as-tu défoncé la gueule, oui ou non ?

— Je peux sincèrement te répondre que je ne l'ai pas fait. Poupée, je t'ai dit que *je* ne le ferais pas.

Je plisse les yeux.

— As-tu demandé à quelqu'un d'autre de le faire?

— Je n'ai pas le droit de te parler des affaires du club, affirme-t-il, l'air sérieux.

Je lève les mains en l'air.

— Tracker, tu es incroyable.

Il écarte sa tasse et m'attire sur ses genoux.

— Toi, tu es incroyablement belle.

Il m'embrasse dans le cou.

Je pince ses biceps.

— C'est pour ça que je ne voulais pas t'en parler et tu as réagi exactement comme je le craignais. Tu te mets en colère quand je ne me confie pas et que je garde tout pour moi, mais ensuite tu ne m'écoutes pas. Je t'avais dit que je ne voulais pas que tu le touches, Tracker.

Il se fige.

— Putain, je suis désolé. Je ne pouvais tout simplement pas le laisser te faire de la peine sans rien dire. Lana, il ne mérite pas de respirer le même air que toi, comprends-tu? Il sait qu'il a mérité ce qui lui est arrivé. Nous avons été cléments avec lui. Je vais essayer de bien me conduire lorsque tu me demanderas des choses comme ça, mais putain! Comment suis-je censé me détendre et rester là sans bouger alors que j'ai sous les yeux quelqu'un qui fait du mal à la femme que j'aime?

— Eh merde.

Je me dégonfle et ma colère s'évanouit.

— Tâche de tenir compte de ma volonté la prochaine fois, Tracker. Ou ne me le reproche pas si je n'ai pas envie de tout te raconter.

— D'accord, acquiesce-t-il instantanément en m'embrassant sur la bouche.

— Je te déteste vraiment en ce moment, répliqué-je, essayant en vain de ne pas ramollir entre ses bras.

— Peux-tu me détester plus tard ? Tu as cours bientôt et je dois aller au Rift.

Anna arrive, Arrow sur les talons.

— Lana, as-tu envie d'aller manger avant ton cours ?

Je hoche la tête.

— Sushis ?

Elle sourit de toutes ses dents.

— C'est la raison pour laquelle tu es ma meilleure amie.

J'embrasse Tracker.

— À plus tard.

— Laissez Blade vous conduire, propose-t-il en jetant un coup d'œil en direction d'Arrow, qui hoche la tête.

Anna jette un coup d'œil dans ma direction.

— Nous n'avons pas besoin de Blade. Ça ira.

— Ce n'était pas une suggestion, intervient Arrow en se dirigeant vers le réfrigérateur.

— Très bien, concédé-je parce que je n'ai pas envie d'arriver en retard. Blade peut nous conduire. Viens, Anna.

Elle dit au revoir à son homme, puis demande à Blade de nous déposer au restaurant japonais près de l'université.

Nous commandons, puis Anna se met à m'interroger.

— Quinn Rhodes est ton père ? Pourquoi ne me l'as-tu jamais dit ?

— Je ne l'ai jamais dit à personne, lui avoué-je. Ma mère m'avait prévenue de ne pas le faire. Nous ne voulions pas que les gens le sachent, que les médias me trouvent, etc. Puis, pour être honnête, j'avais honte. Mon père était célèbre et nous avions du mal à joindre les deux bouts.

— Tu n'avais aucune raison d'avoir honte, rugit-elle. C'est lui, le salaud. Vous n'avez rien fait de mal.

— Est-ce que tout le club est au courant, à présent? grommelé-je en froissant une serviette entre mes doigts. Il s'agit plutôt d'un donneur de sperme. Certes, je sais qu'il est mon père, mais il n'a jamais fait partie de ma vie. Il ne m'a même pas reconnue quand il m'a vue. Je ne sais pas si c'est simplement parce qu'il s'en fiche.

Les traits d'Anna se durcissent.

— Ton père est un musicien riche et célèbre alors que ta mère et toi avez eu du mal à joindre les deux bouts toute ta vie? Je me souviens quand tu as dû travailler comme serveuse pour aider ta mère à payer les factures. Quel trou du cul. Je suis heureuse qu'il se soit fait exploser la tronche.

— Tellement assoiffée de sang, lui lancé-je malicieusement.

Elle me gratifie d'un petit sourire penaud.

— Je passe tout mon temps avec Arrow; à quoi t'attendais-tu?

Sa question me fait rire.

— Il déteint sur toi, n'est-ce pas?

— Pourquoi est-ce que ça sonne cochon?

— Parce que tu es cochonne, rétorqué-je.

— Toi aussi, réplique-t-elle avec un sourire narquois. Comme si nous n'entendions pas tes cris résonner dans tout le club.

Je pousse un hoquet de surprise tandis que mes joues s'embrasent.

— C'est tellement faux!

— C'est vrai.

— C'est faux.

Nos assiettes arrivent, interrompant notre dialogue immature.

— As-tu réussi à trouver un logement? s'informe Anna après avoir pris quelques bouchées.

Je hoche la tête.

— J'ai vu deux annonces qui me plaisent. Je vais aller les visiter cette semaine.

— Tu sais que Tracker aimerait que tu emménages au club, indique Anna d'un air amusé. Tu devrais. Je suis là; ce serait sympa.

— Je ne sais pas. N'est-ce pas un peu trop tôt pour emménager avec lui? Puis, tu déménages bientôt, de toute manière!

— Il n'y a pas de règles, Lana, souligne-t-elle. Fais comme tu le sens. Au diable ce que les gens pensent. D'ailleurs, tu es là pratiquement tous les jours de toute manière.

Tous de bons arguments.

— Mais quand même. Il y a tant de gens qui vont et viennent là-bas. Pas la moindre intimité à moins de rester dans sa chambre.

— C'est vrai, admet Anna. Mais c'est divertissant, aussi. Il y a toujours de l'action.

— Comment arrives-tu à étudier?

Anna termine sa maîtrise tout en travaillant au zoo.

— Quand je vais dans ma chambre, on me laisse tranquille, explique-t-elle après avoir mâché et avalé d'un air pensif. C'est un lieu privé, tu comprends? Personne n'entrera sans y être invité. Ils frappent et attendent une réponse.

Je sais. D'accord, aucune autre excuse ne me vient en tête.

— Si tu n'es pas prête à habiter avec lui, c'est une tout autre histoire. Je sais que tu aimes avoir ton espace à toi. Il y a de jolis appartements près de l'université.

— Te souviens-tu quand je t'ai dit que je voulais te parler de quelque chose ?

Elle hoche la tête, reportant toute son attention sur moi.

— As-tu déjà entendu parler de Zada Ryan ? lui demandé-je, anxieuse.

— Cette auteure de romans d'amour dont Faye parle tout le temps ? vérifie-t-elle, une lueur dans les yeux. Oui, il paraît qu'elle écrit de bonnes scènes érotiques. Pourquoi ?

Je la regarde en écarquillant les yeux, puis je la gratifie d'un petit sourire penaud en attendant qu'elle comprenne.

— C'est pas vrai ! Putain, j'y crois pas ! hurle-t-elle à l'instant où ça fait tilt. Tu… Quoi ? Putain de merde, Lana !

Je réponds à toutes les questions qu'elle me pose et lui raconte comment ma carrière d'auteure a commencé.

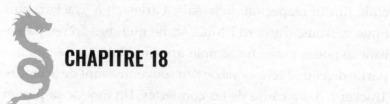

CHAPITRE 18

Je n'arrive pas à croire que mon père ait réellement eu suffisamment de couilles pour revenir au club. Je le surprends à discuter avec Sin.

— Jim n'aurait jamais laissé un de ses hommes lever ne serait-ce qu'un doigt sur moi, l'entends-je dire.

— Jim n'est pas ici, rétorque Sin d'un ton sec. Mais moi, si. Selon ce que Tracker m'a dit, il prenait la défense de sa régulière.

— Il a donc envoyé Rake me défoncer la gueule ? rugit mon père.

C'est Rake qui l'a fait ?

— Lana ne voulait pas que nous te fassions du mal. Crois-moi. Tracker aurait préféré le faire lui-même, mais il a tenu la promesse qu'il lui avait faite de ne pas te toucher.

— Il a donc demandé à quelqu'un d'autre de le faire.

— Oui, réplique Sin d'une voix amusée. Plutôt brillant.

— Je veux la voir, exige mon père à voix basse. Je n'ai pas vu ma fille depuis des années ; évidemment que je ne l'ai pas reconnue en la voyant.

— Parles-en à Tracker, indique Sin. Sa régulière, ses règles quant à la manière de gérer la situation.

— C'est ma fille…

— On ne dirait pas, lance Sin d'un ton brusque avant de pousser un soupir. Nous te considérons comme un ami du club. Jim te respectait, je le sais. Parles-en à Tracker, puis nous verrons, d'accord ? Mais sache que mes frères passeront toujours avant un simple ami du club. Tu ne fais pas partie du club. Tâche donc de t'en souvenir avant de te mettre Tracker à dos à cause de tes conneries. Un mot de sa part et nous couperons tous les ponts.

J'entends mon père partir et ce n'est qu'à ce moment-là que je pénètre dans la salle de jeux, où Sin est assis seul, un verre de scotch à la main. À l'instant où j'entre, il lève les yeux vers moi.

— Désolée pour tout ce drame, m'excusé-je au président des Wind Dragons. Tu dois me détester.

Il glousse.

— Très chère, tu ne serais pas une régulière si tu ne causais aucun ennui. Elles en causent toutes.

Je me permets un petit sourire.

— Tout de même. Je suppose que je vais lui parler et régler toute cette histoire.

Il porte son regard droit sur moi.

— Après en avoir parlé à Tracker, n'est-ce pas ?

Je hoche la tête.

— Bien sûr.

— Bonne fille. Tu lui fais du bien. Il est généralement agité. Je le connais depuis des années et je ne l'avais jamais vu aussi posé auparavant.

— Il était très en colère, remarqué-je en me dandinant d'un pied sur l'autre. J'aurais dû retenir ma réaction et tout lui raconter plus tard. Les choses se seraient peut-être mieux passées.

Sin glousse.

— Lana, tu aurais dû lui en parler plus tôt. Pourquoi diable ne l'as-tu pas fait ? Si je peux me permettre, s'empresse-t-il d'ajouter.

— Hummmm. J'ai tendance à souffrir en silence et à tout garder pour moi. Mes problèmes, mes affaires. Je ne sais pas pourquoi. J'ai toujours été ainsi, essayé-je de lui expliquer.

— Tu dois te confier à Tracker. Autrement, tu vas le rendre fou.

— J'y travaille, le rassuré-je avec un sourire. Je dois aller en cours.

— Tracker a dit que Blade devait t'y conduire, dit Sin en prenant une gorgée de son verre. Il est dehors.

— Je sais, confirmé-je en faisant demi-tour avant de lever les yeux au ciel.

— Ah, et Lana ? crie-t-il.

Je m'arrête et me retourne vers lui.

— Oui ?

Il fait la grimace.

— Clover m'a fait promettre de te dire… *Salut, Lana Ours.*

Je souris de toutes mes dents.

— Elle me manque. Ça lui plaît le retour à l'école ?

— Elle adore ça, atteste-t-il tandis que son regard s'adoucit. Mais ça lui manque de passer beaucoup de temps avec toi.

— Je viendrai la voir après les cours. Sera-t-elle ici ou chez toi ?

J'ai remarqué qu'elle ne vient plus ici aussi souvent.

Sin arbore un petit sourire en coin.

— Chez moi. Elle venait ici pendant que tu t'occupais d'elle uniquement parce que Tracker l'a voulu ainsi.

J'écarquille les yeux.

— Sans déconner ?

— Sans déconner, répond-il. Crois-tu que Faye ait vraiment envie que sa fille passe ses journées ici ?

Je me mets à rire.

— Franchement, je pense que ça ne la dérange pas.

Puisqu'il ne répond pas, je me dirige vers la sortie.

***

Les yeux fermés, je danse au rythme de la musique. Je lève les bras en l'air et secoue les attributs que ma mère m'a légués. Le Rift est bondé ce soir, mais je suis heureuse qu'Anna et moi ayons décidé de venir. Tracker et Arrow sont au bar, veillant sur nous tout en s'occupant de leurs affaires, quelles qu'elles soient. Rake est dans le salon d'honneur et Irish traîne aussi quelque part dans les environs.

— J'adore cette chanson ! s'exclame Anna en se déhanchant.

Les cheveux bouclés et vêtue de son jean noir assorti à un haut en dentelle blanc, elle est éblouissante. Je porte aussi un jean, mais le mien est délavé et assorti à un haut noir qui laisse voir une partie de mon ventre. Mes cheveux détachés et raidis m'encadrent le visage. Anna crie de joie lorsqu'elle aperçoit Faye qui se dirige vers nous.

— Qui s'occupe de Clover ? lui demande-t-elle.

— Dex, répond Faye. Je mérite une soirée de congé.

Nous poussons des cris de joie.

Faye danse avec nous et je remarque que tout le monde autour de nous, tant les hommes que les femmes, évite de s'approcher. Je remarque aussi que Tracker et Arrow surveillent Faye de près, comme ils le font pour Anna et moi. Faye et Anna me prennent en sandwich, se plaçant l'une devant et l'autre derrière moi. Nous nous amusons comme de petites folles lorsque Tracker nous interrompt pour m'attirer vers lui.

— Embrasse-moi, m'ordonne-t-il.

Me hissant sur la pointe des pieds, je l'embrasse sur la bouche tandis que ses mains trouvent mes fesses, qu'il serre d'un geste empreint de possessivité.

— Reste avec Anna et Faye, m'intime-t-il. Je vais sortir à l'arrière pour un instant, d'accord ? Arrow est au bar et vous tient à l'œil.

Je hoche la tête, puis il pose un baiser sur mon front avant de disparaître. Lorsque je rejoins les filles, nous recommençons à travailler nos mouvements. Plusieurs chansons plus tard, nous nous rendons au bar pour boire un coup. Anna rejoint Arrow, qui s'empresse de l'enlacer et de lui chuchoter quelque chose à l'oreille. Rake apparaît et sourit en nous voyant.

— C'est donc ici que se cachent toutes les jolies filles, ce soir.

Anna lève les yeux au ciel devant les paroles charmeuses de son frère.

— As-tu déjà fait le tour de toutes les femmes présentes, Rake ? le taquine Faye.

Rake l'attire vers lui.

— Pas de toutes les femmes.

Arrow se met à rire.

— À l'instant où nous nous parlons, Sin est probablement en route pour venir te tuer.

Rake sourit de toutes ses dents et balaie du regard la piste de danse, probablement à la recherche de sa prochaine victime. Dès qu'il aperçoit quelqu'un qui attire son attention, nous le perdons de vue dans la foule. Regardant moi-même autour de nous, je me fige lorsque j'aperçois un visage familier.

— Serait-ce…

Je donne un coup de coude à Anna et le pointe du doigt.

— Merde, jure-t-elle doucement à l'instant où elle le repère.

Talon est sur la piste de danse. Le président des Wild Men est un parfait dur à cuire. Il s'agit aussi du demi-frère de Rake et d'Anna. Leur père était l'ancien président des Wild Men. Celui qu'Arrow a tué. Talon semble être un homme bien et il est ami avec Anna. Cette amitié ne plaît pas tellement à Arrow, mais il la tolère pour faire plaisir à sa femme. Je vois son bras se serrer presque automatiquement autour d'Anna. Je ne suis même pas certaine que le geste soit conscient. Talon s'approche de nous. Je remarque qu'il ne porte pas son gilet ; seulement un pantalon de moto et un t-shirt noir. Avec ses épais cheveux blond cendré, ses yeux verts et sa silhouette allongée, il est séduisant. Lui aussi est couvert de tatouages qui lui vont bien.

— Anna, la salue-t-il chaleureusement avant de saluer Arrow d'un signe de tête.

— Salut, Talon, lui renvoie Anna en le gratifiant d'un sourire. Comment vas-tu ?

— Bien, bien, affirme-t-il avant de baisser les yeux sur moi en souriant. Lana.

— Salut, Talon, lui réponds-je avec un sourire.

— Personne ne m'avait dit qu'il était aussi séduisant, intervient Faye en haussant les sourcils. Je m'appelle Faye. Je ne crois pas que nous ayons été présentés.

Talon sourit.

— La reine des Wind Dragons.

Faye se met à rire.

— En chair et en os.

— Que fais-tu ici ? s'enquiert Arrow d'une voix rocailleuse. Tu savais que nous y serions.

— Je dois vous parler, déclare Talon. En privé.

Arrow hoche la tête.

— Restez ensemble, ordonne-t-il à Anna, qu'il embrasse avant de s'éloigner, s'attendant à ce que Talon le suive.

Anna et moi échangeons un regard, puis haussons les épaules. Qui sait de quoi il s'agit.

— Tequila ? propose Faye.

— Pourquoi pas ? réponds-je.

— Oh que oui ! lance Anna au même moment.

Nous commandons une tournée, puis une autre. Oui, il allait y avoir du grabuge.

Irish nous rejoint au bar et nous fait un clin d'œil. De toute évidence, il est notre nouvel ange gardien.

Reportant mon regard sur la piste de danse, j'écarquille les yeux en apercevant un autre visage familier.

— Ne serait-ce pas Bailey ?

Anna tourne brusquement la tête vers la piste de danse et se met à fixer l'ancienne petite amie de Rake, celle avec qui il sortait au secondaire.

— Putain de merde, c'est elle, confirme Anna avec un sourire ébahi.

Nous adorions toutes les deux Bailey, mais ne l'avions pas vue depuis des années. Nous nous précipitons vers elle tandis que Faye reste derrière avec Irish. Lorsqu'Anna salue Bailey la première, la surprise et la joie se peignent sur les traits de cette dernière.

— Anna Ward? Oh mon Dieu! s'exclame-t-elle avec un grand sourire avant de reporter son attention sur moi. Lana Brown. J'aurais dû me douter que vous seriez encore amies toutes les deux. Voulez-vous sortir pour que nous n'ayons pas à crier par-dessus la musique?

Anna hoche la tête, puis nous sortons à l'avant du club. Le videur nous fixe d'un œil suspicieux jusqu'à ce qu'Anna lui dise que nous ne bougerons pas de là.

Nous nous mettons à parler toutes en même temps.

— Comment vas-tu? lui demandé-je.

Il y a des années que je ne l'ai pas vue.

— Bien, répond-elle. Je viens juste de mettre fin à une relation; je suis à nouveau sur le marché.

— Comment ça se passe? la questionne Anna avec un sourire coquin.

Bailey fait la grimace.

— J'ai l'impression qu'on vient de me rejeter à l'eau sans flotteur.

Nous éclatons toutes de rire.

— Je peux te servir de flotteur, offre Anna pour plaisanter.

— Tu n'es pas célibataire, lui rappelé-je.

— Oh, fait-elle. S'agit-il d'un règlement? Dois-je absolument être célibataire pour pouvoir l'orienter dans la bonne direction?

Je glousse.

— Non, mais tu dois savoir ce que tu fais.

Anna prend un air renfrogné tandis que Bailey et moi nous mettons à rire.

— J'ai attrapé Arrow, pas vrai ? se défend Anna, les mains sur les hanches. Crois-moi, ça n'a pas été facile.

Bailey veut connaître les détails de l'histoire et Anna lui en raconte les grandes lignes.

Au bout d'une dizaine de minutes, Tracker sort du club en trombe et s'arrête net lorsqu'il nous aperçoit juste là.

— Doux Jésus, Lana. Je croyais t'avoir dit de rester où tu étais, rugit-il avant de regarder Anna, puis Bailey. Qui es-tu ?

Son manque de politesse me fait lever les yeux au ciel.

— Tracker, voici Bailey, une amie de longue date. Bailey, voici Tracker.

Son charme naturel reprenant le dessus, Tracker sourit.

— Heureux de faire ta connaissance.

— Pareillement, lance Bailey en me regardant avec de grands yeux.

Oui, je sais. Je ne m'en suis pas trop mal tirée.

Les yeux plissés par un sourire, je me retourne vers Tracker.

— Nous sommes sorties ici pour nous mettre à la page.

— C'est ce que je vois, murmure-t-il. Voulez-vous aller dans le salon d'honneur ? C'est beaucoup plus tranquille et sûr qu'ici à l'extérieur où n'importe quel homme peut vous voir en passant. Rake est là, mais vous pouvez faire comme s'il n'existait pas.

Anna et moi échangeons un regard. De toute évidence, Bailey ne connaît pas Rake sous le nom de Rake ; elle l'a connu sous le nom d'Adam. À mon avis, ce n'était pas juste de notre part de l'entraîner là-bas sans savoir si elle avait envie de revoir son ex-petit ami, ce qui n'était probablement pas le cas.

— Peux-tu nous accorder un instant? demandé-je à Tracker avec un regard suppliant.

Il hoche la tête, dit un mot au videur, puis retourne à l'intérieur.

— Tu sors avec un motard? s'étonne Bailey aussitôt que Tracker disparaît.

— Oui, confirmé-je lentement. Anna aussi.

Bailey se tourne vers Anna.

— Sans déconner? Qu'en dit ton frère?

Je regarde Anna.

— Ça ne lui plaisait pas tellement au début, reconnaît-elle, mais maintenant ça va.

Bailey semble vouloir en savoir plus, mais elle ne dit rien.

— Allons voir à quoi ressemble ce salon d'honneur, propose-t-elle, tout excitée, en se dirigeant vers l'intérieur.

Anna et moi nous empressons de la suivre.

— Bailey, attends, l'arrêté-je. Avant que nous allions dans le salon…

Un homme me fonce dessus par accident.

— Désolé, s'excuse-t-il en glissant une main sur ma taille.

Je m'écarte.

— Ça va.

C'est un accident, après tout. En revanche, lorsque je fais un pas de côté pour le contourner, il m'arrête et me barre la route.

— Que dirais-tu de danser?

— Non, merci, m'empressé-je de répondre puisque je n'ai aucune envie qu'une bataille éclate avec cet homme. Je suis avec mon petit ami.

Il regarde derrière moi, puis autour de nous.

— Je ne vois pas de petit ami.

Appeler Tracker mon *petit ami* me paraît si… euphémique.

— Pardon, je dois vraiment y aller, répété-je.

— Que dirais-tu si nous…

— La dame a dit non, entends-je Arrow rugir à ma droite. Maintenant, tire-toi avant que son homme te voie, parce qu'il sera beaucoup moins sympa que moi.

Un seul coup d'œil au gilet d'Arrow suffit à faire fuir l'homme.

— Merci, lui lancé-je en regardant autour de nous à la recherche d'Anna et de Bailey, toutes deux disparues dans la foule. Où est Anna ?

— Elles t'attendent devant le salon d'honneur. Je leur ai dit que j'allais te chercher. Viens, Lana.

Je m'approche d'elles avec l'intention d'informer Bailey au sujet de Rake lorsque ce dernier sort justement du salon en remontant la fermeture à glissière de son jean, une femme à ses côtés.

Merde alors.

Anna l'avait-elle avertie, au moins ?

À en juger par l'expression qui se peint sur les traits de Bailey, non, Anna ne lui avait encore rien dit.

— Adam ? s'exclame-t-elle, le souffle coupé, en l'examinant de la tête aux pieds.

— Bailey ? murmure Rake en écarquillant les yeux tandis que sa mâchoire se décroche.

Bailey jette un coup d'œil à la femme aux côtés de son ex-petit ami.

— Je vois que certaines choses ne changent pas.

L'atmosphère autour de nous devient soudain tendue et l'air se raréfie ; le malaise devient palpable pour nous qui les regardons.

— Devrions-nous…

Rake m'interrompt.

— Anna, entre avec Lana. Bailey et moi devons discuter.

Il n'arrive pas à la quitter des yeux. Éprouve-t-il encore quelque chose pour elle ?

— Qu'en est-il de moi ? s'indigne sèchement la femme à ses côtés. Je viens de te sucer et maintenant tu veux discuter avec cette salope ?

La classe.

Je fixe le plancher en souhaitant pouvoir m'y enfoncer.

Sacrément embarrassant.

Anna m'attrape par le bras.

— Laissons-leur un peu d'intimité.

Nous entrons en vitesse dans la pièce et nous éloignons des deux autres, qui semblent à la fois vouloir s'entretuer et s'arracher mutuellement leurs vêtements. Lorsque j'aperçois Tracker, une magnifique femme à ses côtés, je plisse les yeux. Elle a les cheveux foncés, un sourire mortel et un tel corps que même moi, je ne détesterais pas la voir nue. S'agissait-il du genre de femme qui se jetait sur lui tous les jours ? Tracker rit de quelque chose qu'elle a dit, mais se tourne pour me regarder et s'aperçoit que je l'observe. Il répond à la femme, puis se dirige vers moi. Qu'aurait-il fait si je n'avais pas été là ? Serait-il parti avec elle ? Je sais qu'il n'a rien fait de mal, mais pourquoi ai-je l'impression que le mal est fait, de toute manière ?

CHAPITRE 19

Nous terminons la soirée au Toxic. Ne me demandez pas comment c'est arrivé, parce que je n'en sais rien.

— Tes seins sont vraiment énormes, remarque Faye à l'une des effeuilleuses. Genre, immenses.

— Ce sont des vrais, se vante la danseuse.

— Je suis pratiquement certaine que tu pourrais lécher tes propres mamelons, ajoute Faye en hochant la tête. Je me suis toujours demandé si les autres femmes pouvaient se lécher elles-mêmes les seins.

Nous pouvons dire avec certitude que Faye est ivre.

Hilarante aussi.

Arrow, qui a surveillé Faye tout au long de sa conversation avec la danseuse, attrape le verre qu'elle a à la main.

— Je pense que ça suffit.

Faye pousse un soupir.

— Je ne sors presque jamais ; laisse-moi vivre un peu, veux-tu ? s'exclame-t-elle en tentant de reprendre son verre.

— Devrions-nous la reconduire chez elle ? demandé-je à voix basse à Tracker, qui m'attire plus près de lui sur ses genoux de sorte que je suis assise sur ses hanches.

— Elle va bien, laisse-la tranquille. Il n'y a rien de mal à parler de leurs seins à des danseuses, me chuchote-t-il à l'oreille.

Je balaie du regard le club d'effeuillage.

— As-tu couché avec certaines de ces femmes?

— Non, répond-il en me mordillant l'oreille. J'en ai baisé quelques-unes. Mais jamais couché.

Je lui donne une claque sur le bras.

— Tu es un véritable trou du cul.

Transpirant la jalousie, je parcours le club des yeux en me demandant avec lesquelles il est sorti.

— Poupée, murmure-t-il en tournant ma tête vers lui. Je suis désolé que tu aies à voir des femmes que j'ai baisées, mais elles n'étaient rien de plus pour moi. Jamais auparavant je n'ai ressenti ce que je ressens pour toi. Tu dois laisser le passé derrière, d'accord?

— D'accord, grommelé-je.

Puis-je vraiment avoir confiance en lui? Je ne peux pas nier le fait qu'au fin fond de moi, un doute subsiste. Les hommes ne restent pas. Lorsqu'il en aura assez de moi, il passera à autre chose et il ne me restera plus qu'à ramasser les pots cassés.

— Tu voulais venir ici, tu te souviens? me rappelle-t-il. Essayer quelque chose de nouveau. Je suis heureux de faire de nouvelles expériences comme celle-ci avec toi, mais au bout du compte, il n'y a que toi et moi.

J'appuie la tête contre son torse, chassant toutes les autres pensées.

— Tu peux être si charmant quand tu en as envie.

— Seulement avec toi.

— Chouette. Cette idée me plaît.

— Non, Faye, tu ne peux pas aller sur la scène, entends-je Anna rugir. À moins que tu veuilles tous nous faire tuer.

— La prochaine fois, Sin sort avec nous, indique Arrow en secouant la tête, l'air amusé. Faye demande trop d'attention.

— Que voulait Talon ?

Tracker me donne un petit baiser.

— Il paraît qu'un nouveau club de motards commence à foutre la merde dans les environs. Il voulait en discuter avec nous.

J'écarquille les yeux. Je ne m'attendais pas réellement à ce qu'il réponde.

— Viens-tu de me donner une bribe d'information sur le club ? Je pense que je vais mourir sous le choc.

— Petite maline, me taquine-t-il. Je te dirai ce que je peux te dire, ni plus ni moins.

— Ça me convient.

Il m'embrasse à nouveau, plus passionnément cette fois. Plus avidement. Alors que je suis toujours dans ses bras, il se lève soudain et me fait passer une porte pour entrer dans un bureau.

— Ici ? m'étonné-je en balayant la pièce du regard.

— Ici, grogne-t-il. Baisse ce jean et penche-toi au-dessus de la table.

***

J'appelle Tracker, tout excitée.

— J'ai trouvé un logement !

— Où ? me demande-t-il. Près du club ?

— À environ 10 minutes, précisé-je. Le loyer est raisonnable et c'est magnifique.

— Veux-tu que je vienne y jeter un coup d'œil ?

— Ça ne te dérangerait pas ? m'enquiers-je, accrochée à mon téléphone.

— Pas du tout, répond-il. Envoie-moi l'adresse et je serai là dans cinq minutes.

Nous raccrochons.

— J'ai dit 10 minutes et il me dit qu'il sera ici en 5, grommelé-je dans ma barbe en lui envoyant l'adresse.

Comme il l'avait dit, il arrive cinq minutes plus tard à moto. Nous faisons le tour ensemble tandis que je le guide d'une pièce à l'autre.

— Il ne me plaît pas, déclare Tracker en croisant les bras sur son torse.

— P… Pardon? Que veux-tu dire, il ne te plaît pas? Il est parfait, avancé-je en tournant brusquement la tête vers lui.

Il regarde autour de lui.

— Non, il n'est pas parfait. Tu peux trouver mieux.

— Tracker…

— Je ne comprends pas pourquoi tu n'emménages pas avec moi, insiste-t-il, la mâchoire secouée par un spasme. Tu y habites presque, de toute manière.

— Ne crois-tu pas que c'est un peu trop tôt? lui demandé-je en me tordant les mains.

— Non, sacrément pas, rétorque-t-il tandis qu'un air entêté et déterminé se peint sur ses traits. Ça ne me plaît pas de t'imaginer seule ici. Au moins, chez ta mère, elle est parfois là. Ici, tu es seule alors que je ne suis qu'à 10 minutes. C'est ridicule. Si tu es ici, je viendrai simplement ici de toute manière, donc autant habiter ensemble.

Après avoir passé une main sur mon visage, je dis au revoir à l'agente immobilière et l'informe que je communiquerai avec elle. Tracker ne nous ramène pas au club. Il nous conduit plutôt à la plage.

— Que faisons-nous ici? m'enquiers-je.

— J'avais simplement envie de passer un peu de temps tranquille avec toi, déclare-t-il en s'asseyant sur le sable avant de m'attirer vers lui pour que je m'asseye entre ses jambes.

La brise fraîche est agréable. J'appuie la tête contre son torse chaud et nous regardons le coucher de soleil.

— C'est plutôt romantique, remarqué-je.

Il enfouit son nez dans mon cou et m'embrasse derrière l'oreille.

— Je sais être romantique.

— Donc, tu veux vraiment que j'emménage avec toi ? Tu es à ce point convaincu que ça fonctionnera, nous deux ?

— Bien entendu, répond-il d'un ton un peu bourru. Pourquoi ? As-tu l'intention de me quitter ? Parce que si c'est le cas, je vais te retrouver et te ramener. C'est mon boulot.

— Je ne vais nulle part. Tant que tu me traites bien et que tu m'es fidèle, je resterai à tes côtés.

Aussi longtemps qu'il voudra de moi.

— À ta place, ajoute-t-il.

— À ma place, répété-je avec un soupir satisfait.

***

Le lendemain, lorsque j'aperçois mon père assis dans l'escalier devant la maison de ma mère, je m'arrête net.

— Que fais-tu ici ? l'interrogé-je.

— Je voulais te parler.

Je sais que cette conversation aurait dû avoir lieu il y a longtemps, mais je n'ai toujours pas envie de la tenir. Rien de ce que cet homme puisse dire n'arrangera les choses.

Il n'a pas voulu de moi.

C'est la réalité. Inutile de l'édulcorer.

Il n'était pas là lors des déjeuners organisés pour la fête des Pères à l'école, pendant lesquels je restais seule, plantée là, à regarder tous les autres interagir avec leurs pères et à me rendre compte de ce que je manquais. Il n'était pas là pour mes anniversaires et il ne m'a pas vue grandir pour devenir une jeune femme épanouie.

Il n'était pas là pour soigner mon cœur brisé lorsque William m'a menée en bateau.

J'avais déjà le cœur brisé à cause de lui, le seul homme sur cette Terre sur qui j'aurais dû pouvoir compter alors que ce n'était pas le cas.

— Qu'y a-t-il à dire ? le questionné-je en posant mon sac à mes pieds avant de le regarder en face.

Il laisse tomber sa tête entre ses mains.

— Le groupe commençait tout juste à avoir du succès lorsque tu es née. Ta mère et moi avons essayé de rester ensemble, mais c'était difficile. Je passais beaucoup de temps en tournée et j'apprenais à gérer la célébrité. Avec du recul, c'était stupide, mais à l'époque, je voyais les choses autrement. J'avais du mal avec beaucoup de choses : ce que je voulais dans la vie, l'argent, mon ego. Il y avait des moments où j'avais l'impression de devoir choisir entre ma famille et mon rêve et j'en éprouvais du ressentiment.

— Tu aurais pu essayer de concilier les deux. Je suis certaine que beaucoup de musiciens le font, rétorqué-je, déjà lasse de ses excuses.

J'essaie de me mettre à sa place, mais au bout du compte, je faisais partie de l'équation, moi, une enfant innocente. Même s'il n'était pas toujours présent, il aurait tout de même pu faire une apparition, un effort. J'étais sa fille et je n'avais pas demandé à venir au monde. Si mon existence lui posait tant de problèmes, il aurait dû mettre un putain de préservatif.

Il hoche la tête.

— C'est ce que j'aurais dû faire, oui. Mais j'ai plutôt accusé ta mère d'essayer de m'enchaîner, de ruiner ma carrière. Cet univers m'a englouti, Lana. Il a pris toute la place dans ma vie. La célébrité, l'argent, les femmes ; je pensais que c'était tout ce qui importait. J'ai cessé de me confier à ta mère. Je lui cachais des choses. Je me souviens d'une fois où elle a appris dans un magazine que je partais à l'étranger pour une longue tournée. Je ne m'étais même pas donné la peine de le lui dire, me raconte-t-il avant de marquer une pause. Je suppose que je ne la considérais plus comme mon égale, aussi fou que cela puisse paraître. Je passais te voir aussi souvent que possible, mais ensuite de plus en plus de temps s'écoulait entre chaque visite jusqu'à ce que je ne passe plus du tout.

— Quel a été le coup de grâce qui a mis fin à votre relation ? me surprends-je à lui demander.

Il respire par le nez et ses narines frémissent.

— La publication de photos.

Il n'en dit pas plus et je ne peux qu'imaginer le genre de photos dont il s'agissait. Probablement de lui avec une autre femme. Avait-il seulement dit à ma mère qu'il ne voulait plus d'elle ? Ou l'avait-il simplement mise sur la touche ? Je ne suis pas certaine de vouloir le savoir.

— Je sais que tu étais occupé et je le comprends, mais il fallait que tu te fiches complètement de moi pour ne même pas venir me voir ni même me donner un coup de fil une fois par an pour mon anniversaire. T'arrivait-il seulement de penser à moi ? lui demandé-je, lui dévoilant ma vulnérabilité.

Parce que nous, nous pensions toujours à toi. Je sais que ma mère pensait à toi.

— Bien sûr que je pensais à vous. À vous deux, murmure-t-il d'une voix étouffée. Je suppose que je pensais que je ne vous méritais plus après vous avoir abandonnées.

— Dans ce cas, qu'est-ce qui te fait croire que tu mérites de faire partie de ma vie maintenant ?

Il hausse les épaules.

— Tu es mon unique enfant. Tout ce qu'il me reste, c'est une vie pleine de regrets. C'est le temps ou jamais d'essayer de faire de mon mieux pour arranger les choses.

J'expire lentement en repensant à tout ce que je viens d'apprendre. Je ne savais que dire. J'étais devenue indifférente à tout ce qui le concernait, car c'était mon seul moyen de composer avec la situation : m'obliger à prétendre que je me moquais bien de savoir où il était et s'il se souciait de moi. La triste vérité, c'est qu'il s'agit de mon père ; je ne m'en suis donc jamais moquée et j'ai toujours souffert en silence à me demander pourquoi je n'étais pas assez bien pour lui, une chose qu'Anna et moi avions en commun. Nous nous demandions pourquoi les autres enfants avaient des pères qui les aimaient alors que nous, nous n'en avions pas. Qu'est-ce qui clochait chez nous ? Bien entendu, je sais à présent que son départ n'avait rien à voir avec moi et tout avec lui. Enfant, en revanche, je ne voyais évidemment pas les choses de la même manière.

— Que voudrais-tu que je dise ? lancé-je doucement. Je suis désolée que Rake t'ait frappé. Je n'ai pas voulu ça.

— Nous savons tous que je le méritais, affirme-t-il avec un sourire triste. Je mérite bien pire. Heureusement qu'il s'agissait de Rake, et non de Tracker. Autrement, je serais probablement à l'hôpital.

Je ne me donne pas la peine de le contredire.

— Tout de même, souligné-je.

Inutile de m'abaisser à son niveau.

— Tu es une très belle femme, Lana, indique-t-il avec une lueur de fierté dans les yeux. Tracker a de la chance. Je sais qu'il est beaucoup trop tard pour ça, mais si jamais tu as envie de parler ou... Peu importe. Je ne te tournerai plus jamais le dos si tu as besoin de moi.

— Merci, murmuré-je à défaut de savoir que dire.

Des souvenirs refont surface. Ma mère qui pleure pendant la nuit, le visage enfoui dans son oreiller. Moi qui la serre dans mes bras sans comprendre ce qui la rend si triste. Moi, plantée devant l'école en attendant que ma mère vienne me chercher, qui regarde les autres pères avec leurs enfants. Je me sens perdue. Vide. Nous, sans électricité pendant une semaine parce que nous n'arrivions pas à payer les factures. Le tout alors que mon père était plein aux as, mais ne se donnait pas la peine de nous envoyer de l'argent.

— Mais je me suis débrouillée toute ma vie sans toi, donc je pense que ça ira, ajouté-je d'un ton dur.

Comment pourrais-je le laisser entrer à nouveau dans ma vie ? Sa présence aujourd'hui ne changera pas le passé, n'est-ce pas ? Pourrai-je lui pardonner complètement un jour ? En ai-je seulement envie ? Lui pardonner serait dans l'intérêt de qui ? Le mien ou le sien ? Je ne sais qu'en penser. J'ai besoin de digérer toute cette histoire.

Son visage se décompose, mais il hoche la tête.

— C'est vrai. Bien sûr, je comprends. Au revoir, Lana.

Je ris jaune.

— Sais-tu que j'ai du mal à faire confiance à cause de toi ? Je ne crois jamais ce qu'on me dit et encore moins si ça vient d'un homme. J'attends juste que Tracker me tourne le dos parce que les hommes ne restent pas, pas vrai ? Tout ce qu'ils font, c'est semer la destruction derrière eux lorsqu'ils passent à autre chose.

Mon père déglutit péniblement et les muscles de sa gorge se contractent.

— Les hommes bien restent.

Lorsqu'il s'éloigne, l'image même d'un homme abattu, j'ai de la peine pour lui.

Je ne veux pas lui faire de mal, mais qu'il fasse partie de ma vie en ce moment me ferait du mal. Je sais que je dois lâcher prise, que je dois lui pardonner et passer à autre chose, mais je suppose que j'en suis incapable pour l'instant. Il a fait un choix et il doit maintenant en subir les conséquences. Il n'était pas obligé de me sortir de sa vie. Il en a volontairement pris la décision.

Je n'ai pas été consultée.

Je faisais simplement partie des ruines laissées derrière.

Mais tandis que je le regarde disparaître de mon champ de vision, nous sommes tout de même unis par les regrets.

Une chose me passe par la tête.

Tracker est un homme bien.

***

— Que s'est-il passé avec Bailey l'autre soir ? demandé-je, indiscrète, à Rake, qui se renfrogne à la simple mention de son nom.

— Nous avons parlé. Elle est partie. C'est à peu près tout.

— Elle est toujours aussi hyper séduisante. Encore plus séduisante que dans mes souvenirs, insisté-je.

Rake pique sa fourchette dans son assiette avec plus de force que nécessaire.

— Vraiment ? Je n'ai pas remarqué.

Je suis au club, attendant le retour de Tracker. Rake me tient compagnie. Il avale son dîner sur le canapé tandis que je le force à regarder un talk-show quelconque.

— Qu'a-t-elle voulu dire par *certaines choses ne changent pas* ? le questionné-je.

L'avait-il trompée ?

Rake me regarde de travers.

— D'accord, grommelé-je. Ça ne me concerne pas.

Il finit par sourire.

— As-tu entendu parler de mon anniversaire ?

— Dans quel sens ? m'informé-je.

— C'est la semaine prochaine. Tout le monde m'organise une fête ici et ce sera dément.

— Suis-je invitée ? vérifié-je en haussant les sourcils.

Il arbore un sourire narquois.

— Demande à Tracker, c'est à lui de décider. Par *dément*, je veux dire vraiment dément. Vas-tu te mettre en rogne, t'enfuir et lui sonner les cloches ?

— Non, réponds-je. Il sera avec moi. Pourquoi me mettrais-je en colère ?

Rake tripote l'anneau qu'il a à la lèvre.

— À cause des femmes nues. Du sexe en public. À toi de voir.

Je fais la grimace.

— Anna y sera-t-elle?

— Putain, non, réplique-t-il avec un gloussement. Elle va m'inviter à dîner la veille.

— Bonne idée.

— Je sais. Rien de tel pour tuer l'amour qu'une visite de sa sœur cadette.

— Donc, ça ne te dérange pas si je vois… ce qu'il y aura à voir, l'interrogé-je tandis que l'embarras me fait monter le rose aux joues.

— Si tu veux regarder, tu n'as qu'à demander, Lana.

Je lui lance un coussin et rate son assiette de justesse.

— Oups, lâché-je sans aucune sincérité. Désolée.

— Tu es une vraie casse-couilles.

Je me frotte les yeux.

— Je m'endors. Je vais aller faire une sieste en attendant le retour de Tracker.

— D'accord. Je vais lui dire que tu l'attends dans son lit, lance Rake avant de marquer une pause. Nue, ajoute-t-il.

Je fais comme s'il n'avait rien dit et me dirige vers la chambre de Tracker.

CHAPITRE 20

Je me réveille seule.

Puisque j'entends des voix, je me lève pour me mettre à la recherche de Tracker, que je trouve torse nu dans le gymnase. Arrow et lui se battent au milieu d'un ring. La gorge serrée, je regarde les deux hommes robustes se battre pour avoir le dessus et se frapper l'un l'autre avec une force brutale. Pourquoi font-ils une telle chose ? Depuis que je suis ici, jamais je n'ai vu Tracker monter sur le ring. Là, au beau milieu de la nuit, il y est ? Je retiens mon souffle en voyant Arrow l'atteindre au visage, mais Tracker se contente de cracher du sang par terre et contre-attaque. Lorsqu'ils ont enfin terminé, les deux hommes s'asseyent au sol. Arrow sort quelque chose de sa poche qu'ils allument et fument ensemble. S'agit-il de… cannabis ? Je ne savais même pas que Tracker fumait.

— C'est exactement ce dont j'avais besoin, entends-je Tracker dire.

Je sais que je ne devrais pas écouter aux portes, mais il semblerait que je n'arrive pas à ordonner à mes pieds de m'éloigner.

— Que t'arrive-t-il ? s'enquiert Arrow. Tout va bien avec Lana ?

Non, je n'allais certainement pas bouger.

— Elle est géniale, confirme Tracker. Seulement, c'est parfois sacrément difficile. Je suis toujours à essayer de la protéger de tout, de mon côté sombre, je suppose. Je ne voudrais pas qu'elle s'enfuie, tu comprends ? Mais ce faisant, je perds une partie de moi. J'adore me battre, mais je ne suis pas monté sur ce ring depuis des lustres simplement parce que je ne veux pas qu'elle s'inquiète.

— Si tu continues à vivre ainsi, tu vas devenir malheureux, réplique doucement Arrow. Tu dois être toi-même, Tracker. Je suis certain que Lana t'aimera tel que tu es. Sinon, elle n'est pas la bonne pour toi.

Arrow vient d'être rayé de ma liste de cadeaux de Noël.

— C'est la bonne, s'empresse de rétorquer Tracker. Je le sens. C'est ma régulière. Elle est à moi.

— Elle est plus forte que tu le crois, lui indique Arrow en tirant une longue taffe du joint. Elle est petite, mais pas dans sa tête.

— Je ne voulais pas qu'elle sache que j'ai les mains tachées de sang. Elle n'est au courant de rien. Je pensais que c'était préférable ainsi, mais j'ai maintenant l'impression qu'elle ne me connaît pas vraiment. J'ai besoin qu'elle m'accepte en entier, admet Tracker en se couchant sur le dos pour regarder le plafond. Je ne suis pas un homme bon. Je ne crois pas. Mais je ne suis pas méchant. J'ai fait du mal à des gens. Jamais à une femme ou à des enfants, mais à des hommes, oui.

— Tu es un homme bon, insiste Arrow d'un ton bourru. Puis, va te faire foutre pour avoir pensé le contraire. Nous avons tous nos démons, Tracker, et certains sont pires que d'autres. Quand je vois la manière dont Lana te regarde… Putain, mon vieux, sois franc avec elle, tout simplement. Je suis presque certain que cette femme te suivrait jusqu'en enfer s'il le fallait.

— J'espère que ce ne sera pas nécessaire, siffle Tracker. Je tuerais pour elle, admet-il ensuite en un murmure. Je veux seulement la protéger.

— Tu le fais, atteste Arrow. Mais lorsque les choses tourneront mal, et tu sais que ça finit toujours par arriver dans les environs, il faudra qu'elle soit prête, et non laissée dans l'ignorance.

Je m'éloigne et retourne dans notre chambre en repensant à ce que je viens d'entendre. Autant je suis heureuse de l'avoir entendu, autant je me sens coupable. Je ne savais pas qu'il se sentait ainsi, qu'il essayait encore d'être la personne qu'il croyait que je voulais qu'il soit plutôt que la personne qu'il est.

Qu'il pratiquait l'autocensure.

Je ne veux pas qu'il pense que c'est nécessaire. J'ai accepté qui il est, le groupe auquel il appartient. Il veut que je sois totalement éprise et je suis tellement éprise que je ne touche plus terre. Il ne me reste plus qu'à le lui prouver.

***

Lorsque je me réveille la fois suivante, il me serre dans ses bras en cuillère.

C'est beaucoup mieux.

Je décide de le réveiller en le suçant, m'efforçant de ne pas me laisser arrêter par ce qui s'est produit la dernière fois.

Lorsqu'il jouit, c'est mon nom qu'il grogne de plaisir.

***

— Lana, attends, crie Anna en m'attrapant par le bras. Pas si vite.

— Qu'y a-t-il ? lui demandé-je en regardant autour de nous.

Nous venons de déjeuner ensemble et mon premier cours de la journée est sur le point de commencer. Suivant son regard, j'aperçois quatre hommes à moto qui nous observent. Ce ne sont ni des Wind Dragons ni des Wild Men.

— Qui sont-ils ? l'interrogé-je en essayant de ne pas laisser paraître que nous parlons d'eux.

— Aucune idée, mais je n'aime pas la manière dont ils nous regardent, avoue-t-elle doucement en m'entraînant dans la direction opposée.

Nous montons dans ma voiture et nous rendons d'abord au club, où nous demandons à Blade de me conduire à l'université. Anna ne veut pas que je reste seule, juste au cas où. Le cours est ennuyeux et traîne en longueur. Plutôt que d'être attentive, je me surprends à écrire les grandes lignes d'un nouveau livre. Lorsque c'est terminé, je suis étonnée de trouver Tracker qui m'attend à la place de Blade.

— Quelle bonne surprise, m'exclamé-je, lui sautant pratiquement dans les bras.

— Anna et toi avez pris la bonne décision aujourd'hui en rentrant au club plutôt que de partir seules, souligne-t-il après m'avoir donné un doux baiser rapide.

— Je sais. Je crois qu'Anna mûrit. Avez-vous trouvé qui étaient ces hommes ?

— Plus ou moins, répond-il pour éluder la question. Nous allons partir faire un tour ce soir.

— Combien de temps serez-vous partis ? m'informé-je en inclinant la tête sur le côté.

— Deux nuits.

— D'accord, acquiescé-je pour essayer de cacher ma déception. Qui restera derrière, cette fois ?

— Arrow, répond-il. Tu vas rester au club pendant mon absence pour que je n'aie pas à m'inquiéter de ton sort.

Je pousse un soupir.

— D'accord, je peux faire ça.

— Ça, c'est bien ma femme, déclare-t-il en me prenant mon sac. Allons, sortons d'ici. J'ai envie de passer du temps avec toi avant de partir.

— D'accord, accepté-je, puis j'inspire profondément. Il y a quelque chose dont j'aimerais te parler.

— Quoi donc? me demande-t-il en ouvrant pour moi la portière de ma voiture.

Je balaie les environs du regard.

— Comment es-tu venu? le questionné-je.

— Rake est venu me déposer. Blade est reparti avec lui. De quoi veux-tu me parler?

Nous montons dans la voiture et il attend patiemment, me regardant avec l'air d'attendre quelque chose.

— Je me suis réveillée la nuit dernière et tu n'étais pas au lit alors je me suis levée pour me mettre à ta recherche. Tu étais au gymnase à discuter avec Arrow et j'ai tout entendu.

Parce que c'est ce que j'essayais de faire.

Je tais cette partie de l'histoire.

Tracker m'observe en silence.

— Combien de temps es-tu restée exactement?

Oui, il est en colère.

— Je ne sais pas, admets-je d'une petite voix chargée de remords. Plus longtemps que j'aurais dû. Mais vous parliez de moi, alors évidemment que j'ai écouté. Si vous aviez parlé d'autre chose, je ne serais pas restée.

Je pense.

Il passe une main dans ses cheveux détachés qui lui tombent sur les épaules.

— Putain de merde, Lana…

— Je voulais simplement être honnête, c'est la raison pour laquelle je te le dis, poursuis-je timidement. Je veux aussi te dire que je suis une écrivaine. Il s'agit d'une autre chose que j'ai gardée pour moi. Je ne sais pas pourquoi. C'était mon secret, mais je veux que ce soit le nôtre.

Il me regarde comme si j'étais folle, ce qui est probablement le cas. Ce n'est pas exactement le bon moment d'aborder toute cette histoire d'écriture.

— Qu'en as-tu pensé ? me demande-t-il. De ce que tu as entendu ? Je ne voudrais pas que tu penses que tu ne me connais pas, parce que c'est faux. Tu ne connais tout simplement pas ce côté de ma personnalité et c'est de ma faute parce que je te l'ai caché.

— Tracker, reprends-je avant de déglutir péniblement. Je te connais. Je sais que tu ne me ferais jamais de mal. Je sais que tu prends soin de moi. Tu es gentil avec les gens auxquels tu tiens. Je peux vivre avec tous les côtés de ta personnalité. C'est ce que j'essaie de te dire. Je ne m'enfuirai pas, je te le promets.

Il jette un coup d'œil par la fenêtre avant de reporter son attention sur moi.

— Je pense que tu ne sais pas ce que tu dis.

— Tracker…

— Qu'arriverait-il si je finissais en prison ou quelque chose du genre ? Comment vas-tu le prendre ? Si tu étais victime d'un enlèvement comme Anna l'a été ou si des hommes armés s'introduisaient dans le club au milieu de la nuit ? C'est arrivé à Faye. Je ne dis pas que je pense que tu n'es pas assez forte, parce que tu l'es, mais je deviens fou à l'idée qu'une chose pareille puisse t'arriver. Je suis coincé entre mon désir de te protéger, de protéger chaque centimètre de ton être, et l'amour que je porte à mon club. Je ne quitterai jamais les Wind Dragons ; c'est ma famille. Mais si tu étais blessée ou quelque chose du genre à cause de mon mode de vie, je le prendrais sacrément mal aussi.

— Eh bien, tu aurais dû y penser avant de t'organiser pour que je tombe follement amoureuse de toi ! craché-je. Je fais un effort, ici, Tracker. Je suis en train de te dire que peu importe ce qui arrive, je te connais et je ne te tournerai jamais le dos. Pourquoi ne peux-tu pas faire de même pour moi ?

Il écarquille les yeux comme s'il n'avait jamais envisagé la question sous cet angle.

— Viens là, m'ordonne-t-il.

— Où ?

Ses lèvres frémissent.

— Sur mes genoux.

Je m'assieds à califourchon sur ses genoux et pose les mains sur ses joues.

— Maintenant ?

— Maintenant, embrasse-moi, Lana, m'ordonne-t-il. J'ai envie de toi, mais ça devra attendre que nous soyons de retour au club.

Je l'embrasse comme s'il s'agissait de la toute dernière fois.

# CHAPITRE 21

Tout en écoutant la chanson *Live Without It* de Killing Heidi, je fouille parmi mes vêtements à la recherche de quelque chose à porter pour la fête d'anniversaire de Rake. Lorsqu'on frappe à la porte, je vais ouvrir et trouve Faye plantée là. Je ne suis pas certaine de savoir comment elle a su où j'habite, mais je ne me donne pas la peine de le lui demander.

— Salut, m'exclamé-je, surprise.

— Monte dans la voiture, nous allons faire les boutiques.

Nous échangeons un sourire entendu.

Une heure plus tard, je regarde Faye essayer des tenues. Lorsqu'elle sort de la salle d'essayage vêtue d'une robe noire extrêmement décolletée, j'écarquille les yeux.

— Putain de merde !

— C'est exactement l'effet recherché, déclare-t-elle d'un ton approbateur.

— Je vois presque tes mamelons, décidé-je de lui faire remarquer en clignant lentement des yeux.

Elle baisse les yeux.

— En effet.

Croyant que sa remarque signifie qu'elle ne l'achètera pas, je suis surprise lorsqu'elle dit :

— C'est parfait.

— Mais…

— Il y aura des danseuses là-bas, réplique-t-elle. Peu importe ce que nous portons, nous serons toujours plus habillées qu'elles.

— Euh, Faye…

— Ohhh! Tu devrais essayer celle-ci! s'excite-t-elle en attrapant une jolie robe bleu roi. Cette couleur t'ira à ravir.

Puis, elle attrape quelques autres robes pour que je les essaie.

— À moins que…, poursuit-elle dans sa barbe en me regardant d'un air songeur. Puis-je te métamorphoser en fille à motards?

L'expression qu'elle lit sur mon visage la fait rire.

— Tu aurais dû me voir au début quand je suis arrivée ici. J'étais extrêmement conservatrice parce que j'avais été élevée ainsi. Maintenant, je porte n'importe quoi, pourvu que ça me plaise. Tenues professionnelles pour le travail, mais les fêtes comme celle-ci sont l'occasion de s'amuser un peu et de faire preuve de toute l'audace voulue.

— De quel genre d'audace parle-t-on ici? m'enquiers-je d'une voix empreinte de scepticisme.

En guise de réponse, ses lèvres s'étirent lentement en un sourire.

— Voyons voir ce que nous pouvons trouver.

Je déglutis péniblement.

***

Un pantalon en cuir moulant.

Un haut noir très court qui, à mon avis, ressemble davantage à un soutien-gorge qu'à un haut, et des talons plus hauts que tous ceux que j'ai portés jusqu'ici.

Pourtant...

Je me sens étrangement séduisante. En maîtrise. Le parangon des régulières.

Je constate soudainement que les rôles sont inversés et que, désormais, c'est moi qui veux qu'il soit totalement épris. J'ai compris qu'il pensait à rompre, pour mon propre bien ou quelque chose du genre, mais il est hors de question que je le laisse faire.

— Tu es éblouissante, s'exclame Faye avec un hoquet de surprise. Tracker va en mourir. Son pénis va exploser.

— Eh bien, j'espère que ni l'un ni l'autre ne se produira, remarqué-je en la regardant avec de grands yeux.

Elle sourit de toutes ses dents avant de continuer à se maquiller.

— Qui a organisé tout ça pour Rake ?

— J'ai participé, avoue-t-elle. Il m'a dit ce dont il avait envie. Je crois qu'il a dit : *Je voudrais transformer les locaux en club libertin.*

— C'est bien le seul qui dirait une chose pareille, grommelé-je en mettant du rouge à lèvres écarlate et du mascara.

Replaçant un peu mes cheveux, j'étudie mon reflet dans le miroir, puis je lance un regard à Faye du coin de l'œil.

— Je suis prête à dominer cette soirée.

Elle éclate de rire et plante son mascara dans son œil.

— Merde !

Je ris encore plus.

— Oups.

— Génial, maintenant je vais avoir un œil tout rouge, se plaint-elle en me pointant avec son tube de mascara. C'est de ta faute.

— Je suis certaine qu'un des hommes a des gouttes pour les yeux, plaisanté-je.

— Boiras-tu ce soir? me demande-t-elle. Nous devrions préparer des cocktails ou quelque chose du genre.

— Je boirais bien un verre ou deux, accepté-je avant de me tourner vers son iPod lorsqu'une nouvelle chanson commence. Tu aimes One Direction?

Elle plisse les yeux.

— Ne me juge pas.

Mes lèvres frémissent.

— Je ne te juge pas.

Une lueur d'amusement illumine son regard.

— Je t'aime bien, Lana.

— Moi aussi, je t'aime bien.

— Nous devrions faire un plan à trois.

Je laisse tomber mon téléphone par terre.

— Tu devrais voir ta tête! hurle-t-elle, morte de rire.

Je commence à croire qu'il y a deux Faye. L'une est l'effrayante femme d'un motard capable de vous foutre une raclée et l'autre est la fillette immature qui ne vieillira jamais. Je me surprends à aimer les deux.

— Que se passe-t-il là-dedans? crie Tracker, qui rôde devant la porte que nous avons verrouillée de l'intérieur.

Faye lève les yeux au ciel.

— Doux Jésus, Tracker, lâche un peu la bride. Que pourrais-je bien lui faire ici qui puisse t'inquiéter?

— Je ne m'inquiète pas, se défend-il avant de marquer une pause. Peut-être que j'aimerais simplement pouvoir regarder.

— Il n'y a rien à voir, espèce de pervers! Hormis ta femme qui est plus séduisante que toutes les femmes que tu as vues dans ta vie.

Silence.

Puis, il frappe.

— Lana, ouvre la porte !

— Je ne peux pas, lui réponds-je. Je suis nue.

Je l'entends jurer.

— Vous passez beaucoup trop de temps ensemble, toutes les deux.

Faye et moi échangeons un regard, puis nous éclatons de rire.

— Anna est-elle en rogne parce qu'elle ne peut pas venir ce soir ? s'informe Faye lorsque nous sommes calmées.

— Oui, confirmé-je en secouant la tête. Mais qui voudrait voir son frère faire Dieu sait quoi ? Je crois qu'elle a dit qu'elle passerait peut-être avant que les choses dégénèrent, puis qu'elle partirait avec Arrow.

— C'est une bonne idée. Nous pourrions sans doute préparer une zone de sécurité et la faire entrer en douce sans que Rake s'en aperçoive.

— Je suis pour.

— Je vais lui envoyer un message pour la mettre au courant, poursuit Faye en pinçant les lèvres. Cette idée me plaît.

— À moi aussi. En revanche, Rake va nous tuer s'il l'apprend. Je sais qu'il ne veut vraiment pas qu'Anna voie ce qu'il mijote pour ce soir.

— Rake sera occupé, réplique Faye en enfilant ses talons hauts à lanières. Nous avons une heure devant nous. Allons préparer des cocktails.

Aussitôt que nous déverrouillons la porte pour sortir, je vois Tracker s'avancer vers moi d'un pas raide depuis l'endroit où, appuyé contre le mur, il discutait avec Sin.

— Putain, articule-t-il en silence en dévorant du regard chaque centimètre de mon corps.

Puis, il se replace les attributs, juste là devant tout le monde.

J'entends Faye imiter le bruit d'explosions.

Après avoir parcouru l'espace qui nous séparait, il m'attrape par le menton et me regarde droit dans les yeux.

— Tu es un véritable fantasme, le sais-tu ? À présent, nous allons retourner dans la chambre parce que je bande tellement que je suis sur le point de jouir dans mon froc.

Encore plus de bruits d'explosions de la part de Faye.

Sin et elle sifflent lorsque Tracker me soulève de terre et me jette par-dessus son épaule pour me ramener dans la chambre. Il ne se donne même pas la peine de fermer la porte, qui reste ouverte tandis qu'il m'allonge sur le lit en m'embrassant.

— Ferme la porte, grommelé-je.

— Non, refuse-t-il. Pas le temps.

— Tracker !

— Personne ne peut voir quoi que ce soit, me rassure-t-il en m'embrassant dans le cou. Je te cache. Si quelqu'un entre, je le tue. D'accord ?

— D'accord, chuchoté-je en réponse parce que j'ai confiance en lui.

Il baisse mon pantalon en cuir jusqu'à mes genoux, puis il écarte mes cuisses autant qu'il le peut. Après avoir baissé son propre pantalon, il sort son membre en érection qu'il frotte contre ma vulve.

— Ce sera brusque et rapide, Lana, m'avertit-il entre ses dents.

— Oui, soufflé-je, tellement excitée que je ne vois plus clair. Baise-moi, Tracker.

Il s'enfonce lentement en moi jusqu'à la garde, puis se retire et me pénètre à nouveau, plus brusquement. Tandis qu'il va et vient à un rythme sensuel, il m'embrasse goulû- ment, imitant avec sa langue les mouvements de sa queue. J'enfonce les doigts dans son crâne pour l'encourager à conti- nuer ; je ne veux pas qu'il se retienne. C'est tellement agréable qu'un seul regard réussisse à l'exciter ainsi, qu'il ait envie de moi à ce point. Une femme pourrait s'habituer à être appré- ciée à ce point, à recevoir autant d'attention.

— C'est si bon, poupée, soupire-t-il. La sensation est tel- lement parfaite. Tu me vas comme un putain de gant.

Je contracte mes muscles autour de lui, lui arrachant un autre gémissement.

— Plus fort.

— Tu prends ce que je te donne, Lana, rétorque-t-il en me mordillant l'oreille. Ne t'imagine surtout pas que tu as la maîtrise simplement parce que tu apparais avec une tenue digne d'un rêve érotique.

Je crie ma jouissance.

Tracker me rejoint bientôt au septième ciel, secoué de spasmes, les traits déformés en un séduisant masque de plaisir. Après m'avoir embrassée sur le front, les joues et le nez, il pose enfin un doux baiser sur mes lèvres.

— La fête a commencé sans moi ? entends-je Rake crier depuis l'embrasure de la porte ouverte.

— Fiche le camp d'ici si tu tiens à la vie, crie Tracker en réponse, sans aucune animosité dans la voix.

Il rive plutôt au mien son regard empreint d'un mélange de tendresse, de possessivité et de satisfaction.

— Lana, dit-il doucement.

— Oui ?

— Lorsque tu te promèneras ce soir dans ce pantalon en cuir ultra-séduisant et que tous les hommes qui te regarderont t'imagineront exactement comme ceci, mais avec eux au-dessus de toi, souviens-toi de cet instant. C'est à moi de te pénétrer, à moi de te faire jouir, de t'aimer, de te baiser.

— Pourquoi n'urines-tu pas tout simplement sur moi ? lancé-je d'un ton sec en levant les yeux au ciel.

— Je viens d'éjaculer en toi à la place, répond-il avec un clin d'œil. Il faudra s'en contenter.

Le Tracker espiègle est de retour.

— Tracker ?

— Oui, poupée ?

— Ferme cette fichue porte.

CHAPITRE 22

Rake est assis sur une chaise à profiter d'une danse contact de la part de deux femmes nues très souples. Anna est venue dire bonsoir, mais elle est partie au bout d'une heure lorsqu'elle l'a vu peloter deux femmes à la fois ; pas celles qui sont actuellement sur ses genoux. J'aurais fait la même chose. Après avoir aidé Faye à sortir de la nourriture et des boissons, je me suis assise sur les genoux de Tracker, d'où j'observe actuellement la folie autour de nous. Faye danse avec Sin de manière suggestive tandis que les autres hommes du club profitent des femmes et de l'alcool.

— S'agit-il de filles du Toxic ? m'informé-je en balayant la pièce du regard.

— Je pense que certaines d'entre elles, oui, affirme Tracker en me caressant la cuisse. Mais il y en a d'autres que je n'ai jamais vues.

Je décide de ne pas tenir compte de sa dernière phrase.

Je ne comprends pas pourquoi Rake n'a pas voulu fêter son anniversaire au Toxic, tout simplement, car de toute manière le club ressemble à un club d'effeuillage en ce moment.

— Lana, viens danser ! crie Faye lorsqu'elle perd son partenaire.

Je me lève des genoux de Tracker et vais danser avec elle l'espace de quelques chansons. Lorsque je me retourne, Tracker n'est plus là.

— Il est parti avec Irish, m'indique Faye avant de faire un signe de tête en direction de Sin. Il a demandé à mon homme de te surveiller.

Lorsque mon regard s'arrête sur Rake, je m'empresse de me détourner.

Putain de merde.

Une des filles est à genoux en train de lui tailler une pipe.

Au beau milieu de la pièce.

Je regarde Faye, trop effrayée pour regarder ailleurs. Tandis que mon niveau de malaise par rapport à la situation augmente, elle se met à rire.

— Allons boire un verre.

Ma sauveuse.

Bras dessus bras dessous, nous nous rendons à la cuisine même s'il y a aussi une table pleine de boissons dans l'autre pièce.

— Rake doit être tout un phénomène au lit.

Faye rit.

— Les choses que j'ai entendues… et vues, ajoute-t-elle en faisant la grimace. Mais c'est Rake. C'est un amour.

— C'est vrai, acquiescé-je en me versant un verre de jus d'orange avec un doigt de vodka.

Jess arrive avec quelques autres femmes que j'ai déjà aperçues au club à divers moments.

— Ça dégénère, là-bas.

— Je sais, reconnaît Faye. Tant que Rake s'amuse.

— Et que les femmes se tiennent loin de nos hommes, réplique Jess avec un sourire en coin. J'en ai vu quelques-unes reluquer notre président.

Faye se redresse.

— Qui serait assez stupide pour oser faire ça ? Je vais voir.

Elle sort de la pièce en trombe et je la suis. Avant que j'aie pu la rattraper, Tracker me trouve et m'entraîne à l'extérieur, où Irish et Vinnie sont assis en train de fumer. Je les salue tous les deux en m'asseyant à côté de Tracker.

— Vous ne profitez pas du spectacle ? leur demandé-je.

— La soirée est encore jeune, m'informe Vinnie avec un clin d'œil. Je vais attendre que Faye et toi soyez parties. Je ne voudrais pas que tu sois traumatisée à vie.

Je regarde Tracker.

— Tu vas rester ?

Il hoche la tête.

— Oui, Arrow va revenir aussi. Nous allons passer un peu de temps entre membres des Wind Dragons.

Il m'observe, attendant ma réaction. C'est à cet instant que je constate qu'il croit que je vais me mettre en colère.

— Faye et moi pourrions faire quelque chose ensemble, toutes les deux, plutôt que d'être renvoyées à la maison, proposé-je.

Il plisse les yeux.

— Vous n'irez nulle part toutes les deux.

— Nous irons chez Faye ou quelque chose du genre.

— Je préférerais que vous alliez toutes les deux au lit assez tôt, grommelle-t-il. Restez ici au club, mais laissez-nous un peu de temps pour faire la fête avec Rake.

Il veut que j'aille me coucher tôt ? Tandis qu'il reste debout à faire la fête sans aucune d'entre nous ? Je décide de me taire, car deux de ses frères sont ici et écoutent notre conversation. Je bois plutôt mon verre en profitant de la musique qui s'échappe du club. Les hommes discutent entre eux, mais je ne porte pas attention à leur conversation ; je me contente de me blottir contre Tracker. Lorsque je dois aller aux toilettes, je retourne à l'intérieur et constate que la fête a dégénéré encore plus. Les gens, nus et parfaitement insouciants, ont littéralement des relations sexuelles en public. Jamais je n'aurais cru assister en direct à ce genre de spectacle, mais côté recherche, la scène constitue du sacré bon matériel. En passant à côté de deux hommes avec une femme, je trouve même l'inspiration nécessaire pour écrire une scène de plan à trois.

— Ça te plaît de regarder, n'est-ce pas ? dit Tracker, derrière moi, en m'attirant contre son torse. Tu m'étonneras toujours, Lana.

Nous nous asseyons sur le canapé et observons les couples sensuels autour de nous. Je me sens mal à l'aise. Curieuse également. Je ne sais pas où regarder. Mais je suis ici et je vais tirer le maximum de ce… Peu importe ce dont il s'agit. Tandis que Tracker caresse paresseusement la courbe de mes seins, je vois Rake, qui se fait sucer par l'une des femmes, s'allonger sur le dos. L'autre femme s'assied sur son visage. Le rose me monte aux joues. Oui, j'ai besoin d'un autre verre. Quelque chose de plus fort. Tracker me serre davantage contre lui et se met à bécoter ma clavicule.

— Ça va ? me demande-t-il. Nous pouvons aller dans notre chambre si tu veux. Ou tu peux rester ici et regarder. Personne n'osera te toucher, même s'ils en ont envie.

Je déglutis péniblement. Je ne sais pas ce que je veux. Je suis figée.

Tracker sourit de toutes ses dents et m'attire sur ses genoux.

— Embrasse-moi.

Son ordre me sort de ma torpeur.

Reportant toute mon attention sur lui, je l'enfourche et l'embrasse. Lorsqu'il agrippe mes fesses à pleines mains, je me frotte doucement contre lui tandis que le baiser devient plus profond, plus érotique. Sa langue rejoint la mienne, puis il mordille ma lèvre inférieure. Je pose les mains sur ses joues et en sentant la rugosité de sa barbe blonde naissante, j'ai envie de la sentir ailleurs. Lorsqu'il baisse légèrement mon haut pour exposer mes seins, je ne l'en empêche pas. Le regard voilé par le désir, il me serre encore plus contre lui pour que personne d'autre ne puisse voir mes mamelons.

— Dis-moi de t'emmener dans la chambre, sinon je vais te baiser ici même, m'avertit-il d'une voix rauque.

Je ne dis rien.

— Lana, grogne-t-il. Dis-le-moi immédiatement.

Il m'enlève complètement mon haut, me dénudant jusqu'à la taille.

Ma dernière chance.

— Je ne rigole pas, Lana. Tout le monde est sur le point d'avoir droit à un spectacle et je suis trop excité pour m'en soucier.

Une chanson de Nine Inch Nails joue en arrière-plan : *Closer.*

Plus près.

Je ne dis toujours rien.

— Tu dois me le dire, Lana.

— Baise-moi ici, lui intimé-je. Tout de suite. Ça m'est égal aussi.

Il me soulève et m'allonge sur le canapé.

Il baisse mon pantalon et me prend.

Exactement comme je le lui ai demandé.

***

Le lendemain matin, à tête reposée et dans une ambiance complètement différente, la réalité me rattrape.

Oh mon Dieu.

J'ai eu une relation sexuelle.

Avec Tracker.

Dans une pièce bondée.

Certes, tout le monde faisait la même chose et ne portait probablement pas vraiment attention, mais quand même.

Je ne serai plus jamais capable de regarder qui que ce soit dans les yeux.

Je vais devoir déménager.

Dans un autre pays.

J'entends Tracker soupirer à côté de moi.

— Pourquoi est-ce que je savais qu'en te réveillant ce matin, tu allais tout suranalyser et te mettre en rogne contre moi?

— Je dois faire des cartons, murmuré-je.

— Pardon? s'enquiert-il en s'asseyant, ce qui fait tomber la couverture et révèle son séduisant torse bien ferme.

— Je dois déménager. Je ne serai plus jamais capable de regarder qui que ce soit en face. Plus jamais, divagué-je. Je vais peut-être déménager en Irlande. Il paraît que Galway est vraiment magnifique. Un paradis pour les écrivains. Oui, c'est là que je devrais m'installer.

— Ce que tu devrais faire, c'est te calmer, m'intime Tracker, qui semble maintenant sur le point d'éclater de rire.

Personne ne te dira quoi que ce soit. Oui, il est possible qu'on te gratifie de quelques sourires entendus, et alors ? Envoie-les paître. Ils étaient tous jaloux de moi hier soir.

J'expire lentement.

— Si tu tiens à aller en Irlande, poursuit Tracker, je vais t'y emmener, putain. Pour les vacances. Maintenant, tais-toi et dors.

Je lui fais les gros yeux.

— Tais-toi toi-même, grommelé-je en fermant les yeux.

Je suis en train de me rendormir lorsque je l'entends glousser.

***

Je mange mes céréales, évitant le regard de Rake.

— T'es-tu bien amusée hier soir ? me questionne-t-il d'une voix plutôt innocente, mais qui me met tout de même les nerfs à vif.

Je hausse les épaules.

— Je suppose que oui.

— J'ai entendu dire que ç'a été le cas.

— Eh bien, tu aurais pu le constater par toi-même s'il n'y avait pas eu une chatte assise sur ton visage.

Il s'étouffe avec ses céréales, puis éclate de rire jusqu'à ce qu'il manque d'air.

— Putain, Lana vient-elle de dire *chatte* ? Sacrément épique. Tracker t'a corrompue, pas vrai ? L'innocente petite Lana est morte depuis longtemps.

S'ils savaient le genre de choses que j'écris tous les jours, ils sauraient que mon esprit n'a jamais été innocent.

— Je suis toujours la même, grommelé-je en remuant le lait dans mon bol.

— Je te taquine, tout simplement, se défend Rake avec quelques gloussements supplémentaires. Tant que tu es à l'aise avec ce qui s'est passé, je le suis aussi. Je ne te juge pas. Je me paie ta tête, c'est tout.

— Est-ce que tout le monde nous a vus ? m'informé-je en un murmure.

Il secoue la tête.

— Non. J'étais là, mais comme tu l'as dit, j'étais occupé. Je pense qu'Irish et Vinnie vous ont peut-être vus. Quelques membres des autres chapitres qui sont venus traîner ici pendant un certain temps. Mon ami Zach vous a vus. Il m'a raconté à quel point tu étais hyper séduisante.

J'enfouis mon visage entre mes mains.

— Tuez-moi, quelqu'un. Tout de suite. Rake, tire-moi dessus, s'il te plaît.

— N'en fais pas tout un drame. As-tu vu tout ce qui s'est passé ici hier soir ? Crois-tu vraiment que les gens ont fait attention à un peu de sexualité conventionnelle sur le canapé ?

Ma foi. À l'entendre le décrire ainsi, j'ai l'impression d'être vraiment égocentrique.

— D'accord, concédé-je simplement en espérant tout de même que mon aventure ne se rendra pas aux oreilles d'Anna.

Parce que si c'est le cas, elle va se foutre de moi jusqu'à ce qu'elle manque d'air.

Irish s'assied et me gratifie d'un grand sourire.

— Tracker est un sacré veinard. Faye et Anna n'auraient pas fait ça. Jamais de la vie.

— Oh mon Dieu ! Tais-toi ! Sinon, je déménage dans ta mère patrie, indiqué-je à Irish. À Galway, plus précisément.

— Un endroit magnifique, rétorque-t-il, un sourire en coin illuminant ses traits séduisants.

— Je vais chez ma mère, déclaré-je. Jusqu'à ce que quelqu'un d'autre fasse quelque chose de mémorable à propos de quoi nous pourrons tous commérer.

Ils me regardent tous, amusés, tandis que je me frappe la tête sur la table.

**

Je ne tiens pas compte du grand sourire de Faye lorsque je la contourne pour attraper mon sac.

— Je vais y aller, maintenant. Je vais laisser ma dignité derrière moi.

Elle se met à rire en tapant sur le comptoir.

— Tu t'es bien amusée. Ça n'a rien de honteux, Lana. Les gars pensent que tu es géniale.

— Peut-être, mais ce sont tous de sales pervers, la relancé-je en courbant le dos. Je ferais mieux de rentrer. J'ai une montagne de travail qui m'attend.

— Où est Tracker ? s'enquiert-elle.

— Il s'est rendormi. Blade est-il debout ? Si je pars toute seule, Tracker va…

Je cherche le bon mot.

— Te sodomiser ? propose Faye.

Je pince les lèvres.

— Non, j'allais dire se mettre en colère. Ce n'est pas arrivé hier soir. Ni jamais, ajouté-je après avoir marqué une pause.

Évidemment, il a fallu que Rake arrive dans la pièce à cet instant et entende la dernière partie de la conversation.

— Lana n'est donc pas une siiiiii vilaine fille, dans ce cas.

Je cligne lentement des yeux.

— Je ne viendrai plus jamais ici.

— Non, seulement sur le canapé, lance malicieusement Rake.

Faye et lui se tapent dans la main comme des débiles.

Je trouve Blade et fiche le camp.

***

— Tu as fait quoi ? s'exclame Anna en riant avant que sa mâchoire se décroche. Putain de merde, ç'a l'air excitant. En revanche, je suis bien contente de ne pas t'avoir vue nue en train de te farcir Tracker.

Elle passe une main sur sa bouche.

— Espèce de petite perverse, va. Enfin, c'est logique. Tracker baisait probablement Zada Ryan et non Lana Brown.

Je lui pince le bras.

— Peux-tu baisser la voix ?

Nous balayons toutes deux le café des yeux.

— Personne ne m'a entendue. D'ailleurs, seuls les lecteurs de porno reconnaîtraient ce nom.

Je la fusille du regard.

— Ce sont des romans d'amour, pas du porno.

Elle hausse les épaules.

— Faye pense que c'est du porno. Elle dit que Sin et elle connaissent leurs meilleures baises après parce qu'elle est très excitée.

Je soupire en posant mon menton dans ma main.

— Il n'y a aucun tabou dans ce club, pas vrai ?

Anna secoue la tête d'un air contrit.

— Non. Cela dit, il en est ainsi dans la plupart des familles. Peut-être pas au point d'avoir des relations sexuelles les uns devant les autres, mais pour le reste ? Pas de tabous.

Je lui mets une claque sur l'épaule, mais laisse la première partie de sa phrase faire son chemin.

Elle a raison.

— Je devrais tout simplement emménager avec Tracker, n'est-ce pas ?

— Si tu penses qu'il est le bon. À toi de voir. Mais c'est ce que je ferais si j'étais à ta place, admet-elle avant de hausser un sourcil. En plus, ça me plaît de penser que tu seras là avec moi.

— Je ne suis pratiquement jamais chez moi, précisé-je. J'ai l'impression que je n'ai pas vu ma mère depuis des jours.

— Comment va-t-elle ? me demande Anna en s'enfonçant sur son siège. Des nouvelles de ton père ?

— Ma mère va bien. Occupée par le travail. Pas de nouvelles de Quinn, non.

Comme je ne savais qu'en penser, j'évitais de me pencher sur la question.

— Comment va la production de bébé ? la questionné-je pour changer de sujet.

— Ça fait deux mois et toujours rien, mais j'ai lu que c'est plus long pour certains. Contrairement à Faye, qui est tombée enceinte en une seule nuit.

Nous échangeons quelques plaisanteries à propos des champions nageurs de Sin.

— Je ferais mieux d'aller en cours, annoncé-je en me levant. Vas-tu au zoo ?

Elle hoche la tête.

— Oui et après je retourne à l'université.

— Étudiantes de jour, régulières de nuit.

— Auteures de porno, ajoute-t-elle, effrontée.

— Productrices de bébés.

Nous sourions de toutes nos dents.

***

Je ne dis pas à Tracker que j'ai décidé d'emménager. J'emménage, tout simplement. J'apporte une valise qui contient tout ce dont j'ai besoin pour l'instant et range mes vêtements dans ses tiroirs. Lorsqu'il arrive et m'aperçoit, un immense sourire se dessine sur ses lèvres.

— Il était temps.

— Tu te lasseras de moi bien assez vite.

— Jamais, proteste-t-il. As-tu besoin d'aide ?

— Ça va. J'aurai peut-être besoin d'un peu plus d'espace, en revanche.

— Je vais t'en faire, accepte-t-il en enlevant son t-shirt, qu'il lance par terre. Il ôte ensuite son jean et son caleçon.

— Tu as besoin d'attention, n'est-ce pas ? lui demandé-je en l'examinant de la tête aux pieds.

Mon Adonis à moi.

— Toujours, atteste-t-il.

À voir la lueur dans ses yeux, je sais qu'il a envie de moi. Tout de suite.

Je claque la porte du placard et m'approche de lui d'un pas raide.

Question de priorités.

CHAPITRE 23
TRACKER

Ma femme a emménagé au club.

Il était plus que temps.

Quelle petite entêtée. Je souris en la regardant dormir sur le ventre. La couverture remontée jusqu'au-dessus de ses fesses rondes laisse voir l'adorable creux de ses reins. J'ai envie d'en suivre les contours avec ma langue. Je prends mentalement note de le faire plus tard.

Elle est vraiment tout un numéro. Fascinante. Irrésistible. Quelqu'un que j'ai juste envie de garder derrière moi, à l'abri des réalités de la vie.

Un trésor.

Je suis sorti avec beaucoup de belles femmes, j'en ai eu plus que ma part et j'ai eu du plaisir avec chacune d'entre elles. J'adore les femmes. Leur odeur, leur gentillesse. Leur douceur. Les soupirs qu'elles poussent, l'odeur de leurs cheveux.

Absolument tout.

Mais Lana est *ma* femme, pas seulement une parmi tant d'autres.

Jamais je ne me suis senti aussi proche de quelqu'un auparavant. Jamais je n'ai accordé autant d'importance à ce que quelqu'un pense. Jamais je n'ai donné à quelqu'un le pouvoir de me faire du mal, mais à elle, si. Ce que Faye est pour Sin, ce qu'Anna est pour Arrow, Lana l'est pour moi. C'est la femme née pour monter à l'arrière de ma moto, bien s'accrocher et profiter de la vie au maximum avec moi. Je possède une insatiable soif de vivre : j'adore manger, baiser, conduire, plaisanter et taquiner tout le monde. Faire rire les gens qui m'entourent. J'adore mes frères, mon club... Maintenant que j'ai Lana avec qui partager ma vie, je l'aime plus que tout le reste.

Je ne sais même pas comment c'est arrivé.

Je n'ai jamais été du genre possessif, mais je comprends maintenant que c'était uniquement parce que je ne m'étais jamais attaché à ce point. Je ne croyais pas pouvoir trouver quelqu'un qui me convienne, c'est pourquoi je me contentais habituellement de me ranger. Sortir avec Lana n'est pas se ranger. Ce n'est pas facile, mais c'est la chose à faire. Je ne comprends pas vraiment comment quelqu'un qui mène le genre de vie que je mène peut convenir à quelqu'un comme elle. Elle est douce et du genre légèrement intello. Minuscule. On dirait qu'un fort coup de vent suffirait à l'emporter. Mais mentalement, elle est solide. Elle se bat contre elle-même tous les jours, je le vois bien, et elle se bat pour devenir plus forte. Pour exprimer ses sentiments plutôt que de les refouler. Pour faire de nouvelles expériences. Pour sortir de sa carapace d'introvertie. Elle aime mes frères autant qu'elle m'aime.

Amoureuse de l'homme, amoureuse du club.

Je n'arrive même pas à expliquer mon obsession envers elle.

Sa chatte est meilleure, ses lèvres sont plus douces et son haleine est plus délicieuse que toutes celles que j'ai goûtées jusqu'ici.

Tout est mieux avec elle à mes côtés.

C'est comme si elle avait été créée pour moi, pour mon plaisir. Pour mon bonheur. Putain, elle me rend fou. Elle a autant, sinon plus, envie de moi que moi, d'elle. Elle sait comment prendre soin de moi ; elle veille sur moi.

Elle est parfaite.

Elle a l'étoffe d'une épouse et d'une mère.

Elle a aussi l'étoffe d'une régulière, ce qu'elle ne cesse de me prouver.

Je suis un sacré veinard et je suis sacrément heureux de m'être battu pour elle.

Je pose un baiser sur son épaule nue, puis je m'habille et quitte la pièce, lui jetant un dernier coup d'œil avant de fermer la porte.

— Te voilà, déclare Sin lorsque j'entre dans la chapelle.

À moins d'en avoir reçu l'invitation, et jamais pendant les réunions, seuls les membres sont admis dans cette pièce. C'est l'endroit où nous discutons de nos affaires secrètes et où les décisions sont prises.

— Tout va bien ? le questionné-je en le regardant faire les cent pas.

— Ces enculés préparent quelque chose, grommelle-t-il. Il faut les sortir de notre ville.

Talon était venu nous informer de la présence d'un autre club sur notre territoire. Les Kings of Hell sont ici pour une raison, mais nous n'arrivons pas à comprendre laquelle. Leur présence nous rend tous extrêmement nerveux. Nous nous demandons si nous devrions frapper les premiers ou attendre qu'ils nous montrent leur jeu.

— Vinnie les tient à l'œil, n'est-ce pas ?

Sin hoche la tête.

— Oui. Il semblerait qu'ils font du trafic d'armes et de drogues. Mais je ne sais pas pourquoi ils surveillaient Anna et Lana. Il nous manque une pièce du casse-tête et je ne sais pas de quoi il s'agit.

— Les femmes sont bien protégées, le rassuré-je. Personne ne nous les enlèvera. Celui qui essaiera se fera étriper.

L'air fatigué, Sin passe une main sur son visage.

— D'accord. Les flics fouinent aussi dans les parages. Je pense qu'ils savent que quelque chose cloche, mais cette fois, ça n'a rien à voir avec nous. Ils se demandent probablement aussi ce que ces trous du cul font ici. Ça va barder ; c'est tout ce que je sais.

— Tu vois, même quand nous nous conduisons bien, on nous fait porter le blâme, blagué-je. Nous devrions tout simplement aller leur éclater la tronche et les jeter hors de notre ville. Les flics nous remercieraient peut-être.

— Définis *bien*, répond Sin, sarcastique. Ça peut constituer notre plan B.

Sa remarque me fait rire.

— D'accord, pas *bien*. Disons *mieux*. Ou qu'il y a de l'amélioration. Hé, Arrow n'a tué personne dernièrement. J'appelle ça une bonne chose.

Sin se contente de répondre par un grognement.

— Tu peux plaisanter avec n'importe quoi, n'est-ce pas, espèce d'enfoiré ?

— Tu me connais, lancé-je avec un sourire en coin.

Il secoue la tête.

— Je te connais, mon frère. Je sais que tu veilles sur moi. Nous allons démêler cette histoire ; nous y arrivons toujours.

— Sin, dis-je doucement.

— Oui ?

— Nous donnerions tous notre vie pour protéger Clover, le rassuré-je d'un ton solennel.

— Je le sais, déclare-t-il immédiatement. Crois-moi, mon frère, je le sais. D'ailleurs, ajoute-t-il avec un petit sourire, il faudrait qu'ils commencent par marcher sur le corps de ma femme.

**

— Tracker, il y a longtemps que je ne t'ai pas vu, roucoule une voix familière.

Avec une grimace, je me tourne vers la femme tout en m'efforçant d'arborer un visage passif.

— Leanne, que fais-tu ici ? demandé-je à la sœur cadette de Jess.

— Je suis venue rendre visite à Jess, m'informe-t-elle avec un sourire charmeur. Puis, tu me manquais.

Cette fois-ci, je ne me donne pas la peine de cacher ma grimace.

— Désolée, ma chère, mais je ne suis plus libre.

Elle glousse, un bruit qui me tape sur les nerfs.

— C'est ça oui, comme lorsque tu sortais avec Allie ?

— Je n'ai pas à me justifier devant toi, craché-je avant de reprendre la maîtrise de mes émotions. Je t'ai baisée à quelques reprises et ça ne se reproduira plus. Je suis certain que Rake serait intéressé. Ou un des autres hommes.

Elle pose une main sur mon torse et je baisse les yeux dessus d'un air dégoûté. Pourquoi certaines femmes n'acceptent-elles pas qu'on leur dise non ? Elles ont beau être magnifiques avec un corps hyperséduisant, comme Leanne, je n'ai pas nécessairement envie d'elles quoi qu'il arrive. Je ne risquerai pas de perdre Lana à cause d'une femme facile. Le pire dans toute cette histoire, c'est que Leanne est amie avec Allie et qu'elle me baisait tout de même quand son amie avait le dos tourné. De telles femmes me donnent envie de me prosterner devant les pieds de Lana tellement je suis heureux d'avoir trouvé une femme en qui je peux avoir confiance. Une femme loyale et vraiment bien. Je n'en mérite pas tant, mais je ne me contenterais pas de moins. Anna arrive dans la cuisine et analyse la scène qui se déroule sous ses yeux.

— Ôte ta main de Tracker si tu tiens à ce qu'elle reste attachée à ton corps maigrichon, l'avertit Anna, qui est toujours à veiller aux intérêts de sa meilleure amie, d'un ton agressif.

Leanne s'écarte.

— Tu ne peux tout de même pas me reprocher d'avoir essayé.

— En fait, si, réplique Anna. Je vais le faire.

— Je vais aller rejoindre Jess, bredouille Leanne avant de quitter la pièce.

— Anna Bell, dis-je en secouant la tête. Tu es en train de devenir encore plus effrayante que Faye.

Elle garde les yeux plissés.

— Pourquoi te touchait-elle?

— Tu rigoles, n'est-ce pas? Je lui ai dit que je ne voulais rien avoir à faire avec elle, lâché-je, fâché qu'elle ait si rapidement sauté aux conclusions.

Ses épaules s'affaissent.

— D'accord.

— Doux Jésus, depuis quand les femmes ont-elles pris les rênes ici ? m'enquiers-je.

J'ai envie de frapper quelque chose.

— Je me demandais exactement la même chose, intervient Rake en passant la main dans ses cheveux blonds en bataille. Putain, elles vont bientôt tout gérer.

Anna s'empresse de quitter la pièce.

Voilà une femme intelligente.

— Veux-tu monter sur le ring avec moi ? proposé-je à Rake.

J'ai réellement besoin de frapper quelque chose. Ou quelqu'un.

— Ouais, donne-moi une heure et je te rejoins là-bas, accepte Rake. Je vais d'abord baiser Leanne, rien que pour la faire taire.

Son commentaire me fait rire.

— Mieux vaut toi que moi, mon frère.

Rake hausse les épaules.

— Hé, une chatte, c'est une chatte.

Je souris de toutes mes dents. Rake se farcit encore plus de femmes qu'à l'habitude et je ne peux pas m'empêcher de me demander ce qui ne tourne pas rond chez lui. J'ai comme l'impression que ç'a quelque chose à voir avec Bailey, son ex.

Je garde mes pensées pour moi et me contente de lui taper sur l'épaule.

— Je te verrai dans une heure.

Il ferait mieux d'être prêt, parce que je ne suis pas de très bonne humeur.

***

Plus tard ce soir-là, je rentre du Rift fatigué et je n'ai qu'une seule envie : prendre une bonne nuit de sommeil avec Lana dans mes bras. Il y a eu des ennuis au bar ; nous avons dû nous occuper de quelques types qui vendaient de la meth. Nous ne voulons pas de trafic de drogue dans nos entreprises, surtout si nous n'en tirons aucun avantage. Nous ne voulons pas non plus que ces connards défoncés fréquentent l'endroit. Nos femmes sortent au Rift la plupart du temps et nous voulons que l'endroit soit sécuritaire pour elles. Enfin, à part nous. C'est un bar de motards, *notre* bar de motards, et un des avantages est que nous pouvons en diriger l'accès.

Je trouve Lana déjà endormie sur le lit, son portable posé sur son ventre. Elle porte encore ses lunettes, qui sont de travers, et elle ronfle légèrement. Un bruit charmant, contrairement aux ronflements d'Anna. Je lui enlève ses lunettes et les pose sur la table de chevet. Après avoir embrassé ses lèvres molles, je soulève l'ordinateur et l'écran noir s'illumine pour afficher une page blanche, un document sur lequel Lana travaillait. Lorsque le mot *baise* attire mon attention, je souris de toutes mes dents et pose l'ordinateur sur le dessus de ma commode. Qu'écrit-elle donc ? Je sais qu'elle écrit beaucoup ; elle a même mentionné vouloir aller en Irlande pour trouver de l'inspiration. Elle a nonchalamment laissé entendre que certaines de ses œuvres avaient été publiées, qu'elle gagnait de l'argent ainsi et elle avait même déjà plaisanté à propos du fait qu'elle écrivait du porno. Lorsque j'aperçois le mot *orgasme*, je commence à me demander s'il s'agissait de la vérité.

Mes lèvres s'étirent encore davantage.

Curieux, je lis le premier paragraphe… Puis, le deuxième et le troisième.

Rogue, un séduisant motard, fêtait son anniversaire, mais cette soirée n'avait rien de commun avec aucune autre fête à laquelle j'avais assisté. J'observais avec de grands yeux les gens se tripoter ouvertement dans la pièce tandis que le club prenait des allures libertines le temps d'une nuit.

Séduisant motard ? Parlait-elle de Rake ?

Je vois rouge.

Je lis tout, du début à la fin.

Puis, en rogne, j'efface tout.

Elle écrit à propos de motards ? À propos de trucs qu'elle a vus au club ? De la dynamique ? Croyait-elle que c'était acceptable ?

Comment a-t-elle pu faire une telle chose ?

Le club avait confiance en elle. J'avais confiance en elle.

Elle nous a tous trahis.

***

Le lendemain matin, lorsque Lana se réveille, je suis assis sur ma chaise dans le coin de la chambre et je la regarde.

— Bonjour, me salue-t-elle d'une voix endormie tandis qu'un sourire se dessine sur ses lèvres pulpeuses. Tu t'es réveillé tôt.

Je n'avais pas dormi.

— J'ai lu ce que tu as écrit, annoncé-je, allant droit au but. Je savais que tu écrivais, mais je ne savais pas que tu écrivais des livres. Des livres de motards. Est-ce la raison pour laquelle tu es ici ? Pour faire de la recherche pour tes putain de livres à la con ?

Elle s'assied en fronçant les sourcils.

— Tu ne peux pas sérieusement penser ça. Ce n'est que de la fiction, Tracker.

— De la fiction basée sur nos vies, craché-je, tellement en colère que mon jugement en est affecté.

La douleur irradie dans ma poitrine à l'idée que Lana n'est pas celle que je croyais. Ce pour quoi je l'admirais, je l'aimais, sa loyauté, tout n'était que foutaise.

— Ce n'est pas ça du tout, Tracker. Jamais je ne trahirais ta confiance ainsi. Je te l'avais dit, tu te souviens ? Je t'ai dit que je…

— Tu m'as dit que tu écrivais, oui. Mais de toute évidence, tu ne m'as pas tout dit, ragé-je. Tu n'as jamais mentionné le fait que ç'avait quelque chose à voir avec des motards. C'est ma putain de vie, Lana ! Mon club ! Si les gens découvrent qui tu es, que vont-ils penser ? Ils vont savoir que la majeure partie de ce que tu écris est vraie.

— Les seules choses qui sont vraies sont quelques-unes des scènes érotiques ! hurle-t-elle en guise de réponse. Je n'ai jamais rien écrit à propos des allées et venues du club ou de quoi que ce soit qui puisse être considéré comme de la trahison. Tu dramatises, Tracker.

Mais chacune des scènes que j'avais lues s'était réellement produite. L'anniversaire de Rake, la manière dont nous avions baisé cette nuit-là, les fois où nous faisions l'amour, chaque putain de détail de ce que nous avions expérimenté et partagé ensemble. Elle documentait tout.

Elle documentait notre vie amoureuse.

Doux Jésus.

Je la vivais tandis qu'elle mémorisait tout pour pouvoir le raconter.

Prenait-elle des notes pendant que nous baisions ?

Doux Jésus. Alors que je suis tellement attaché à elle, tellement épris que j'ai du mal à me souvenir de mon propre nom quand je suis avec elle, ses pensées se bousculent dans sa tête. Les plus tranquilles sont toujours les pires, n'est-ce pas?

Je me sens trahi.

Pire encore, j'ai l'impression que je ne la connais pas. Ai-je mis le club en danger? A-t-elle écrit des choses confidentielles à notre sujet? A-t-elle sauvegardé l'information? Quelque chose a-t-il déjà été publié?

N'est-ce pas une chose dont il faudrait discuter en détail avec son compagnon?

Toute cette histoire est un vrai merdier.

C'est probablement une question de karma.

Toutes les femmes à qui j'ai fait du mal par le passé, toutes les choses que j'ai faites m'ont mené à cet instant.

À l'instant où une femme, un tout petit bout de femme, me brise le putain de cœur à coup de mensonges et d'omissions. J'ai fini par tomber amoureux d'une femme et à présent je me sens vulnérable. Je manque d'assurance. J'ai sacrément mal.

Ça ne me plaît pas.

Quand lui ai-je donné le pouvoir de maîtriser mes émotions? Je pense que, jusqu'à maintenant, je ne m'étais même pas rendu compte d'à quel point j'étais épris.

— Tracker, jamais je n'écrirais quoi que ce soit à propos de…

— C'est beaucoup trop tard pour les explications, Lana, l'interromps-je d'une voix glaciale. Ramasse tes affaires et fiche le camp. J'en ai marre.

J'avais totalement confiance en elle. Je lui ai tout donné. Je lui ai donné ma famille, ma protection, mon amour. Je me suis donné à elle. J'ai changé pour elle.

Pendant tout ce temps, que faisait-elle ? Elle écrivait un livre à propos de mon mode de vie ?

Ce n'est pas une putain d'histoire ; c'est ma vie.

Je me lève et m'en vais sans tenir compte du son de ses pleurs.

Lui laissant les débris de mon cœur brisé.

CHAPITRE 24
LANA

Une semaine s'est écoulée. Il refuse de me parler, de me laisser m'expliquer. Il a effacé mon travail. Tout mon bon travail, perdu à cause de sa colère malavisée. Maintenant, nous ne pouvons même pas en discuter parce qu'il refuse de me voir. Je n'ai pas remis les pieds au club depuis le jour où il m'a dit de partir. Je ne vais pas là où je ne suis pas la bienvenue. J'ai essayé de l'appeler et lui ai envoyé quelques messages, mais je n'ai pas obtenu de réponse. Rien. Il m'a sortie de sa vie, aussi facilement. Je mériterais à tout le moins d'avoir l'occasion de m'expliquer. Je n'ai rien fait de mal et il n'est pas blanc comme neige non plus. Il m'a fait de la peine à moi aussi en me pensant capable du pire, en sautant aux conclusions. Depuis le début, j'avais raison : les hommes ne restent pas. C'est inévitable.

Je ne trahirais jamais le club et les seules scènes que j'avais écrites, avant que Tracker les efface, étaient des scènes érotiques ; les moments extraordinaires que Tracker m'avait fait vivre, immortalisés à tout jamais par l'écriture. Où est le mal ? S'il a lu toute l'histoire, comme il l'a dit, il saurait ce que j'ai écrit. Dans ce cas, pourquoi agissait-il ainsi ? Jamais je ne l'ai utilisé. Je l'aime plus que tout. Parce que je ne lui avais pas tout dit à propos de ma carrière d'écrivaine, je l'avais perdu. Pour des conneries.

L'amour de ma vie.

Je n'ai pas tapé un seul mot depuis.

Tracker refuse même de me laisser arranger les choses. Anna m'a dit qu'il ne l'écoutait pas non plus et qu'il quittait la pièce chaque fois qu'elle essayait d'aborder le sujet. Il en a marre de moi.

Marre.

Je ne suis plus qu'une coquille vide.

Je souhaiterais presque pouvoir remonter le temps jusqu'avant Tracker. Ainsi, je pourrais continuer à vivre. Ainsi, je ne saurais pas ce que c'est de vivre avec un cœur brisé. Ainsi, je ne saurais pas ce que c'est d'avoir quelqu'un qui m'aime et prend soin de moi. Parce que la perte fait sacrément mal.

Mais la vie continue.

Le lendemain du jour où il m'a mise à la porte, j'ai emménagé dans cet appartement que je voulais, celui qui ne plaisait pas à Tracker.

Il paraît vide.

Dans les environs, j'aperçois parfois Blade qui me tient à l'œil. Je ne sais pas si c'est Tracker qui lui a demandé de le faire. C'est peut-être Rake. D'une manière ou de l'autre, je ne sais pas si c'est parce qu'ils se font encore du souci pour moi ou parce qu'ils n'ont plus confiance en moi.

La blessure fait mal, très mal.

J'écris de la fiction. Je ne suis pas une journaliste qui essaie de compromettre quelqu'un ; je suis simplement une amatrice de romans d'amour.

Ou du moins, c'est ce que j'étais.

Anna me rend visite tous les jours, mais nous ne parlons pas de Tracker. Je n'ai pas envie de parler de lui. Je ne veux pas savoir avec qui il sort à présent ou à quel point il me déteste.

Je veux oublier tout souvenir de lui.

— Lana ? crie Anna en entrant dans ma chambre avant de s'asseoir et de me regarder fixement. N'as-tu pas cours ? Je suis passée par le campus, mais puisque tu n'étais pas là, je suis venue ici. Tu n'as même pas répondu à la porte. Heureusement que j'avais apporté ma clé.

— Désolée, m'excusé-je avec un sourire forcé. Je ne me sens pas très bien, je suis donc restée à la maison. J'étais perdue dans mes pensées.

Elle soupire.

— Je sais que tu ne veux pas parler de lui, mais je pense que vous devriez tous les deux cesser de vous entêter et…

— Il ne veut pas entendre ce que j'ai à dire. Nous passons tous les deux à autre chose. C'est mieux ainsi.

Anna balaie ma chambre du regard.

— En quoi est-ce mieux ? Tu ne quittes presque jamais cet appartement. Tu ne vois personne. Tu te transformes en ermite.

— Je gère la situation de mon mieux et tout va bien aller, lui assuré-je en hochant la tête. Parfaitement bien, putain.

— C'est ça oui, répond-elle d'un ton sec.

— Des gens se font briser le cœur tous les jours. Je ne fais que gonfler les statistiques.

— T'entends-tu ? hurle-t-elle. Remue-toi les fesses et saute sous la douche immédiatement, putain. Autrement, je demande à Rake et à tous les autres de venir te régler ton cas. À toi de décider.

— Très bien, grommelé-je d'un ton disgracieux. Je vais prendre une douche. Prépare quelque chose à manger.

— Je m'y mets, accepte-t-elle en quittant la pièce.

Chassant de mon esprit Tracker et tout ce qui va avec, je traîne mes fesses jusque sous la douche.

***

Une semaine plus tard, je reçois un appel d'Arrow.

— Lana, dit-il d'un ton bourru. Anna a besoin de toi.

Je me redresse.

— Que se passe-t-il ?

— Viens au club, s'il te plaît, m'intime-t-il avant de raccrocher.

Arrow a dit *s'il te plaît* ?

Quelque chose ne tourne pas rond.

Je m'empresse d'enfiler un short et de mettre un soutien-gorge sous mon t-shirt, puis je monte dans ma voiture et me rends en vitesse jusqu'au club. En entrant, je ne m'occupe pas de tous les regards que j'attire et encore moins de ceux de Tracker, que j'aperçois du coin de l'œil assis sur le canapé.

Comme je m'y attendais, il n'est pas seul.

Une jolie blonde est assise à côté de lui.

La douleur est tellement fulgurante que je n'arrive même pas à les regarder en face.

— Où est-elle ? m'informé-je sans tenir compte de la douleur, qui est tellement atroce que je la ressens physiquement.

Rake sort de l'ombre et m'attrape par le bras pour m'entraîner vers la chambre qu'Anna partage avec Arrow.

— Elle refuse de sortir, indique-t-il, le regard empreint de tristesse. Je ne peux pas la sauver, cette fois, Lana. Je ne sais pas quoi faire.

Je libère mon bras de son emprise et entre dans la chambre sans même me donner la peine de frapper. Arrow est assis à côté d'elle. La tête appuyée sur ses genoux remontés contre sa poitrine, elle pleure.

— Arrow, peux-tu nous laisser un instant ? lui demandé-je doucement.

Il hoche la tête, pose un baiser sur le front d'Anna, puis il me lance un regard suppliant.

Fais quelque chose, disent ses yeux.

Organise-toi pour qu'elle aille mieux.

Je fais un signe de tête en direction de la porte. Je veux être seule avec ma meilleure amie. Aussitôt qu'il est sorti, je grimpe rejoindre Anna sur le lit et enroule mes bras autour de ses épaules.

— Veux-tu me raconter ce qui se passe ? lui demandé-je à voix basse.

Elle pose la tête contre ma clavicule et je la serre plus fort dans mes bras.

— Je suis allée chez le médecin.

Je me raidis et déglutis péniblement.

— Qu'a-t-il dit ? Es-tu malade ?

Elle secoue la tête, mais ne dit rien.

— Nom de Dieu, Anna, dis-moi ce qui se passe ! la pressé-je, commençant à paniquer.

— Je voulais simplement en avoir le cœur net… J'ai donc passé des tests… Et…

Elle se remet à pleurer.

J'ai envie de la secouer comme un prunier.

— Parle-moi.

— Je ne peux pas avoir d'enfants. Ils pensent que mes trompes de Fallope sont peut-être bloquées, explique-t-elle en s'essuyant les yeux avec les manches de son t-shirt. Il est possible que je ne puisse jamais avoir d'enfants. Ils veulent me faire passer d'autres tests, mais… Bon Dieu, Lana. Je ne peux même pas donner d'enfants à Arrow.

Je pousse un soupir de soulagement en apprenant qu'elle n'est pas malade ni mourante, puis je lui frotte le dos de manière apaisante.

— D'accord… Commence par passer tous les tests. Tu peux toujours essayer la fécondation in vitro.

— Je suppose que oui, murmure-t-elle.

— Tu sais quoi ? poursuis-je doucement. Essaie la FIV et si ça ne fonctionne pas, je te promets que je vais porter ton bébé pour toi. Je serai ta mère porteuse. Tu veux un enfant, tu vas en avoir un.

Elle me regarde droit dans les yeux.

— Tu es sérieuse ?

— Oui. Promis. Pour toi, je le ferais sans hésiter. Mon utérus est ton utérus.

Sur ce, elle rit doucement et une partie de la détresse qui marquait ses traits s'envole.

— Ce ne sera pas facile, Anna, déclaré-je. Mais tu l'auras, ton bébé, d'accord ? Ça pourrait prendre un peu plus de temps que prévu, mais tout va s'arranger.

Nous passons l'heure qui suit à décortiquer le sujet.

— Il vaudrait mieux que j'y aille. Tout va bien aller, la rassuré-je avec un sourire. Hé, on m'a invitée à participer à une séance de dédicaces la semaine prochaine à environ cinq heures de route d'ici. Veux-tu venir avec moi ?

— J'en serais ravie, accepte-t-elle avec un sourire. J'aurai enfin l'occasion de rencontrer tes groupies. Ne t'en fais pas, Lana, je vais m'assurer que tu gardes la tête sur les épaules.

Mes lèvres frémissent.

— C'est bon à savoir.

Elle m'accompagne jusqu'à la porte et l'ouvre. Arrow attend de l'autre côté. Est-il resté planté là tout ce temps ? Il entre dans la chambre et pousse un profond soupir en la voyant en bien meilleur état qu'elle l'était plus tôt.

— Merci, Lana, dit-il. Je t'en dois une. Si je peux faire quoi que ce soit pour toi, tu m'appelles, d'accord ?

Je le gratifie d'un petit sourire.

— À quoi servent les amis ?

Je me dirige vers la porte d'entrée, faisant bien attention de ne pas regarder en direction du dernier endroit où j'ai aperçu Tracker.

— Lana ! crie Anna à l'instant où je traverse le salon.

— Oui ? dis-je en faisant demi-tour.

— Tu es la personne la plus géniale que je connais.

— Pareillement, lancé-je en la saluant d'un geste avant de poursuivre ma route jusqu'à ma voiture.

Je suis face à la portière lorsque j'entends sa voix derrière moi.

— Tu vas partir sans même me regarder ?

Je tourne la tête et lui jette un coup d'œil par-dessus mon épaule, l'air impassible.

— Content, maintenant ?

— Non, je ne suis sacrément pas content, souligne-t-il en m'examinant de la tête aux pieds. Tu as perdu du poids.

— Ce n'est plus ton problème, Tracker, rétorqué-je en déverrouillant ma portière pour l'ouvrir. Tu me l'as fait savoir très clairement.

Je monte dans ma voiture sans jamais reposer les yeux sur lui, mais je peux sentir le poids de son regard dans mon dos tout au long de l'allée.

Je ne voudrais surtout pas l'éloigner de ma remplaçante.

CHAPITRE 25

Ma séance de dédicaces a lieu aujourd'hui.

Wyatt Bruce, le séduisant mannequin qui a posé pour ma couverture, m'accompagne, ainsi qu'Anna.

— Il est séduisant, remarque Anna pour la dixième fois. Je pense que mes trompes de Fallope viennent de se débloquer d'elles-mêmes.

Ma foi, c'est bon signe si elle en rit.

— Tais-toi, il va t'entendre, la sermonné-je avec un grand sourire tandis que nous essayons de trouver comment installer ma banderole.

— Besoin d'aide? propose Wyatt.

— Possible, lui réponds-je en regardant Anna, qui tient une perche en faisant la grimace.

La cimaise de cette salle de conférences est située à au moins 60 cm au-dessus de nos bras tendus.

— Je m'en occupe, offre-t-il avec un gloussement.

Trente secondes plus tard, la banderole est installée.

Anna commence à empiler mes livres sur la table de manière bien ordonnée tout en maugréant à propos de la présentation, tandis que j'essaie de me calmer les nerfs. Qu'arrivera-t-il si personne ne veut que je signe son livre? La plupart des gens ne savent probablement même pas qui je suis.

Je suis une auteure à succès, me rappelé-je. Ce n'est pas le moment de me remettre en question. Mes livres se sont

vendus partout sur la planète et j'ai été invitée à cet évène-
ment. J'avais été invitée à d'autres évènements du genre
auparavant, mais c'est la première fois que j'accepte.

Je suis nerveuse.

Au moins, Wyatt est là. Les femmes voudront certainement le voir.

Les portes s'ouvrent et les lectrices se bousculent à
l'entrée.

Lorsqu'une file se forme devant moi, je ne sais même pas
quoi dire.

Donc, je souris.

— J'adore tes livres ! me complimente une gentille
dame au regard doux et chaleureux. Je les ai tous lus plus
d'une fois.

— Merci, réponds-je, tout émue.

— Accepterais-tu de tous les signer pour moi ?

— Avec plaisir, accepté-je sincèrement.

Je signe absolument tout ce qu'on me donne, des romans
aux affiches en passant par les livres d'images.

Je discute avec mes lectrices ; je prends des photos avec
elles et les remercie d'acheter mes romans.

À la fin de la journée, je suis épuisée, mais je suis tellement comblée que, pour la première fois depuis que Tracker
m'a sortie de sa vie, je m'endors un sourire aux lèvres.

***

La semaine suivante, Wyatt m'invite à déjeuner. Sans savoir
si c'est par affaires ou pour le plaisir, j'accepte ; j'ai envie de
sortir de chez moi de toute façon. Il est temps que j'essaie
de passer à autre chose. J'ai reçu un appel en absence de la

part de Tracker le soir de ma séance de dédicaces, mais je ne me suis pas donné la peine de le rappeler. Il a le droit d'être furieux contre moi, bien entendu, mais je ne comprends pas pourquoi il refuse de me laisser m'expliquer. Pendant que je sortais avec lui, je n'avais pas l'impression d'être seulement une auteure ; j'avais l'impression d'être *plus*. J'avais l'impression d'être une femme, d'expérimenter les choses sur lesquelles j'écrivais dans mes livres. Je ne me cachais plus derrière mon écran.

Plutôt que d'écrire sur la vie, je la vivais.

Pour la toute première fois. Je n'avais jamais été aussi heureuse.

Il m'a fait sortir de ma tête et, même si j'aimais encore écrire et que je le faisais tous les jours si j'en avais l'occasion, j'expérimentais davantage au quotidien. J'aurais écrit beaucoup plus si je n'étais pas sortie avec Tracker.

Vêtue d'un jean, de talons blancs et d'un haut blanc, je vais rejoindre Wyatt au restaurant.

— Bonjour, me salue-t-il avec un sourire qui révèle ses dents blanches et bien droites. Tu es magnifique.

— Merci, réponds-je tandis qu'il tire ma chaise pour que je m'asseye.

Un compliment. Il s'agit donc d'un rendez-vous galant ?

Pourquoi fallait-il que je sois si maladroite ?

— Eh bien, commencé-je avec un sourire quelque peu hésitant. C'est la première fois que je viens ici.

Note à moi-même : travailler mon aptitude à échanger des banalités.

— Moi aussi, admet-il en prenant la carte. De quoi as-tu envie ?

Je regarde la carte et choisis le repas le moins salissant.

— Dis-moi, vas-tu participer à d'autres séances de dédicaces ? me demande-t-il. Ça m'a fait une excellente publicité. J'ai reçu des offres de la part de quelques autres auteurs qui veulent aussi utiliser mes photos pour leur couverture.

— C'est génial, lui dis-je sincèrement. J'espère que ta carrière de mannequin sera à la hauteur de tes ambitions.

Lorsque j'aperçois Anna, Rake, Arrow et Tracker qui entrent dans le restaurant, j'ai à la fois envie de mourir et de tuer Anna. Elle savait que je venais déjeuner ici avec Wyatt aujourd'hui. Pourquoi le lui ai-je dit ? Tracker s'arrête net en me voyant et ses lèvres s'étirent en un sourire jusqu'à ce qu'il s'aperçoive que je ne suis pas seule. Il fixe Wyatt les poings serrés tandis qu'un regard noir remplace le sourire sur ses traits.

Anna s'approche, comme si elle n'était pas sur le point de se faire poignarder avec une fourchette.

— Lana ! Salut, Wyatt.

— Salut, Anna, lui renvoie Wyatt en la gratifiant d'un sourire amical. Comme le monde est petit.

En effet. Trop petit.

— Anna, que fais-tu ici ? lui demandé-je entre mes dents.

Je bredouille des salutations aux hommes qui sont maintenant juste derrière elle. Arrow paraît amusé, Rake, perplexe, et Tracker, sur le point d'assassiner Wyatt.

— Nous avions faim, j'ai donc proposé de sortir déjeuner, explique-t-elle en souriant gaiement. Je ne savais pas que Wyatt et toi aviez rendez-vous ici !

Ne pourrait-elle pas être moins subtile ?

— Vraiment ? Bon, nous étions sur le point de commander alors…

Je laisse ma phrase en suspens, espérant qu'ils comprendront le message.

Mais non.

Tracker tire la chaise à côté de la mienne et s'assied.

— Tu as des rendez-vous, maintenant ?

— J'essaie, réponds-je en faisant la grimace.

— Il faut que nous discutions.

— C'est trop tard pour discuter, lui renvoyé-je ses propres paroles à la figure.

Il pince les lèvres.

— Je ne resterai pas assis ici pendant que tu as un putain de rendez-vous avec un autre homme. Si tu tiens le moindrement à lui, tu vas venir dehors avec moi. Autrement, il recevra mon poing au visage dans les 10 prochaines secondes.

Wyatt me regarde avec de grands yeux.

— Tu devrais peut-être…, commence-t-il.

Je me lève, repoussant ma chaise.

— Tracker, tu es vraiment un trou du cul.

Je sors en trombe et m'arrête à côté de sa moto. J'ai envie de la frapper à coups de pied.

— N'y songe même pas, rugit-il en m'attrapant par le bras pour me forcer à me tourner et à le regarder en face. Couches-tu avec lui ?

— En quoi est-ce que ça te concerne ? craché-je en croisant les bras sur ma poitrine. Tu as rompu. Je ne t'appartiens plus.

— Tu m'appartiendras toujours, rétorque-t-il avant de détourner le regard.

— Pendant tout ce temps, tu as fait comme si je n'existais pas. Maintenant, uniquement parce que tu me vois avec un autre homme, tu veux quoi ? Que nous discutions ? Pourquoi ? Tu ne veux pas que je sois heureuse ? C'est ça ? Tu veux que je me languisse de toi jusqu'à la fin de mes jours pendant que tu fais comme si je n'existais pas et que tu baises d'autres femmes ?

À la fin de ma diatribe, je hurle.

— Lana, tu es une auteure sacrément célèbre et tu n'as pas cru bon de me le dire ? Quand j'ai vu ce que tu écrivais, j'ai pété les plombs. Je ne savais pas que tu écrivais ce genre de trucs parce que tu ne me l'avais jamais dit.

— Je te l'*ai* dit, une fois, mais tu as cru que je plaisantais. Après avoir lu, tu ne m'as même pas laissé l'occasion de m'expliquer, répliqué-je. Ta première réaction a été de présumer que je t'avais trahi. Je ne t'ai peut-être pas tout raconté, mais tu devrais savoir, à l'heure qu'il est, que je ne suis pas méchante. Que diable suis-je censée penser du fait que tu te sois automatiquement imaginé le pire ?

— Je ne sais pas, lâche-t-il sur un ton chargé de colère et de sarcasme. Pourquoi n'écris-tu pas là-dessus ?

Je laisse échapper un soupir de frustration.

— Doux Jésus, ma régulière est Zada Ryan et je ne le savais même pas, putain. Comment diable penses-tu que je me suis senti ? Tu n'avais pas suffisamment confiance en moi pour m'en faire part, c'est ça ? Tu devrais peut-être te demander pourquoi il en est ainsi. Soit tu n'as pas confiance en moi, soit… Quoi ? Pourquoi voulais-tu garder le secret ?

— J'ai gardé ça pour moi pendant si longtemps. À part ma mère, personne n'était au courant que j'écrivais. Puis, je l'ai dit à Anna. Je voulais te le dire, mais chaque fois que j'essayais, il se passait autre chose et j'avais l'impression que ce n'était pas le bon moment. Je ne sais pas, Tracker, reconnus-je avec un soupir. Je n'ai pas envie de me disputer, d'accord ? Je vais tout simplement rentrer chez moi. Dis à Wyatt que je suis désolée.

— Je ne dirai rien du tout à cet enculé, excepté qu'il ferait mieux de rester loin de ma femme s'il tient à son joli minois, menace-t-il, sa forte mâchoire agitée d'un spasme.

J'ouvre la bouche, puis la referme.

— Tu es incroyable.

— Tu te fais des illusions si tu penses que j'en ai fini avec toi, déclare-t-il.

Je lève les bras en l'air.

— J'ai été tellement malheureuse, mais tu t'en moquais. Maintenant que j'essaie de passer à autre chose, tu gâches tout.

— C'est faux ; je ne m'en moquais pas. Je ne m'en moque sacrément pas. Je passais devant ton appartement la nuit juste pour m'assurer que tout allait bien. J'ai demandé à Blade de te suivre lorsque tu allais en cours et en revenais. Pourquoi diable devrais-tu pouvoir passer à autre chose alors que j'en suis sacrément incapable ? hurle-t-il pratiquement tandis que son torse se soulève à chaque respiration.

— Oui, tu semblais vraiment avoir le cœur brisé quand je t'ai vu assis à côté de cette blonde, émets-je d'un ton méprisant. Ç'a dû être toute une épreuve pour toi.

— J'essayais de t'oublier.

— Eh bien, tu devrais peut-être essayer un peu plus, formulé-je d'un ton glacial. Me laisser tranquille, putain.

Il rit jaune.

— Tu oublies que tu m'appartiens. Rien que tu puisses dire ou faire n'y changera quoi que ce soit.

— Je te déteste.

— Moi, je t'aime. J'ai lu ton livre. Tu as tellement de talent. C'est dommage que tu n'aies pas voulu partager ça avec moi.

Il fait demi-tour et retourne dans le restaurant tandis que je monte dans ma voiture pour ficher le camp d'ici.

CHAPITRE 26

Anna m'envoie cinq messages d'excuses. Je sais qu'elle pensait bien faire (elle croit que Tracker et moi sommes faits l'un pour l'autre), mais tout est redevenu ambigu à présent et je n'ai aucune idée de ce qui est arrivé à Wyatt après mon départ. Je sais qu'Anna s'est assurée qu'ils ne lui fassent pas de mal. Il m'a envoyé un message disant qu'il croyait que ce n'était pas une bonne idée que nous nous revoyions. Tracker sabote mon plan drague alors que lui peut se taper toutes les femmes qu'il veut. C'est rageant, mais…

Il a lu mon livre.

Il déteste lire.

C'était mignon de sa part. Le fait qu'il m'ait complimenté sur mon écriture…

Maudit soit-il !

Faisant les cent pas dans mon appartement, je suis sur le point de sortir prendre l'air lorsqu'on frappe à la porte. En l'ouvrant, je tombe face à face avec Tracker.

— L'idée que tu sois seule ici ne me plaît pas. En fait, je hais sacrément cette idée, dit-il en guise de salutation.

— Eh bien, c'est dommage que quelqu'un m'ait mis à la porte du dernier endroit où j'ai habité, craché-je.

À en juger par la manière dont il tressaille, je sais que mes paroles frappent dans le mille.

— Ça ne me plaît tout de même pas, réplique-t-il sur un ton beaucoup plus doux.

— Tes états d'âme n'occupent plus la première place sur ma liste de priorités, rétorqué-je en remontant mes lunettes sur mon nez.

Il se renfrogne, l'air à la fois en colère et résigné.

— Je t'ai apporté quelque chose. Un cadeau. Je sais que tu aimes les animaux…

En baissant les yeux, je remarque qu'il tient un panier à la main. À l'intérieur, il y a…

— Oh mon Dieu! m'exclamé-je en lui prenant le panier des mains pour jeter un coup d'œil à la mignonne petite boule de poils blonds et noirs.

— C'est une femelle berger allemand pur sang, annonce-t-il. J'ai pensé que tu aimerais peut-être avoir de la compagnie dans l'appartement. J'ai vérifié auprès de ton propriétaire et les animaux sont permis.

— Elle est parfaite, remarqué-je avant de relever les yeux vers Tracker. Entre.

Je me rends à la cuisine, où je pose le panier par terre pour prendre le chiot et le serrer contre ma poitrine.

— Elle est si douce et soyeuse, murmuré-je. Je l'adore!

Tracker émet un gloussement.

— Elle aura le poil long, précise-t-il avant de marquer une pause. C'est chouette de te voir sourire à nouveau.

Je pose un baiser sur la tête du chiot.

— Merci, Tracker. Elle est parfaite.

— Comment vas-tu l'appeler? me demande-t-il en nous regardant toutes les deux.

J'y réfléchis.

— Evie. Je vais l'appeler Evie.

Tracker semble trouver ce nom amusant.

— N'est-ce pas le nom que tu voulais donner à ta fille si tu en avais une un jour ?

Je hoche la tête.

— Qui sait si j'aurai des enfants un jour. Elle a une tête d'Evie, ne crois-tu pas ? C'est un si joli nom pour une jolie petite princesse, déclaré-je d'une voix enfantine.

— Doux Jésus, l'entends-je marmonner. J'ai aussi un lit, de la nourriture et des jouets pour elle dans la voiture.

— Je suis heureuse de savoir que tu ne l'as pas emmenée ici en moto, le taquiné-je avant de rebaisser les yeux sur Evie pour la flatter.

— Bon, dit-il en balayant mon appartement du regard. Vas-tu m'offrir quelque chose à boire ?

Je pince les lèvres.

— Evie est-elle un pot-de-vin ?

— Est-ce que ça fonctionne ? répond-il du tac au tac avant de me gratifier de l'un de ses sourires charmeurs à vous faire relever votre jupe.

Je pousse un profond soupir.

— Peut-être. Va chercher ses affaires ; je vais préparer du café pendant ce temps.

Il se penche et pose un baiser sur mon front.

— D'accord.

Je suis son dos du regard tandis qu'il quitte la pièce, puis je reporte mon attention sur ma nouvelle meilleure amie.

— Désolée, Anna, énoncé-je à Evie avec un grand sourire. Tu viens d'être détrônée.

***

— Tu n'as pas confiance en moi, n'est-ce pas ? me questionne-t-il en soufflant sur son café.

— J'ai confiance en toi plus qu'en n'importe quel autre homme, admets-je lentement pour tenter de m'expliquer. Je t'aime, Tracker, mais bien honnêtement, je m'attendais un peu à ce que tu me fasses du mal à un moment ou à un autre. C'est ce qui est arrivé, mais je suppose que c'était de ma faute. Mon père a dû me perturber, puis le tout premier garçon auquel je me suis intéressée m'a prise pour une imbécile au secondaire. Les deux hommes avec qui j'ai couché par la suite se sont aussi révélés être de vrais salauds. Le premier soufflait le chaud et le froid ; il s'intéressait énormément à moi au début, puis il s'est tout simplement désintéressé après avoir couché avec moi. Le deuxième s'est révélé être un arrogant trou du cul. Ce n'est pas que je te fais payer pour les erreurs des autres. Je suppose que je pensais que ce que nous vivions était trop beau pour être vrai. Je m'attendais à prendre une tuile. Je ne suis tout simplement pas le genre de fille qui finit par trouver l'homme idéal, affirmé-je en jetant un coup d'œil à Evie, qui dort dans son panier. Je suis l'auteure recluse qui deviendra la folle aux chiens.

Mon commentaire le fait sourire.

— Aucune relation de couple n'est parfaite.

— Je sais.

— Ce que tu dois comprendre, c'est que même si je me mets en rogne et que nous nous disputons, au bout du compte, j'aurai toujours envie de toi. Ça m'a fait de la peine que tu n'aies pas confiance en moi. Je me suis senti trahi. Je ne sais pas ; comme si je ne te connaissais pas. Tu me manques énormément, Lana. J'aimerais que cette journée-là n'ait jamais eu lieu.

— Moi aussi, murmuré-je. Pourras-tu avoir à nouveau confiance en moi un jour ?

Il incline la tête et m'observe attentivement.

— Me pardonneras-tu tout ce que j'ai fait ? De ne pas t'avoir écoutée ? De m'être conduit comme un idiot pendant que j'étais en rogne contre toi et que nous n'étions plus ensemble ?

J'inspire profondément.

— Avec combien de femmes as-tu couché ?

Le simple fait de prononcer ces mots est douloureux. Je me frotte le torse d'une main tandis que les larmes menacent de couler sur mes joues comme des gouttes de pluie.

— Je n'ai couché avec personne, Lana, m'informe-t-il d'une voix douce.

Je lève la tête.

— Quoi ? Qu'ai-je donc à te pardonner, dans ce cas ?

— Enfin, je ne suis pas blanc comme neige, prononce-t-il en baissant la tête. Mais je n'ai couché avec personne.

— Alors quoi ? Elles t'ont taillé des pipes ?

Il ne dit rien.

Dans le mille.

— Je vois, grommelé-je avec mépris.

— Lana…

— Evie et moi aimerions être seules à présent, si ça ne t'ennuie pas, lancé-je sèchement. Merci pour le cadeau.

Il soupire, l'air las.

— J'ai eu de la peine, moi aussi, tu sais. Tu n'étais pas la seule.

— Oui, ça paraît, répliqué-je. Ce n'est pourtant pas moi qui me suis amusée avec d'autres hommes.

— Qu'en est-il de Wyatt alors ? Putain ! rugit-il. Tu essayais de passer à autre chose et de gérer ta peine, exactement comme moi. Je suis un homme qui a une forte libido. Je ne te tromperais jamais, mais nous ne sortions plus tout à fait ensemble. En revanche, je n'avais tout de même pas envie de mettre ma queue dans une autre chatte. Tu devrais peut-être réfléchir à ce que ça signifie ; essayer de te mettre à ma place, poursuit-il en se levant pour se diriger vers la porte d'entrée. Je pourrais avoir toutes les femmes que je veux, Lana, mais tu es la seule qui m'intéresse. Putain, je t'aime. Je ne suis pas parfait, mais tu ne l'es pas non plus et pour que ça fonctionne, il faut que nous le voulions tous les deux. La question est de savoir si ça te suffit. Réfléchis-y sérieusement, parce que je n'attendrai pas éternellement.

Il s'en va.

C'est uniquement à ce moment-là que je laisse les larmes couler.

***

— Je n'avais pas d'arrière-pensée lorsque je suis venue au club, indiqué-je à Sin au moment où il entre dans mon appartement pour venir s'y asseoir comme si l'endroit lui appartenait.

— Je sais, Lana, réplique-t-il doucement. Mais avoue que ça paraît mal. Nous ne savions pas que tu étais une auteure et tu es venue t'installer avec nous pour t'occuper de Clover alors que tu n'avais manifestement pas besoin d'argent. En revanche, si je ne croyais pas que tu dis la vérité, je te rendrais un tout autre genre de visite.

— Faye avait besoin de moi, me défends-je en haussant les épaules. Tracker et Anna étaient là. J'écris à mon propre rythme ; je n'avais donc pas une montagne de travail qui m'attendait ni rien de ce genre. C'était comme prendre une pause.

Sin écarquille les yeux en les baissant sur Evie.

— Je vois que Tracker est passé.

Je hoche la tête en souriant.

— Oui, un peu plus tôt.

Il m'observe attentivement, ce qui me pousse à me tortiller, puis il se penche en avant, appuyant ses coudes sur ses genoux.

— Tracker a de la peine. Il ne l'admettra pas, bien entendu, mais sa conduite en dit long. Il boit plus. Il se bat plus. Il est agressif avec tout le monde. Il a perdu son aisance. En gros, je veux ravoir l'ancien Tracker. Tu vas me le ramener.

— Sin…

— L'aimes-tu ?

— Oui, mais…

— Veux-tu qu'il passe à autre chose avec une autre salope ? me demande-t-il carrément.

— Bien sûr que non, mais…

— C'est un homme, Lana. Un homme farouche. Mais à toi, il a montré un côté de sa personnalité que la plupart d'entre nous ne voient jamais. Oublie le passé et va arranger les choses. Pour notre bien à tous, m'intime-t-il en se levant. Ce ne sont pas tous les hommes qui dépenseraient 3 000 $ pour un chiot simplement pour qu'une ex-petite amie ne se sente pas seule et qu'elle soit éventuellement protégée, poursuit-il en secouant la tête. Espèce de salaud attentionné.

Il se lève pour partir.

— Ah, dernière chose, ajoute-t-il en passant la porte. Faye veut un livre dédicacé.

Lorsque j'entends sa moto s'éloigner, je soupire en regardant Evie.

— Je me demande qui d'autre passera nous rendre visite aujourd'hui.

Sin a raison, mais il a aussi tort.

Oui, j'aime Tracker.

Mais comment suis-je censée tourner la page et oublier tout ce qui s'est passé ? Je lui ai caché des choses, mais il m'a fait sentir comme de la merde en me rejetant sans même m'accorder quelques minutes pour m'expliquer. Je lui ai fait de la peine et il m'en a fait en retour. Est-ce ça, l'amour ?

Si oui, ai-je envie de m'embarquer à nouveau ?

CHAPITRE 27

De toutes les personnes que je pensais voir aujourd'hui, l'homme en face de moi n'en faisait pas partie.

— Lana ? dit-il en écarquillant les yeux.

Regardant mon béguin d'adolescence dans les yeux, je redresse les épaules et m'efforce de coller un sourire sur mon visage désormais épuisé.

— William, salut.

Je regarde autour de moi dans le centre commercial en espérant que quelqu'un viendra à mon secours, mais personne n'apparaît. C'est bien ma chance.

— Comment vas-tu ? Tu es magnifique, me complimente-t-il avec un sourire. Ça fait un bail. Es-tu restée en contact avec des gens du secondaire ?

Uniquement Allie, mais je ne sais pas si ça compte.

— Non, réponds-je. Je n'avais pas beaucoup d'amis au secondaire, au cas où tu aurais oublié.

Il prend soudain un petit air contrit.

— J'étais un crétin au secondaire, je suis désolé. Je t'aimais bien, en revanche. Allyson était un peu obsédée par moi à l'époque. Nous avons rompu dès la fin du secondaire. Je me demande ce qu'elle est devenue.

Je n'ai pas besoin de me le demander ; malheureusement, je le sais de source sûre.

— Qui sait ? dis-je en haussant les épaules.

— Aurais-tu envie d'aller boire un café ou quelque chose du genre un de ces jours ? me demande-t-il avec un sourire.

— Oh. Euhhh.

— Entre amis, s'empresse-t-il de préciser, mais il semble légèrement déçu par ma réponse.

— Je ne pense pas, refusé-je honnêtement. Je ne pense pas que ça plaise à mon petit ami.

D'ailleurs, je n'ai aucune intention de te revoir.

— C'est vrai, bredouille-t-il. Évidemment que tu as quelqu'un. Je suis heureux que tu ailles bien, Lana. Ton homme a beaucoup de chance.

Nous nous disons au revoir de manière maladroite, puis nous partons chacun de notre côté.

Après avoir vu William, Tracker me manque. Je n'ai pas envie de revenir en arrière ; je veux aller de l'avant.

Mon avenir est avec Tracker.

Si je dois me battre pour lui, je le ferai.

***

Tracker et Arrow sont debout à côté de leurs motos à l'extérieur du club. Ils doivent venir de rentrer. Ils me fixent tous les deux tandis que je descends de ma voiture et m'approche d'eux.

— Salut, Lana, dit Arrow en plissant les yeux avant de me laisser seule avec Tracker.

— Salut, lancé-je en plongeant mon regard dans les yeux bleus qui me manquent chaque seconde de chaque journée. Pouvons-nous discuter ?

— J'ai reçu un appel à ton sujet aujourd'hui, annonce-t-il, le visage empreint d'une expression indéchiffrable.

— Un appel à quel sujet? lui demandé-je en me dandinant d'un pied sur l'autre.

— Quelqu'un t'a vue avec un type, répond-il en serrant les dents si fort qu'il semble avoir mal.

— C'est une blague? m'enquiers-je. Je suis allée au centre commercial et je suis tombée sur quelqu'un que j'ai connu au secondaire.

— Qui? vérifie-t-il en m'observant attentivement.

— Un type. William. J'avais le béguin pour lui à l'époque et il m'a menée en bateau, craché-je.

— Veux-tu que j'aille lui défoncer la gueule? propose-t-il nonchalamment, de la même manière qu'il m'aurait demandé ce que j'avais envie de manger pour déjeuner. Tu aurais dû m'appeler. Quel est son nom complet?

— Euhhh, non. Mais merci de le proposer, affirmé-je.

— L'offre est toujours valide, réplique-t-il avec un petit sourire.

— Qui m'a vue? As-tu des espions partout ou as-tu demandé à quelqu'un de me suivre? Ça fait un peu monomaniaque, ne trouves-tu pas? rétorqué-je, contrariée.

Tracker élude la question. Il fait plutôt un signe de tête.

— Veux-tu entrer ou aller faire un tour?

Je couve sa moto des yeux, ce qui le fait rire.

— Allons faire un tour.

Derrière lui sur sa moto, les bras autour de son torse, je ferme les yeux et me sens chez moi. Nous roulons pendant plus d'une heure avant de nous arrêter à un point de vue qui surplombe l'océan.

— L'idée que tu as laissé d'autres femmes te toucher ne me plaît pas, lâché-je aussitôt que nous sommes tous deux descendus de sa Harley. Tu devais bien te douter, au fond de toi, que nous finirions par vouloir nous remettre ensemble.

Il se gratte la nuque.

— Je n'ai pas réfléchi, Lana. Je me suis laissé dominer par mes émotions. Par ma peine. Je ne voulais plus y penser et je suppose que je me suis convaincu que je ne te trompais pas puisque nous ne sortions plus vraiment ensemble.

Je plisse les yeux en réaction à cette logique qui l'arrangeait bien.

— Je sais que j'ai merdé, poursuit-il. Je te l'ai dit. Je ne me tournerai plus vers une autre femme, peu importe ce qui se passe entre nous. C'était dégueulasse et ce n'est pas une mentalité à laquelle je veux adhérer. Certains motards trompent leur régulière, mais je ne suis pas l'un d'eux ; pas avec toi, du moins. Jamais avec toi. Je n'ai même pas envie de quelqu'un d'autre, d'accord ? Je suppose que c'était comme une tentative de retourner à la vie que je menais avant de te rencontrer, mais c'était des conneries parce que je n'ai pas envie de retourner en arrière. C'est toi, ma vie, à présent et je ne voudrais pas qu'il en soit autrement.

— D'accord, acquiescé-je lentement. J'ai commencé à fréquenter quelqu'un d'autre moi aussi, mais d'après tes propres règles, tu ne peux pas m'en vouloir.

Il me gratifie d'un sourire narquois.

— C'est faux. Ce n'est pas ton genre, Lana.

Je lève les bras vers le ciel.

— Tu vois ? N'est-ce pas injuste ? Parce que je suis une femme bien, je me fais mener en bateau et je suis censée tout te pardonner, tout simplement ?

— Je te pardonne aussi, indique-t-il. De m'avoir caché des choses. Nous allons aussi avoir une longue conversation à propos de toutes les autres choses que tu gardes pour toi.

Je veux tout savoir. Cette fois, je te pose directement la question. Ainsi, tu ne pourras pas t'en tirer avec tes sournoises petites omissions.

J'ouvre la bouche, puis la referme lorsque je ne trouve rien à répondre.

— Je pense que c'est tout. Ah, hormis le fait que je suis allée au secondaire avec Allie. C'était une vraie garce à l'époque, exactement comme aujourd'hui.

— Sans déconner ? s'exclame-t-il, l'air étonné. Pourquoi n'as-tu rien dit ?

Je hausse les épaules et baisse les yeux. Puis, je lui raconte toute mon histoire avec Allie et William.

— Au départ, elle ne m'a pas reconnue. Puisqu'elle avait fait de ma vie un enfer, je n'avais pas envie de lui donner davantage de munitions contre moi.

Il vient se placer derrière moi et me prend dans ses bras.

— Qu'elle aille se faire foutre, dit-il en posant ses lèvres dans mon cou. Tu vaux 10 fois mieux qu'elle. Bon Dieu, comme ton odeur m'a manqué.

— Ne me rejette plus jamais ainsi, Tracker, l'avertis-je. Si nous avons à nous disputer, nous nous disputons, mais la manière dont tu m'as rayée de ta vie ? Ça fait vraiment mal. Tu t'es conduit comme un trou du cul et je ne le méritais pas. Si tu as l'intention de recommencer, je ne veux pas me remettre avec toi.

— Je sais, murmure-t-il. Je te présente mes excuses, d'accord ? Je ne le fais jamais, je veux donc que tu saches à quel point je suis sincère. Je peux me conduire comme un vrai connard, d'accord ? Mais, putain, tu es la seule personne qui a le pouvoir de me faire autant de peine et je n'ai pas très bien géré la situation.

— Tu crois ? rugis-je pratiquement.

— J'ai dit que je suis désolé, répète-t-il d'une voix douce chargée de regrets. Ça ne se reproduira pas. Je ne sais sacrément pas ce que je pourrais dire d'autre pour que tu me pardonnes, poursuit-il avant de marquer une pause. Ne songe même pas à me rendre la pareille, en revanche. Je tuerai tous les enculés que tu laisseras s'approcher de toi.

Sur ce, mes lèvres frémissent. Cette idée n'avait même pas traversé mon esprit, mais il est intéressant de savoir que le sien, si.

— Si tu oses ne serait-ce que regarder une autre femme…

— Je n'ai même pas regardé d'autres femmes ; tu es la seule dont j'aie eu envie, proteste-t-il. J'ai fermé les yeux et imaginé que c'était toi. Crois-moi, elle était loin d'être aussi douée ; ça n'a donc sacrément pas fonctionné et puis je l'ai repoussée. C'est là que j'ai compris que j'avais merdé.

Je lui donne un coup de coude dans le ventre.

— Je te déteste ! Tu es un vrai porc, Tracker !

— Je suis honnête, c'est tout, grommelle-t-il. Putain, je ne peux pas gagner, n'est-ce pas ?

— Pas si tu t'es fait sucer par une autre salope ! A-t-elle léché ton perçage comme j'aime le faire ? l'interrogé-je durement.

Le simple fait d'y penser me rend encore plus furieuse.

— Lana…

— Je te déteste vraiment, hurlé-je, l'interrompant.

— Eh bien, je t'aime suffisamment pour nous deux. Maintenant, embrasse-moi, m'ordonne-t-il. Il y a sacrément trop longtemps que je n'ai pas goûté ces lèvres. J'en ai rêvé, Lana.

— Non.

— Si, grogne-t-il en prenant mon visage entre ses mains. Ne me dis pas non si tu ne le penses pas.

— As-tu embrassé quelqu'un d'autre ? lui demandé-je en le regardant droit dans les yeux.

— Non, répond-il doucement en resserrant sa prise. Une pipe. Une seule, je te le jure. Je le regrette. J'étais tellement en colère, Lana. Je n'ai même pas joui. Je l'ai repoussée et je suis parti dans ma chambre tellement je me dégoûtais moi-même.

— Tu *vas* le regretter quand j'en aurai fini avec toi, juré-je.

Il glousse.

— Ma femme assoiffée de sang.

— Je ne t'aime toujours pas, craché-je. Tu as intérêt à avoir passé des tests depuis que tu as laissé traîner les lèvres d'une inconnue partout sur toi.

— Oui, j'en ai passé. Jamais je ne te ferais courir de risque. Je serai toujours honnête avec toi, même si la vérité fait mal, admet-il. Je ne veux pas qu'il y ait de mensonges entre nous. Je ne veux pas te faire de mal non plus. Je n'aime pas lire de la douleur dans ton regard.

— Nous avons commis des erreurs, reconnais-je avec un soupir. Tous les deux.

— Ça ne veut pas dire qu'il est trop tard, souligne-t-il en me tournant vers lui pour m'embrasser. Ce ne sera jamais terminé entre nous. Jamais. Nous ne sommes pas parfaits, mais tant que nous n'y renoncerons pas, putain, nous pouvons y arriver.

— C'est si facile, hein ?

— Non, ce n'est pas facile. Mais je tiens tellement à toi que je suis prêt à supporter toutes les conneries que je sais que tu me feras subir.

Nous nous embrassons.

Beaucoup.

Puis, nous rentrons à mon appartement et faisons l'amour.

***

Pour la toute première fois, je refuse du sexe à Tracker.

Nous sommes dans ma cuisine et je viens de finir de préparer le petit-déjeuner.

— Pourquoi? me demande-t-il, d'une voix non pas teintée de colère, mais de simple curiosité.

Je regarde Evie.

— Il n'est pas question que j'aie des relations sexuelles devant elle. Un plan pour la traumatiser à vie!

Il baisse les yeux sur Evie et, l'air amusé, la traite de *tue-l'amour*.

— Veux-tu venir au Rift ce soir? Je pense que Faye sera là.

— Anna aussi? vérifié-je.

— Je ne sais pas, répond-il. Il faudra que tu l'appelles pour lui poser la question.

— Je vais le faire.

— Étais-tu obligée de mettre au chien un collier rose vif? Elle est censée devenir une tueuse d'hommes, pas une princesse de contes de fées, fait-il remarquer en regardant Evie.

— Elle peut être un chien de garde tout en étant jolie, protesté-je.

Sur ce, Tracker ferme les yeux et secoue la tête.

— Tu es une véritable casse-couilles.

— Regrettes-tu déjà que nous nous soyons remis ensemble? le taquiné-je.

— Jamais.

— Bonne réponse.

— C'est la vérité, remarque-t-il en se penchant pour caresser Evie. Il vaudrait mieux que j'y aille ; j'ai reçu un appel en absence de la part de Sin. Je viendrai te chercher ce soir.

Il m'embrasse, laissant ses lèvres s'attarder sur les miennes.

— Je t'aime, poupée.

— Je t'aime aussi, réponds-je d'un air songeur.

— Appelle-moi si tu as besoin de quelque chose.

— Si j'ai besoin de quelque chose maintenant ? lui demandé-je d'un air innocent.

Il baisse les yeux sur Evie.

— Dans la chambre, proposé-je. Rejoins-moi là-bas.

Je m'élance vers ma chambre, mais il m'attrape et me balance par-dessus son épaule.

— Comme si tu pouvais m'échapper avec tes petites jambes.

— J'ai de longues jambes pour ma taille, riposté-je.

Il rit.

— Comparé aux miennes ?

— Je voulais peut-être que tu m'attrapes.

Il me claque les fesses et le bruit résonne dans la pièce.

— Je sais que tu voulais que je t'attrape.

— Maintenant que tu m'as eue, que feras-tu de moi ? m'informé-je de ma voix la plus sensuelle.

— Hummmm, murmure-t-il en me jetant sur le lit avant de jeter un coup d'œil aux miroirs fixés sur les portes coulissantes de ma chambre. Je pense que je vais te baiser par-derrière en regardant ton visage et tes jolis seins dans le miroir.

Je serre les cuisses. Oui, je crois que cette idée me plaît.

— Ensuite ?

— Ensuite, je vais me retirer et descendre goûter ta délicieuse chatte. Après t'avoir fait jouir, je vais t'allonger sur le côté et te pénétrer jusqu'à ce que nous jouissions tous les deux une fois de plus, dit-il à voix basse. Ensuite je vais rentrer au club avant que Sin me tue.

Deux heures plus tard, Tracker s'en va.

J'ai fait suffisamment d'exercice pour la journée.

CHAPITRE 28

Deux semaines plus tard

Anna, Faye, Jess et moi sommes au club à préparer un grand dîner pour les hommes. Plusieurs membres d'autres chapitres viennent nous rendre visite et nous voulons bien les recevoir. Faye est la première à recevoir un appel de Sin.

— Oui, elles sont toutes avec moi, confirme-t-elle au téléphone d'un air inquiet avant de jeter un coup d'œil dans notre direction. Anna, Jess, Lana et moi, ajoute-t-elle avant de marquer une pause. Très bien.

Elle lève les yeux vers nous.

— Nous ne sommes pas autorisées à quitter le club, quelles que soient les circonstances.

— Pourquoi? s'enquiert Anna en posant son éplucheur. Que s'est-il passé, cette fois?

— Aucune idée, admet Faye. Les hommes viennent toujours nous rendre visite, alors terminons de préparer ce repas. Je vais chercher mon flingue au cas où il se passe vraiment quelque chose.

— Clover? m'enquiers-je.

— Elle est en sécurité, m'informe Faye.

Nous la regardons avec de grands yeux tandis qu'elle part chercher son flingue.

Cette femme est une vraie dure à cuire.

Je regarde Anna.

— Que vas-tu aller chercher? Des couteaux?

Elle se met à rire, puis elle sort des coups-de-poing américains de son sac.

— J'ai ces petits bijoux.

Je lève les yeux au ciel.

— Où diable as-tu trouvé ça?

Faye revient dans la cuisine.

— Je vais aller parler à Blade et à tous les autres qui sont ici. Lana, peux-tu aller parler à Vinnie? Il était dans sa chambre la dernière fois que je l'ai vu.

Je me rends jusqu'à la porte de sa chambre et y frappe. Pas de réponse. J'essaie une fois de plus, mais en vain. En tournant la poignée, je constate que ce n'est pas verrouillé. J'ouvre donc et regarde à l'intérieur. Il n'y a personne dans la chambre; il doit donc être dans la salle de bain.

— Vinnie? crié-je.

Je frappe à la porte de la salle de bain, mais n'obtiens pas de réponse. En tournant la poignée, je comprends que c'est verrouillé. Que diable se passe-t-il? Je sors en vitesse rejoindre les femmes.

— La porte de sa salle de bain est verrouillée, mais il ne répond pas, expliqué-je. Il y a quelque chose qui cloche.

Nous échangeons toutes un regard.

— Anna, va chercher Blade. Il est dehors à l'avant à travailler sur sa moto.

Anna hoche la tête et se précipite dans la cour avant, ses coups-de-poing américains à la main.

— Ce n'est peut-être rien, tente Jess en jetant un coup d'œil à Faye.

— Nous finirons bien par le savoir, rétorque Faye en se dirigeant vers la chambre de Vinnie, son flingue à la main. Jess, appelle Sin et dis-lui de venir ici immédiatement, juste au cas où. J'ai un mauvais pressentiment, moi aussi.

Jess hoche la tête et attrape son téléphone tandis que Faye et moi entrons dans la chambre de Vinnie.

— Putain, lâche Faye d'une voix empreinte de panique.

— Quoi ? m'enquiers-je en suivant son regard. Merde.

Il y avait du sang.

Qui s'écoulait sous la porte de la salle de bain.

Nous nous précipitons toutes les deux vers la porte ; nous essayons de l'ouvrir, frappons et essayons de l'enfoncer, mais en vain.

— Y a-t-il une fenêtre par laquelle nous pourrions entrer ? m'informé-je.

Il y a une fenêtre par laquelle je pourrais passer dans la salle de bain de Tracker ; il y en a peut-être une pareille dans celle de Vinnie. Tout ce que j'aurais à faire, ce serait d'enfoncer la moustiquaire.

Anna arrive en courant avec Blade.

— Que diable se passe-t-il ? demande-t-il.

Nous pointons le sang.

— Peux-tu défoncer la porte ? Il faut entrer tout de suite !

Nous nous écartons toutes tandis que Blade frappe à coups de pied sur la porte pour l'enfoncer. Laissant chaque fois des marques sur la porte avec ses immenses bottes de moto, il doit s'y prendre à trois fois avant qu'elle finisse par céder.

Ce que nous voyons en ouvrant la porte nous laisse tous sous le choc.

Ce n'est pas Vinnie dans la salle de bain.

C'est Allie.

Elle est morte.

***

Les hommes arrivent.

Vinnie descend de sa moto. Apparemment, il a passé tout ce temps avec Sin, et non dans sa chambre. Reste à savoir qui a tué Allie et comment cette personne s'est introduite dans le club.

Les hommes sont en rogne. Tendus. Ils se demandent qui est derrière cette histoire.

Ils passent les locaux du club au peigne fin et quelqu'un emmène le corps d'Allie. La salle de bain est nettoyée par un professionnel. Ensuite, les hommes se rendent dans la pièce interdite, ou la chapelle, comme ils disent, pour tenir une réunion.

Les invités des autres chapitres commencent à arriver et lorsqu'ils apprennent ce qui s'est passé, promettent de faire tout leur possible pour nous aider. Les gens n'ont plus le cœur à la fête, bien entendu ; il règne plutôt une atmosphère sérieuse de type *nous avons des trucs à régler*, mais nous nous assurons tout de même de prendre soin de tout le monde, qu'ils ont tous suffisamment à manger et à boire.

Lorsque je finis par m'asseoir, je me mets à penser au décès d'Allie et aux images d'elle ainsi étendue par terre. Le sang jaillissait de sa tête comme si elle avait été frappée avec un pied-de-biche ou un autre objet tranchant. Ses yeux à moitié ouverts fixaient le vide devant elle. Merde. Je n'aimais pas cette femme, mais je ne voulais pas qu'il lui arrive du mal ou je ne souhaitais pas sa mort pour autant. Avait-elle été tuée ou était-elle tombée après avoir glissé ? Je me sens coupable pour toutes les pensées peu charitables que j'ai entretenues à son égard au fil des ans. Je baisse les yeux sur mes mains en me demandant comment Tracker se sent en ce moment. Je sais qu'il a déjà été attaché à elle, qu'il l'a peut-être même aimée. Elle avait habité ici pendant si longtemps que tous les hommes avaient l'habitude de la côtoyer. Je balaie la pièce du regard. Comment les autres composaient-ils avec son décès ?

Au bout de ce qui m'a paru des heures, Tracker refait surface, l'air fatigué et en colère. Il se poste devant moi et j'appuie la tête contre sa cuisse. Il passe une main dans mes cheveux et presse ma tête contre lui.

— Viens prendre une douche avec moi, m'ordonne-t-il d'une voix rauque.

Je me lève et l'accompagne jusqu'à sa salle de bain. Lorsqu'il reste planté là, l'air un peu égaré, je le déshabille et ouvre l'eau. Lorsqu'elle est à la bonne température, je l'aide à entrer dans la douche avant de me déshabiller à mon tour pour le rejoindre.

— Ça va ? lui demandé-je en prenant le savon pour le laver.

— Putain, soupire-t-il. Je ne l'aimais pas, mais… Doux Jésus, Lana. Pendant tout ce temps, je ne savais même pas où elle était. Elle a été tuée à cause de nous et nous ne l'avons pas protégée. Je ne sais même pas quoi penser. Parce qu'elle t'a fait du mal, jamais je n'aurais accepté qu'elle revienne au club, mais je ne souhaitais pas sa mort.

— Je sais, le rassuré-je doucement. Je sais. Personne ne s'attendait à une telle chose.

Il se laisse glisser le long du mur jusqu'à ce qu'il se retrouve assis sur le carrelage.

Je m'assieds à ses côtés et pose la tête sur son épaule sous la pluie de gouttelettes.

Garce ou pas, Allie faisait partie des Wind Dragons.

Son décès touche tout le monde.

***

Quelques jours après les funérailles d'Allie, le club obtient un peu d'information. Zach, un ami de Rake membre d'un autre chapitre, a appris qu'Allie est allée habiter avec un autre homme après avoir été mise à la porte du club. Cet homme est le vice-président des Kings of Hell. Le casse-tête commence à prendre forme. Allie s'était-elle tournée vers eux? Ou cet homme l'avait-il séduite? Sachant que la présence des Kings of Hell sur leur territoire ne plaisait pas aux Wind Dragons, elle était peut-être allée les voir pour se venger. Ou peut-être s'agissait-il d'une coïncidence? J'en doute fort, mais j'espère que ce n'est pas la première option.

— Dis-moi, qu'allez-vous faire au sujet des Kings of Hell? demandé-je à Tracker.

— Nous avons organisé une rencontre avec eux ce soir. Ils ne nous ont même pas dit ce qu'ils veulent, la raison de leur présence ici; c'est donc ce que nous voulons découvrir pour commencer. Ensuite, nous verrons, termine-t-il en mettant ses bottes avant de lever les yeux vers moi. Tu tiens le coup, malgré tout ce qui se passe?

Je hoche la tête.

— Oui. Enfin, aussi bien que n'importe quel civil.

Ma remarque lui arrache un petit sourire.

— Tu n'es plus une civile, Lana. Tu es ma régulière.

— C'est vrai, concilié-je en frottant mon bras d'une main. Ça va. Je suis là pour toi, si tu as besoin de moi. Si le club a besoin de moi. Vous pouvez compter sur moi.

Il se lève et pose une main sur chacune de mes joues.

— Ce dont j'ai besoin, c'est que tu sois en sécurité. Ne quitte pas le club à moins d'être accompagnée par deux hommes. Deux, compris ? Au moins jusqu'à ce que nous en sachions davantage. Ce soir, pendant que nous serons à la rencontre, le club sera en confinement barricadé. Personne n'entre, personne ne sort. Prépare-toi.

Je hoche la tête une fois de plus.

— D'accord. Je peux faire ça.

— Bonne fille, souffle-t-il, l'air soulagé. Espérons que ces enculés ne soient pas responsables de la mort d'Allie. L'emmener ici, comme ça ? Ça donne l'impression qu'ils veulent la guerre. Si c'est ce qu'ils veulent, ils l'auront.

Son ton me donne des frissons.

— Sois prudent, lui intimé-je en fronçant les sourcils. Ne tiens rien pour acquis. Nous ne savons pas encore ce qui s'est réellement passé.

— Je vais me servir de ma tête, me rassure-t-il avec un grand sourire. Je ne suis pas né d'hier, Lana. Mais putain, c'est tellement mignon de ta part de te faire tant de souci pour moi et de me donner des conseils.

Je lève les yeux au ciel. Je ne le lui disais pas pour être mignonne.

— J'ai besoin de toi, Tracker, tu m'entends ? Tu as intérêt à revenir en un morceau.

— Poupée, commence-t-il, tandis que son regard s'adoucit. Ce n'est qu'une discussion ce soir ; il ne se passera rien. Nous ne voulons simplement pas prendre de risque ; nous voulons nous assurer que les femmes et les enfants sont en sécurité.

— Je sais.

— Que vas-tu faire de ta journée ? me demande-t-il en me serrant contre son torse.

— Écrire, réponds-je. Aider Faye à préparer tout ce qu'il faut pour ce soir. Me faire du souci pour toi.

— Lana, murmure-t-il en posant un baiser sur le dessus de ma tête. Cesse d'être si mignonne, autrement je vais encore devoir te baiser.

— En quoi s'agit-il d'une punition ? rétorqué-je. Je vais me montrer aussi mignonne que possible.

Il s'écarte et me gratifie d'un grand sourire.

— Putain, je t'aime.

— Je t'aime aussi, chuchoté-je.

Il coince mes cheveux derrière mon oreille.

— Ne sors pas d'ici.

— Promis. Qu'en est-il d'Evie ?

— J'irai la chercher chez toi et la ramènerai ici.

— D'accord.

Il m'embrasse une dernière fois, puis s'en va.

CHAPITRE 29

Ce soir-là, Faye, Anna et moi courons dans tous les sens pour nous assurer que toutes les femmes et les enfants ne manquent de rien. L'atmosphère est détendue ; les hommes ont dit à tout le monde de ne pas s'inquiéter, qu'ils se montraient tout simplement protecteurs à l'excès, et tout le monde les a crus sur parole. Lorsque les hommes reviennent, l'air sombre, je pense que quelque chose est arrivé. Tracker vient me donner Evie, puis il me dit d'aller l'attendre dans sa chambre.

— Tout va bien ? l'interrogé-je lorsqu'il vient se coucher.

Il se déshabille et se glisse nu sous les couvertures.

— Leur vice-président couchait avec Allie, mais ils nient l'avoir tuée ou lui avoir fait du mal de quelque manière que ce soit. Ils disent qu'ils ne sont pas ici pour chercher les emmerdes et qu'ils veulent la paix.

Je suis troublée.

— Ça n'a aucun sens. Comment savez-vous s'ils disent la vérité ?

— Nous ne le savons pas, reconnaît Tracker d'une voix fatiguée. Nous allons devoir attendre pour voir. Prendre une longueur d'avance sur eux. Ne t'en fais pas, Lana. Nous avons un plan et nous maîtrisons la situation. La seule chose dont tu devrais te préoccuper, c'est de satisfaire ton homme.

Je lui donne une claque sur le torse.

— Salaud.

Il rit.

— Tu sais, peu importe à quel point les choses dégénèrent, ça en vaut la peine parce que je sais que je te retrouverai en rentrant à la maison.

Je me blottis contre lui.

— Ça, c'est parce que la seule chose dont je me préoccupe, c'est de satisfaire mon homme, le taquiné-je.

— Ça, c'est clair, répond-il.

Au son de sa voix, je sais qu'il sourit.

— Donc, quel est votre plan concernant l'autre club? m'informé-je.

Il pose un baiser sur mon front.

— Je ne peux pas tout te dire, Lana. Tu le sais.

— Je sais, grommelé-je. Mais je ne peux pas m'empêcher de penser sans cesse à Allie, étendue là…

— J'aurais préféré que tu ne voies jamais ça, admet-il en me caressant la mâchoire. Je voulais te protéger de tout le mal qui nous entoure.

— Tu ne peux pas me protéger de tout, contré-je d'une voix douce. Ça fait partie de la vie. Pas uniquement de la vie de motard, mais de la vie en général. Partout autour de nous, il y a des méchants qui font le mal. Mais les hommes de ce club sont des gens bien et je pense que tu es sacrément génial; je serai donc toujours à tes côtés.

Il roule sur moi et m'embrasse.

— Tu me comprends?

Je hoche la tête.

— Oui, je te comprends parfaitement.

Je prends sa main et la guide vers ma chatte.

— On a envie de baiser ce soir, n'est-ce pas, poupée ? Ça t'a excitée de m'imaginer là-bas en train d'affronter ces autres hommes ? Parce que tu sais que je suis l'un des plus durs à cuire dans les environs ?

— Oui, confirmé-je avec un soupir lorsque ses doigts me touchent. Je me sens aventureuse.

— Mmmmm.

Il soulève mon t-shirt, qui est l'un des siens en réalité, et baisse ma culotte. Il est bandé comme un cheval et j'adore qu'il en soit ainsi, sans même que j'aie à le toucher, du simple fait de nos paroles et que nos corps soient pressés l'un contre l'autre. Dénudant mes seins, il tète tranquillement l'un de mes mamelons, puis l'autre, ce qui me fait mouiller encore plus. Tandis qu'il me pénètre, son pouce caresse mon clito.

— Putain, jure-t-il. C'est encore mieux chaque putain de fois. Je ne sais pas comment c'est possible, mais c'est la vérité.

Il prend son temps, me baise lentement dans un mouvement de frotti-frotta. Je suis lubrifiée à souhait et j'en veux encore plus.

— Quelle est la sensation lorsque tu jouis ? demandé-je à Tracker après avoir fait l'amour.

Enfin, nous avons plutôt baisé, mais c'est la même chose pour moi à présent. J'adore sa manière d'être intense et brutal un instant pour se montrer doux et tendre l'instant suivant.

— Hum, grogne-t-il. Ça commence par le rythme que j'adopte ; je dois trouver celui qui me convient parfaitement. Ensuite, la tension monte et continue à monter jusqu'à ce que je n'en puisse plus, se déplaçant sur toute la longueur de ma verge jusqu'à exploser en toi. Juste avant l'orgasme, la base de ma queue est tellement dure, c'est sans égal. Le crescendo est indéfinissable ; l'éjaculation constitue le paroxysme d'une tension inouïe. La sensation de cette tension qui part de mes couilles pour ensuite laisser jaillir en toi mon sperme chaud n'a pas son pareil. Putain, j'adore ça.

Son explication est excitante et sincère. J'aime pouvoir lui poser ce genre de questions et qu'il y réponde sans aucune retenue.

— Tu sais que je peux parfois pratiquement connaître ton humeur à l'instant où tu me pénètres selon la dureté de ton érection ; je peux savoir à quel point tu seras brusque. C'est tellement excitant, avoué-je en baissant les yeux pour me mordiller les lèvres.

Il soulève doucement mon menton.

— N'aie pas peur de me dire de telles choses. C'est sacrément excitant quand ça sort de ta bouche.

— Ah oui ?

— Oui, confirme-t-il avec un grand sourire. J'ai lu ton livre, tu te souviens ? Je sais quelles idées trottent dans ta tête. Je sais à quel point tu peux être coquine et j'adore ça. Ne sois pas timide avec moi, poupée ; parle-moi. Je vais exaucer tous tes fantasmes, tous tes désirs. Je devrais peut-être relire ce livre et en reproduire chacune des scènes érotiques avec toi.

J'ai du mal à respirer.

— V... Vraiment ?

— Si ça plaît à ma chérie, déclare-t-il, les lèvres pressées contre mon cou. Certaines de ces scènes m'ont fait bander comme un cheval parce que je savais que c'était toi qui les avais écrites, qui les avais imaginées. Doux Jésus, Lana. Que se passe-t-il d'autre dans cet esprit qui est le tien ?

Je me lèche les lèvres.

— Tu devrais peut-être lire d'autres livres que j'ai écrits pour le découvrir.

— Je vais le faire, affirme-t-il en m'attirant vers lui de sorte que ma tête repose sur son torse. Dors, maintenant. Je vais probablement te réveiller cette nuit en léchant ta chatte.

***

Le lendemain, je me rends au salon pour chercher Tracker lorsque je le surprends à discuter avec nul autre que mon père.

— Salut, lancé-je d'un ton emprunté en les regardant tour à tour.

— Bonjour, poupée, renvoie Tracker d'une voix douce.

Lorsqu'il reporte ensuite son attention sur mon père, ses traits se durcissent.

— Ton père, un terme que j'utilise au sens large, désire te parler. À toi de décider si tu le laisses faire. Je peux toujours le faire sortir à coups de pied.

Mon père me lance un regard suppliant.

— C'est bon.

Tracker s'approche de moi.

— Appelle-moi si tu as besoin de moi, d'accord ?

Je hoche la tête et il quitte la pièce, mais pas avant de m'avoir donné un baiser empreint de possessivité.

Je m'assieds sur le canapé, puis je fais signe à mon père de faire de même.

— De quoi veux-tu parler ? le questionné-je en joignant les mains sur mes genoux.

— Je me demandais si je pourrais t'inviter à dîner, annonce-t-il avant de s'éclaircir la voix. Pour lentement apprendre à te connaître un peu mieux ?

Il veut apprendre à me connaître, maintenant ? Je ne peux pas m'empêcher de me demander pourquoi. Est-ce à cause de mes liens avec le club ? Ou s'agit-il simplement d'un homme rongé par le regret en raison des choix qu'il a faits au cours de sa vie ?

— Quand ? me surprends-je à lui demander.

— Pourquoi pas un soir de la semaine prochaine ? Ou à n'importe quel autre moment qui te convient, s'empresse-t-il d'ajouter, plein d'espoir. Tu sais, je voulais faire quelque chose pour toi. J'ai voulu payer pour l'appartement où tu habites ; plutôt que de le louer, il t'aurait appartenu. Mais lorsque je suis allé en parler au propriétaire, il m'a dit qu'il avait déjà été vendu. Tracker l'a acheté et l'a mis à ton nom.

J'ai la mâchoire qui se décroche.

— Pardon ?

Mon père hoche la tête avec un petit sourire triste.

— Cet appartement est entièrement payé et à ton nom. As-tu vérifié ton compte bancaire ? L'argent du loyer sera toujours là ; personne n'y a touché.

— Putain de merde, lâché-je. Je n'arrive pas à croire qu'il ait fait ça.

Je regarde mon père.

— Tu n'avais pas besoin d'essayer de faire ça pour moi, poursuis-je. C'est beaucoup trop. Je ne t'ai jamais rien demandé, hormis ta présence. Certes, il y a des moments où ma mère et moi avons connu des difficultés financières et où je te détestais parce que tu ne nous aidais pas même si tu étais riche, mais je ne t'aurais tout de même jamais rien demandé.

En réaction à ma confession, je vois ses traits vieillir devant mes yeux.

— Je suis vraiment un putain d'égoïste, n'est-ce pas ?

Oui, mais je ne dis rien.

— Tout ce que tu veux, Lana, murmure-t-il. C'est à toi.

J'y réfléchis.

— Je voudrais que ma mère puisse prendre sa retraite assez tôt. Elle travaille si dur tous les jours. Elle l'a toujours fait. J'ai fini de payer sa maison. Elle en fait tellement pour moi, elle s'est toujours assurée que j'avais tout ce dont j'avais besoin. J'aimerais maintenant trouver un moyen de le lui rendre.

Un air pensif se peint sur le visage de mon père.

— Elle ne donnera pas sa démission et elle est trop orgueilleuse pour accepter un cadeau de ma part. Que dirais-tu d'un généreux fonds de retraite à son nom ?

Je hoche la tête.

— Ça me convient.

— Le fait que tu m'aies demandé quelque chose pour elle plutôt que pour toi me montre à quel point elle t'a bien élevée, souligne-t-il en regardant ses mains. J'aimerais pouvoir dire que j'y ai contribué, mais ce n'est pas le cas. Tout ce que je peux faire, c'est essayer de faire partie de ta vie désormais et je te serai reconnaissant pour chaque instant que tu voudras m'accorder.

Je hoche la tête avec raideur.

Il est temps pour moi de pardonner.

De tourner la page sur les blessures du passé et de vivre l'instant présent.

— Ah, ouah, dis-je, sentant l'émotion me gagner. Un dîner, ce sera génial… papa.

CHAPITRE 30

— Que se passe-t-il dans le prochain livre ? Dis-le-moi tout de suite, m'ordonne Faye en regardant l'écran de mon ordinateur par-dessus son épaule. Alexander meurt-il ? Ou revient-il pour enlever Kylie ?

Je sauvegarde mon travail et je ferme l'ordinateur, puis je me tourne sur ma chaise pour la regarder en face.

— Faye, arrête un peu. Je ne te dévoilerai pas l'intrigue.

Elle fait la moue.

— Mais… Pourquoi pas ? Allons ! N'y a-t-il aucun avantage à connaître une écrivaine ?

— Des livres dédicacés gratuits. Des exemplaires de prétirage. La crainte liée au fait de savoir que tout ce que tu peux dire et faire pourrait finir dans un livre.

Elle fait la grimace.

— Fais comme si je ne t'avais jamais dit à quel point ma belle-mère est pénible.

Nous rions toutes les deux.

— Trop tard ; c'est peut-être déjà écrit.

— Tu devrais donner mon nom à un personnage, me suggère-t-elle. Faye est un nom génial. Ça signifie *fée*.

Je lève les yeux au ciel.

— Très bien, je vais appeler ma prochaine héroïne Faye.

— Chouette ! Peux-tu appeler le type Dex ? Parce que je n'arrive pas à m'imaginer baiser qui que ce soit d'autre, pas même sur papier.

Je me fige.

— Putain de merde, c'était vraiment mignon comme réplique.

— Ça m'arrive, dit-elle avec un haussement d'épaules avant de marquer une pause. Tu peux l'utiliser. En fait, tu devrais probablement prendre des notes quand je parle.

— Je m'y mets immédiatement, acquiescé-je d'un ton sec.

— Le livre devrait s'intituler *La reine des motards*, poursuit-elle en agitant la main dans les airs avant de me regarder. Qu'en penses-tu ? me demande-t-elle ensuite.

— Je pense que tu devrais l'écrire toi-même, ce livre, lui suggéré-je. Ça pourrait être génial.

Elle hoche la tête.

— Bonne idée. J'en ferai peut-être un film.

Je hoche la tête, sur le point d'éclater de rire.

— Assure-toi d'en parler d'abord à Sin. Autrement, ce qui m'est arrivé avec Tracker pourrait t'arriver aussi.

Elle écarquille les yeux.

— Tu es au point où tu peux en rire ? Génial ! Parce qu'il y a quelques blagues que je gardais pour moi de crainte de te faire de la peine.

Je passe une main sur mon visage.

— Vraiment ?

— Oui, affirme-t-elle. Zut, je ferais mieux d'aller chercher Clover à l'école.

Je regarde l'heure.

— Elle en a pour encore une demi-heure.

Faye arbore un petit sourire penaud.

— Je sais. Mais j'aime arriver tôt, juste au cas où.

— Trente minutes trop tôt ? m'enquiers-je avec de grands yeux. Que fais-tu une fois là-bas ?

— Je m'assieds devant sa classe.

Je la gratifie d'un sourire narquois.

— Est-ce la raison pour laquelle j'ai entendu Arrow te traiter de mère timbrée l'autre jour ?

Elle se renfrogne et plisse légèrement les yeux.

— Oui. Le salaud. Attends qu'il ait des enfants ; il comprendra.

Anna arrive dans la pièce.

— Les hommes sont de mauvaise humeur.

— Oui, soupire Faye. Ils essaient de savoir ce qui est arrivé à Allie, d'élucider le mystère, mais toutes les avenues les mènent à une impasse. Ils ont recueilli de l'info sur les Kings of Hell, mais hormis le trafic de drogues, ils n'ont rien trouvé. Ils sont tout aussi curieux envers nous que nous le sommes envers eux. Il paraît que l'un d'entre eux en pince dur pour Lana, c'est pourquoi ils la surveillaient l'autre jour.

Je rougis

— P… Pardon ?

— Oui, renchérit Faye avec un grand sourire. J'ai cru que Tracker allait s'embraser lorsqu'il a entendu ça. Il voulait se rendre au club des Kings of Hell pour défoncer la gueule de celui qui convoite sa chère Lana.

Je lui lance un de ces regards.

— Ce devrait peut-être être toi, l'auteure. Je suis certaine que tu exagères.

Elle hausse les épaules.

— Mais c'est romantique. L'histoire d'amour de motards par excellence. Tu devrais aussi en prendre note.

Anna secoue la tête en faisant la grimace.

— Tu es cinglée.

— Aussi cinglée qu'un renard, réplique Faye, puis elle regarde Anna avec un grand sourire. Veux-tu aller au gymnase ? J'aurais bien besoin d'une séance d'entraînement.

Anna soupire.

— Je viens d'avoir mes règles, je ne suis donc pas enceinte, alors pourquoi pas ?

Faye me regarde.

— Veux-tu apprendre de nouvelles techniques ? Elles sont aussi utiles dans la vraie vie qu'au lit.

Comment puis-je refuser une telle offre ?

— Qu'en est-il de Clover ?

— Je vais demander à Dex d'aller la chercher, déclare-t-elle en sortant son téléphone pour l'appeler.

— D'accord, accepté-je en me levant. Apprends-moi.

***

Évidemment, les hommes arrivent dans le gymnase alors que Faye est assise à califourchon sur moi et me tient clouée au sol.

— Je bande tellement en ce moment, entends-je Rake dire, ce qui est suivi d'un *aïe* à l'instant où l'un des hommes a dû le frapper. Allons, ne fais pas comme si ce n'était pas ton cas aussi, lance-t-il à Tracker avant de regarder Anna. Je fais comme si tu n'étais même pas ici.

— Merci, répond Anna d'un ton sec.

Tracker s'approche et baisse les yeux vers moi en souriant.

— Tu apprends quelques techniques ?

Faye me laisse me relever.

— Elle est petite, mais rapide.

— Je pense que j'ai beaucoup à apprendre, remarqué-je en me hissant sur la pointe des pieds pour embrasser mon homme. Mais c'est assez amusant. Enivrant.

— Rake a raison. Je suis excité en ce moment, avoue-t-il en pressant son bassin contre moi. Mais enfin, il te suffit de respirer pour m'exciter.

— Trouvez-vous une chambre ! crie Anna.

— Ou un canapé ! intervient Rake. Pour que nous puissions tous regarder.

— Tu m'avais promis de ne plus jamais en parler, espèce de salaud, hurlé-je.

— Rake, rugit Tracker. Laisse ma femme tranquille, autrement nous allons monter sur ce ring.

Je lève les yeux au ciel.

— Êtes-vous venus ici pour une raison autre que nous embêter et déranger une expérience des plus éducative pour moi ?

Sin arrive et nous portons tous notre attention vers lui.

— Le président des Kings of Hell est ici, à la barrière. Il dit vouloir discuter. Il est seul.

Les hommes échangent un regard.

— Où est Clover ? s'enquiert Faye, l'air inquiet.

— Chez ma mère, précise-t-il. Elle est en sécurité, ne t'inquiète pas.

— Ça ne me plaît pas, déclare Arrow en regardant Anna. Les femmes sont ici.

— Nous sommes armés, indique Faye. Il est seul. Deux d'entre vous peuvent le tenir en joue pendant qu'il parle.

— Faye, grogne Sin. Reste ici avec les femmes. Ne bouge surtout pas, putain.

— Oui, Monsieur, répond-elle en faisant le salut militaire.

Tracker m'embrasse sur la bouche.

— Reste ici.

Arrow fait de même avec Anna.

— Restez ensemble.

Les hommes partent et ferment la porte du gymnase derrière eux.

Anna et moi regardons Faye, attendant qu'elle nous dise quoi faire.

— Armons-nous, juste au cas où, dit-elle en se dirigeant vers une latte du plancher qu'elle soulève.

Je jette un coup d'œil dans le trou pour constater qu'il est rempli d'armes.

C'est parti.

***

— Ce n'était pas eux, déclare Sin. Il fallait avoir des couilles pour venir ici seul et sans être armé pour nous dire qu'ils n'avaient pas fait de mal à Allie et qu'ils ne sont pas ici pour se mêler de nos affaires.

Je suis convaincue que tout le monde se pose la même question.

Dans ce cas, qui a tué Allie et pourquoi ?

Tracker me tient par la main et me caresse les jointures de son pouce. Lorsque je baisse les yeux sur ses mains, je remarque qu'elles sont rouges et enflées.

— Qui as-tu frappé ? lui demandé-je.

Il jette un coup d'œil sur ses mains comme s'il venait tout juste de s'apercevoir qu'elles sont meurtries.

— Quelqu'un s'est mis en travers du chemin de mon poing.

— Qui ?

Rake se met à rire.

— Ce matin, Tracker est tombé sur le type des Kings qui s'intéresse à toi. Disons simplement qu'il ne se donnera plus la peine de regarder dans ta direction.

— Non ! m'exclamé-je avec un hoquet de surprise.

— Pourquoi ? Ça te plaît que des hommes bavent à te regarder, c'est ça ? Il aurait dû savoir qu'il valait mieux ne pas convoiter ce qui m'appartient et maintenant, il le sait.

En fait, je plaignais cet homme. Il ne s'était même pas approché de moi.

— Tu es tellement… méchant ! murmuré-je.

— Tu m'appartiens, rétorque-t-il simplement. Il faut que les gens le sachent.

— Espèce d'homme des cavernes.

— Seulement quand il est question de toi.

Je n'ai aucune chance de gagner contre cet homme.

***

Je découvre qu'avec le bon angle, la bonne vitesse et le bon rythme, j'arrive à faire jouir Tracker une deuxième fois de suite. Il y a à peine une demi-heure que nous avons terminé et il est déjà prêt à jouir à nouveau.

— Putain, Lana, s'exclame-t-il entre ses dents. Tu sais vraiment comment t'y prendre avec moi, n'est-ce pas ?

Je le gratifie d'un sourire charmeur.

J'avais déjà demandé à Tracker à quoi il pensait pendant que nous faisions l'amour. Avait-il des pensées romantiques ?

Ou pensait-il seulement à d'étroites chattes chaudes et bien lubrifiées ? L'auteure et l'amante voulaient le savoir. Il m'a servi la réponse typique.

— Quand je suis bandé comme un cheval, je suis comme un requin qui se concentre et attaque pour tuer. Je ne pense pas à grand-chose d'autre qu'à atteindre mon objectif.

Ce soir, je fais de même. Enfin, hormis la partie concernant le fait d'être bandé comme un cheval. Mais je voulais lui en mettre plein la vue. Je me concentrais donc précisément sur mes gestes. Je suis sur le dessus, à le chevaucher. Ses mains me serrent fermement les fesses tandis que je l'emmène au septième ciel.

— Juste là, grogne-t-il. Putain, Lana, oui.

Je soulève les hanches et redescends vers lui, encore et encore. Je ne me lasserai jamais de le sentir en moi. Lorsque nous sommes ainsi connectés, j'ai l'impression d'être à ma place.

Nous sommes des animaux qui suivons nos plus bas instincts.

Je lui appartiens et il m'appartient.

Tout ce qui importe en ce moment, c'est nous deux, le plaisir et la connexion qui existe entre nous. Tracker est un homme qui me respecte et me protège. C'est un mâle alpha, mais il sait aussi se montrer à l'écoute, tenir compte de mes sentiments. Ni tout blanc ni tout noir, il est une nuance de gris.

Je me penche pour l'embrasser, mais il prend rapidement la maîtrise et m'embrasse avec une telle passion que je devrais en être effrayée.

Mais ce n'est pas le cas. Sa passion me donne de l'énergie.

Son désir, sa passion, son obsession nourrit la mienne.

Tracker et moi, nous sommes liés.

Reste à savoir s'il s'agit d'une bonne ou d'une mauvaise chose.

# CHAPITRE 31

Le type que Tracker a frappé, qui est membre des Kings of Hell, s'appelle Zed. Il est planté droit devant moi au Rift.

— Salut, me lance-t-il avec un grand sourire.

— Salut, renvoyé-je en fixant son œil au beurre noir. Navrée que mon homme t'ait frappé.

Il rit.

— J'aurais fait la même chose à sa place.

Je regarde autour de moi.

— Les Wind Dragons savent-ils que tu es ici ?

Il hoche la tête.

— Nous sommes ici pour un genre de rencontre de paix. Nous allons prouver que nous pouvons tous coexister sans problème.

Je n'y comprenais rien, mais enfin.

— Tu sais qu'il n'y aura pas de paix si Tracker t'aperçoit en train de me parler.

Il sourit à nouveau. Je ne crois pas qu'il ait inventé la poudre.

— Tracker est dehors à l'avant en train de discuter avec notre président. Peut-être pourrions-nous en profiter pour nous payer discrètement une petite danse ?

Cet homme est suicidaire.

— Non, merci, refusé-je. Mais c'est gentil de l'offrir.

— Ce qu'elle veut dire, c'est *va te faire foutre*, intervient Anna, qui vient se poster à mes côtés. Elle est simplement trop gentille pour le dire ainsi.

— Mais toi, non ?

Elle secoue la tête.

— Non. J'adore ça.

— Es-tu en couple ?

Elle arbore un grand sourire qui laisse entrevoir ses dents.

— Oui, avec Arrow. Si tu tiens à la vie, tu vas t'éloigner parce que je n'ai pas envie que mon homme retourne en prison.

Zed s'en va, mais le frémissement de ses lèvres ne m'échappe pas.

— Les hommes sont bizarres, lancé-je.

— Les Kings of Hell sont bizarres, réplique Anna. Talon vient ici ce soir, lui aussi. Qui a eu cette idée stupide ? Quelqu'un va se faire tuer.

— Espérons que ce soit un membre des Kings, marmonné-je dans ma barbe, ce qui fait rire Anna.

— Tu es une vraie Wind Dragons, tu le sais, n'est-ce pas ? remarque-t-elle. Je t'aime, Lana.

— Je t'aime aussi, Anna Bell, la relancé-je. Nous devrions nous faire un câlin. C'est un moment propice pour un câlin.

Nous nous faisons un câlin.

Un gros câlin.

— Moi aussi, je veux un câlin, déclare Faye en nous prenant toutes les deux dans ses bras.

— Tout va bien ? s'enquiert Sin en s'approchant de sa femme.

— Oui, confirmons-nous toutes en même temps.

Sin nous regarde toutes les trois.

— Je ne savais pas que j'avais trois femmes.

Faye nous lâche pour rejoindre son homme.

— Tout va bien ?

Sin hoche la tête.

— Oui, tout va bien. Nous avons quelques pistes concernant la mort d'Allie ; nous allons donc voir où elles vont nous mener. D'ici là, ne vous éloignez pas, restez ensemble et ne quittez jamais le club sans être accompagnées.

— Nous le savons, le rassure Faye. Nous sommes prudentes.

— Excellent, répond-il. Maintenant, essayons de mener cette rencontre à terme sans qu'il y ait de morts. Qui a eu cette idée, déjà ?

Anna le gratifie d'un sourire narquois.

— Pas nous.

— Putain, grommelle Sin. J'ai besoin d'un verre.

— Je vais commander une tournée, indique Faye. Je pense que nous avons tous besoin d'un putain de verre.

Étonnamment, le reste de la soirée se déroule sans incident. Tandis que les Kings se dirigent vers la sortie, Tracker m'explique qu'ils avaient une raison d'organiser la soirée de ce soir : ils leur tendaient un genre de piège.

— Veux-tu danser avec moi ? proposé-je en laissant courir mes doigts le long de son bras.

— D'accord, acquiesce-t-il avec un grand sourire. Dès qu'il y aura une bonne chanson.

— Qu'est-ce qui ne va pas avec celle-ci ?

— Cette musique te plaît ? s'enquiert-il en haussant un sourcil.

C'était une chanson de Beyoncé, *Drunk in Love*.

Je hausse les épaules.

— C'est bon pour danser.

— Je ne t'ai jamais entendu écouter autre chose qu'Ed Sheeran, Sam Smith et First Aid Kit. Je connais par cœur les paroles de toutes leurs chansons, grommelle-t-il. Tu écoutes leurs albums en boucle.

— Ça te plaît.

— Non, je le tolère parce que tu me plais. C'est différent.

Il peut se montrer sacrément romantique quand il en a envie !

Nous dansons pendant quelques chansons, puis il disparaît à l'extérieur avec les autres hommes. Talon arrive et danse avec Anna le temps d'une chanson tandis qu'Arrow se tient en retrait, l'air d'avoir envie de le tuer à mains nues.

Faye vient se poster à côté de moi sans quitter du regard une jolie blonde. C'est à cet instant que je me souviens d'où je l'ai vue auparavant. C'est la femme avec laquelle Tracker est sorti pendant notre rupture.

— Que fait-elle ici ? sifflé-je entre mes dents.

Faye grimace.

— Elle a demandé à parler à Tracker.

— Vraiment ? rétorqué-je lentement, détachant chaque syllabe.

Lorsque Tracker revient à l'intérieur, je la vois courir vers lui pour le saluer. Tracker s'écarte d'un pas, ce qui m'amadoue légèrement, dissipant le brouillard rouge qui obscurcissait ma vue. Mais lorsqu'elle pose une main sur son torse, rien ne va plus.

Je m'approche d'eux et me poste à côté de Tracker, décidée à le mettre sur la sellette.

— Qui est-ce ? lui demandé-je en le regardant avec un sourire forcé.

Il serre les dents et sa grimace ne m'échappe pas.

— Personne.

— Que fait la main de personne sur le torse de mon homme ? m'enquiers-je en me tournant vers la femme pour la regarder en face.

La salope me regarde d'un air suffisant.

— Ce n'était pas ton homme quand il…

Je l'interromps.

— Quand il t'a laissée le sucer et a fermé les yeux en prétendant que c'était moi. Je sais. Nous avions rompu à ce moment-là, mais plus maintenant.

La femme écarquille les yeux.

— Je vois.

Tracker baisse les yeux sur elle.

— Je ne suis pas libre. Ça ne se reproduira plus, d'accord ? Il vaudrait mieux que tu partes.

Il emploie une voix douce, ce qui me plaît chez lui puisque cette femme ne mérite pas d'être traitée comme une merde. Elle était assez bien pour qu'il la laisse le sucer.

L'expression qui se peint sur son visage ne me plaît pas, mais elle s'en va et je la laisse faire sans rien ajouter.

Tracker me prend dans ses bras.

— As-tu fini ?

— Je trouve que je me suis plutôt bien conduite vu les circonstances, me défends-je en levant le menton.

Ses lèvres frémissent à l'instant où il attrape mon menton entre son pouce et son index.

— Tu n'as rien à craindre, d'accord ?

Je hoche la tête.

— Que tu sois dans les parages ou pas, je ne cherche pas à bousiller ce que nous avons.

— Excellent, dis-je d'une voix douce.

— Tu sais que tout le monde nous regarde comme de véritables salauds indiscrets en ce moment, n'est-ce pas ?

Je me tourne et balaie la pièce du regard. Oui, tous les yeux sont rivés sur nous. Je me retourne vers lui, la tête haute.

— Alors ?

Il rejette la tête en arrière et éclate de rire.

— Ça te plaît autant de te disputer que de baiser en public !

J'ai le souffle coupé.

— Ça suffit !

Il rit encore un peu, puis me prend dans ses bras à la manière d'une nouvelle mariée pour m'emmener à l'extérieur tandis que je me tortille pour me libérer.

— Où allons-nous ? m'enquiers-je.

Il fait comme si je n'avais rien dit et demande à Blade la clé du quatre roues motrices du club.

Après l'avoir déverrouillé, il me dépose sur la banquette arrière et monte, fermant la portière derrière lui.

— Qu'est-ce que tu fais ? le questionné-je, amusée, pendant qu'il essaie de manœuvrer son imposant physique dans l'espace restreint.

— Je vais te baiser, m'informe-t-il. Assieds-toi sur mes genoux ; tu vas me chevaucher.

— Autoritaire.

— Ça te plaît que je sois autoritaire. Je parie que tu es toute mouillée en ce moment, déclare-t-il d'une voix rauque en laissant courir son doigt le long de ma cuisse nue.

Je le suis ; maudit soit-il.

S'enfonçant dans le cuir de la banquette arrière, il détache sa ceinture, puis le bouton et la fermeture à glissière de son jean, avant de baisser juste assez son pantalon pour exposer sa queue et ses couilles.

— Monte.

Je fais glisser ma culotte le long de mes jambes, puis je l'enfourche, toujours vêtue de ma robe et de mon soutien-gorge. Il tient sa queue tandis que je m'empale sur lui jusqu'à la garde. Je me mets ensuite à remuer, d'abord doucement, puis j'accélère la cadence. Tracker écarte les cheveux de mon visage pour me couvrir de baisers des lèvres à la mâchoire en passant par le cou avant de refaire le chemin en sens inverse.

— Tu m'appartiens, Tracker, murmuré-je contre ses lèvres. Tu dis toujours que je t'appartiens, mais tu m'appartiens aussi.

— Je sais, poupée, répond-il, les yeux mi-clos. Je t'appartiens depuis la première fois où je t'ai aperçue.

Je pose les mains sur ses épaules, dont je me sers pour m'appuyer tandis que je lui astique le manche, nous entraînant tous deux vers l'orgasme.

— Bonne réponse.

Nous jouissons en même temps tandis que je prononce son nom en haletant.

— Faut-il retourner à l'intérieur ? lui demandé-je en me relevant pour ramasser ma culotte et essayer de me nettoyer. Il est hors de question que je la remette.

Il me la prend des mains et la fourre dans sa poche.

— Elle est à moi, maintenant.

— Pervers.

— Tu adores ça, lance-t-il en caressant doucement ma lèvre inférieure de son pouce. Nous pouvons rentrer si tu veux. Je dois d'abord vérifier avec Sin, mais ça devrait aller. À moins que tu veuilles rester pour danser avec Faye et Anna?

— Sans culotte? m'étonné-je en haussant un sourcil. Ça t'exciterait? Que je ne porte rien dessous et que tu sois le seul à le savoir?

Il se lèche les lèvres.

— Tu m'excites toujours, Lana.

— Réponds à ma question, insisté-je.

— Oui, bien sûr que ça m'exciterait. À moins qu'un autre homme s'approche et te touche les fesses ou quelque chose du genre, parce que dans ce cas je péterais les plombs.

J'attire son visage vers le mien pour pouvoir l'embrasser facilement.

— Allons danser le temps de quelques chansons; nous partirons après.

Il secoue la tête.

— Putain, quel genre de monstre ai-je créé?

— Un monstre parfait pour toi? le taquiné-je. Ou tu as peut-être seulement fait ressortir ma véritable nature.

Il suçote ma lèvre inférieure.

— Quoi qu'il en soit, je vais te prendre telle que tu es. Tu le sais.

Il appuie son front contre le mien.

Je l'embrasse.

Puis, nous allons danser avant de rentrer à la maison.

CHAPITRE 32
TRACKER

Nous ne voulions pas le faire, mais nous n'avions pas tellement le choix. Ce soir, pendant que tout le monde était au
Rift, nous avons fait installer des caméras partout dans le
club. Si l'enculé qui a tué Allie revient nous faire chier, ce soir
ou à l'avenir, nous voulons savoir de qui il s'agit. Ce n'est pas
les Kings of Hell, bien qu'il aurait été facile de leur faire porter le chapeau, surtout depuis que nous avons appris ce qui
l'unissait à leur vice-président. Mais il semble que ce salaud
s'était épris d'Allie et qu'il souhaite aussi la mort de la personne qui l'a tuée.

Putain.

Nous nous sommes organisés pour que Vinnie et Talon
fouillent l'endroit où vivent les Kings of Hell, un entrepôt
situé à environ une heure de route d'ici, juste au cas où. Ils
n'ont rien trouvé. Bon, ces enfoirés semblent réglo. Jusqu'à
preuve du contraire, nous les laisserons donc vivre leur vie.

Le pire, en revanche, c'est qu'il semble que quelqu'un du
club soit mêlé à cette affaire ou avait à tout le moins aidé
quelqu'un à s'introduire dans nos locaux.

J'espère de tout mon cœur que ce n'est pas le cas.

Sin est sur les nerfs, Arrow est sur le point d'arracher la
vérité de force à quiconque croise son chemin et je suis prêt
à tout pour m'assurer que Lana est en sécurité.

Ensuite, je veux l'épouser.

— Tracker, crie Sin en s'approchant de moi.

— Oui ?

Je suis debout près de ma moto et m'apprêtais à entrer.

— Je dois te parler de quelque chose.

— Quoi ? m'enquiers-je, mais son ton ne me plaît pas.

— Nous devons quitter le club pour attraper cet enfoiré. La dernière fois, nous étions tous sortis, mis à part quelques hommes, et toutes les femmes étaient à la maison. Je ne vois pas d'autre moyen que de partir à nouveau. Nous resterons tout près, bien entendu, mais je pense que nous devrions dire à tout le monde que nous partons faire un tour, sans que personne sache la vérité à part nous.

— Tu veux utiliser les femmes comme appât ? lui demandé-je en serrant les dents. C'est quoi ton problème, Sin ?

— Penses-tu que ça me fait plaisir ? répond-il avant de lâcher un juron. C'est ça ou nous passons tout notre temps à regarder par-dessus notre épaule en attendant de découvrir la vérité à propos de ce qui s'est passé.

— Doux Jésus, lâché-je. Tu devrais peut-être le dire au moins à Faye. Elle est capable de protéger les femmes, mais il vaudrait mieux qu'elle sache ce qui se passe.

Sin baisse les yeux.

— Ça te conviendrait ? Que Faye le sache, mais pas Lana ?

— J'ai confiance en Faye pour protéger Lana, reconnais-je. Je pense que ça me rassurerait de savoir qu'elle est au courant et protège les arrières des autres femmes.

— Elle est plutôt dure à cuire, réplique Sin avec un sourire suffisant qui n'atteint pas ses yeux. Je vais raconter ce qui se passe à Faye, mais à personne d'autre. Il faut régler cette histoire. Non que je n'aie pas confiance en mes hommes. Je vous confierais ma vie, à toi, Rake, Arrow, Irish et Vinnie. J'ai simplement besoin que tout le monde réagisse normalement ; je veux que personne ne sache ce qui se passe. Je vais reconstituer la scène. C'est un début.

— Brillant, dis-je. Putain, finissons-en. Tu peux me demander tout ce que tu veux, mon frère.

Sin pose une main sur mon épaule.

— Je sais.

Nous devons trouver l'enfoiré qui a osé venir nous faire chier juste sous notre nez.

CHAPITRE 33
LANA

Les hommes partent faire un tour. Il y a une semaine que nous sommes allés au Rift et rien de spécial ne s'est produit depuis. J'ai été accompagnée lors de mes allers-retours à l'université et j'ai pratiquement emménagé au club avec Evie. Tracker pensait que je serais plus en sécurité ici, près de lui et des autres membres du club. Je me sens aussi plus en sécurité ici, même si c'est ici que nous avons trouvé Allie. Je sais que les gens autour de moi n'hésiteraient pas s'ils devaient me sauver la vie. C'est le genre de lien qui unit les membres. Ils forment une famille. Non pas une famille imposée par les liens du sang, mais une famille qu'ils ont choisie. Certains diraient que c'est encore plus fort.

— Lana! s'exclame Clover en arrivant dans ma chambre en courant.

Je la prends dans mes bras et la fais tourner.

— Bonjour, princesse, la salué-je en posant un baiser sur sa joue rebondie. Comment vas-tu?

— Bien. Je vais dormir chez mamie ce soir.

— Ah oui? Comme c'est amusant, lui dis-je en la posant par terre.

— Nous allons faire des biscuits.

— Garde-m'en un, tu veux?

Elle hoche la tête.

— Je vais t'en faire un au chocolat.

— Génial.

— Oncle Tracker dit que tu aimes bien les biscuits au chocolat, souligne-t-elle avec un grand sourire.

— Oncle Tracker a raison.

Qu'il remarque tous ces petits détails me plaît.

— C'est là que tu te caches, Clo, lance Faye en arrivant. Prête à partir chez mamie ?

Elle hoche la tête et me fait au revoir de la main.

— Au revoir, Lana !

— Au revoir, ma puce.

Faye me regarde en fronçant les narines.

— Je reviens. Je vais aller la reconduire avec Sin.

— Je ne bouge pas, l'assuré-je en rejoignant Evie sur mon lit.

J'allume mon ordinateur. J'ai tapé un chapitre lorsque Tracker arrive.

— Nous partons dans une heure, annonce-t-il en s'allongeant à mes côtés. Viens ici.

Je pose mon ordinateur et vais me blottir contre lui.

— Tu pars pour trois nuits, c'est ça ?

Il hoche la tête.

— Oui. Les novices restent ici pour monter la garde. Si tu as besoin de quoi que ce soit, tu n'as qu'à le leur demander.

— D'accord, acquiescé-je. Ça ira.

Ses bras se resserrent autour de moi.

— Ça vaudrait mieux. Tu sais que je t'aime et que je suis prêt à tout pour te protéger, n'est-ce pas ?

— Je sais, affirmé-je. J'ai confiance en toi.

Son étreinte devient presque douloureuse.

— Tracker.

— Désolé, s'excuse-t-il en desserrant un peu ses bras. J'ai simplement envie de te serrer contre moi jusqu'à ce que vienne le temps de partir. Pourquoi ne me racontes-tu pas ce qui se passe dans ton nouveau livre ?

Je lui raconte l'histoire, puis réponds à toutes ses questions.

Avant de partir, il m'embrasse doucement et tendrement.

Il s'attarde.

Mais lorsqu'il part, un mauvais pressentiment s'empare de moi.

TRACKER

Les femmes vont bien.

Lana va bien.

Il ne leur arrivera rien.

Je me répète sans cesse ces trois phrases. Avons-nous commis une erreur avec ce plan ? Qu'avons-nous oublié ?

S'il arrivait quelque chose à Lana…

Je ne me le pardonnerais jamais.

Sin regarde les caméras de surveillance. Nous sommes à l'hôtel ; nous leur avons dit que nous nous arrêtions pour la nuit. Talon reste près du club, prêt à intervenir s'il se passe quelque chose.

Il ne nous reste qu'à attendre.

Lorsque nous voyons une silhouette entrer dans la chambre de Vinnie et dans la salle de bain où nous avons trouvé le corps d'Allie, nous sommes troublés. Que fait-il là ? Veut-il seulement voir la scène du crime ? Mais il se met ensuite à parler et ce qu'il dit constitue une preuve plus solide que tout ce que nous aurions pu imaginer.

— Je suis tellement navré, Allie, déclare-t-il en s'agenouillant pour toucher le sol. J'étais amoureux de toi, je suis navré. Je ne voulais pas te frapper si fort. J'étais tellement en colère, poursuit-il avant de pousser un profond soupir. Tu m'appartenais. Je préfère te savoir morte que dans les bras d'un autre.

Putain.

On dirait que nous avons trouvé notre assassin.

LANA

Le lendemain du départ de Tracker, je suis réveillée par des cris. Après avoir brusquement repoussé les couvertures, j'ouvre la porte et me précipite hors de la chambre, Evie sur les talons. Je mets quelques instants à analyser la scène qui se déroule sous mes yeux. Arrow tient Blade cloué au mur par le cou. Il est entouré de tous les autres membres du club. Tracker, Sin, Trace, Rake, Irish, Ronan et Vinnie regardent tous avidement, les yeux plissés ou les bras croisés sur leur torse.

Arrow prend son élan et frappe Blade en pleine figure.

Lorsque le sang se met à couler, je lâche un gémissement.

Pourquoi font-ils une telle chose?

Comment pouvaient-ils se contenter de rester là à regarder?

Tracker m'aperçoit et tourne brusquement la tête vers la porte.

— À l'intérieur, Lana. Tout de suite.

Je fais ce qu'il dit. À son ton, je sais qu'il ne rigole pas. Une fois passée la porte, je croise Faye, qui paraît fatiguée, et Anna, qui paraît troublée.

— Pourquoi Arrow est-il en train de défoncer la gueule de Blade ? s'exclame cette dernière, le souffle coupé. Que diable s'est-il passé ?

Je ne connais pas la réponse.

Faye nous attrape par les bras et nous entraîne dans la cuisine.

— Assises, nous ordonne-t-elle. Nous allons attendre qu'ils entrent.

Sin arrive le premier. Il balaie la pièce du regard, puis il attire sa femme vers lui.

— Il faut que nous discutions.

De toute évidence.

— Nous avons installé des caméras ici. Nous avons vu Blade se rendre dans la salle de bain de Vinnie et fixer l'endroit où nous avons trouvé le corps d'Allie. Il marmonnait des trucs en boucle, disant à quel point il était navré.

— C'est quoi ce bordel ? s'exclame Faye, le souffle coupé. Blade ?

Sin nous explique ce qui est arrivé. Apparemment, Blade et Allie couchaient ensemble. Il disait qu'il était amoureux d'elle. Lorsqu'il l'a aperçue à l'arrière de la moto de l'un des membres des Kings of Hell, il a pété les plombs. Allie s'était introduite dans le club pour aller récupérer quelque chose. Blade et elle se sont disputés. Il l'a frappée à la tête et a essayé de faire passer sa mort sur le dos de Vinnie en la laissant dans sa salle de bain. Apparemment, Vinnie avait déjà eu le béguin pour Allie dans le passé. Ç'aurait donc pu paraître louche si les hommes n'avaient pas confiance en Vinnie et si ce dernier n'avait pas été avec eux au moment du décès d'Allie. Blade avait verrouillé la porte avant de la fermer, enfermant ainsi Allie à l'intérieur.

Nous écoutons toutes avec de grands yeux, nos visages empreints de stupeur.

— Qu'adviendra-t-il de lui? m'informé-je, essayant de digérer le tout.

— Nous gérons la situation, grogne Sin. Ne vous en mêlez pas, compris?

Je déglutis.

Blade?

Combien de fois m'avait-il conduite ici et là, m'avait-il tenu compagnie ou avait-il ri avec moi?

D'innombrables fois.

Ils n'allaient certainement pas le... tuer, n'est-ce pas?

Anna cligne des yeux à profusion, comme si elle essayait de mettre de l'ordre dans ses pensées. Je regarde Faye, qui regarde son mari.

La situation ne me plaît pas du tout.

Des hurlements me parviennent de l'extérieur.

Je fais la sourde oreille.

Je retourne dans notre chambre et m'enfouis sous les couvertures. Je mets mes écouteurs et me laisse apaiser par la musique tout en essayant de chasser de mes pensées l'image de Blade, une personne en qui j'avais confiance, en train de se faire punir pour les crimes qu'il a commis.

***

Je me réveille entre des bras robustes.

Tracker m'enlève mes écouteurs et me tourne pour que je le regarde.

— Sin a dit qu'il vous avait tout raconté ?

Je hoche la tête.

— Qu'est-il advenu de lui ?

Il grimace.

— Poupée…

— Merde, Tracker, soufflé-je. Il l'a vraiment tuée ?

Il hoche la tête.

— Il a avoué.

— Tout le monde avait confiance en lui, dis-je doucement.

— Je sais, répond-il, une lueur de désolation dans les yeux. Je lui ai confié ta protection à maintes reprises. Il a aussi dit qu'il était avec Allie lorsqu'elle t'a battue chez ta mère. Il était présent, Lana. Je ne le lui pardonnerai jamais. Jamais. Il a payé pour ce qu'il a fait ou, dans ton cas, ce qu'il n'a pas fait.

Un sentiment de trahison se répand dans mes veines.

Il l'a regardée me battre ? S'attaquer à moi par-derrière ? Me prendre par surprise pour que je n'aie aucun moyen de me défendre ?

Merde.

— C'est terminé, maintenant, chuchote Tracker.

Je déglutis.

— Je suppose que tu as raison.

— C'est délicat avec les novices, admet-il. Tant qu'ils n'ont pas passé le test, nous ne savons jamais vraiment qui ils sont. Je ne te laisserai plus jamais avec l'un d'eux. Uniquement avec des membres à part entière.

— Tracker…

— Tu tiens bien le coup, poupée. Je suis fier de toi. Tu sais que nous avons installé des caméras ici et que nous vous avons laissées seules ; j'avais l'impression de vous utiliser comme appâts. Ça ne m'a sacrément pas plu ; je n'ai pas fermé l'œil de la nuit. Si je ne suis pas devenu fou, c'est uniquement parce que Talon était tout près au cas où et que Sin regardait les images en direct, poursuit-il avant de marquer une pause. Le plus triste, c'est que Blade paraissait… bouleversé par ce qui est arrivé à Allie. Il est allé dans la salle de bain et s'est mis à pleurer. Il l'a tuée, puis il l'a pleurée, putain.

Tracker déglutit avec peine, essayant de reprendre la maîtrise de ses émotions.

— Ç'a dû être difficile à regarder.

— Oui. Il faut qu'il ait été quelque peu instable pour faire une chose pareille. Ou il pensait peut-être que ce serait sans conséquence. Mais le fait qu'il ait essayé de mettre ça sur le dos de Vinnie, un de nos frères, prouve qu'il n'a aucune loyauté.

— Saviez-vous que Blade et Allie couchaient ensemble ? vérifié-je.

Il secoue la tête.

— Pas du tout. Elle a dû commencer à coucher avec lui en douce lorsque nous avons commencé à sortir ensemble. Je ne sais pas comment elle s'y est prise pour le convaincre de l'accompagner lorsqu'elle s'est introduite chez ta mère. Ces deux-là ensemble… Deux psychopathes.

— Je suis désolée, murmuré-je.

— Je ne pensais qu'à toi, Lana. Je savais que Faye assurerait tes arrières. Elle est restée debout toute la nuit à sillonner le club pour garder un œil sur tout le monde.

— Faye était au courant, mais pas nous ? m'étonné-je, légèrement offensée. Et s'il s'était passé autre chose ? N'aurait-il pas été préférable que nous sachions à quoi nous attendre ?

Le regard de Tracker s'adoucit.

— Je savais que Faye veillerait sur toi. Je ne voulais pas que tu t'inquiètes. Il faut parfois que tu aies confiance en mon jugement, d'accord ? Je pense toujours à toi. Tu es ma priorité.

— J'ai confiance en toi.

— Excellent. Maintenant, tends-moi ces lèvres, m'ordonne-t-il.

Je l'embrasse doucement et tendrement.

***

Je suis en train de faire une chose que jamais je n'aurais cru faire.

Je dîne avec ma mère et mon père.

Ensemble.

C'est étrange, mais agréable.

— Comment vont les cours ? s'enquiert mon père.

— Bien, l'informé-je. Je suis très occupée entre l'université et l'écriture.

— Et Tracker, ajoute ma mère, une lueur d'amusement dans les yeux. À quand le mariage ?

Je manque m'étouffer avec ma gorgée de vin.

— Pas tout de suite.

— Je suppose que je vais devoir attendre longtemps avant d'être grand-mère, dans ce cas, prononce-t-elle, boudeuse.

Mon père, en revanche, semble soulagé, mais il ne dit rien.

— Donc, tu étais un bon ami de l'ancien président ? lui demandé-je.

Il hoche la tête.

— Oui, Jim et moi étions très proches. C'était un homme bien.

— Sin est un bon président pour le club.

— Oui, en effet, soutient mon père en hochant la tête.

— Où est Tracker ce soir ? s'enquiert ma mère en buvant son verre.

— Il avait des choses à régler pour le club, rétorqué-je. Il viendra me chercher plus tard.

Nous discutons toute la soirée. C'est chouette, mais je me questionne. Que serait-il arrivé si mon père avait choisi sa famille plutôt que sa carrière ?

Au bout du compte, je suppose que le passé n'a pas d'importance.

Je vis l'instant présent et la vie est belle.

CHAPITRE 34

— Suis-je vraiment obligé de faire ça ? grommelle Tracker. Sais-tu à quel point je vais faire rire de moi à cause de ça ?

Je le sais, mais je m'en fiche. Il a dit qu'il le ferait, eh bien, c'est le moment.

— Maintenant que nous sommes ici, autant en finir. En plus, tu es sacrément séduisant en ce moment.

— Doux Jésus, femme, ce que je ne ferais pas pour toi, soupire-t-il avec résignation. C'est une sacrée preuve de l'amour que j'ai pour toi. Je ne ferais ça pour personne d'autre que toi.

— Je sais, admets-je. Je t'en suis reconnaissante.

— Il vaudrait mieux, réplique-t-il, l'air renfrogné, en jouant avec le chapeau sur sa tête.

Je me mords les lèvres pour essayer de ne pas rire de son malheur. Il est tellement mal à l'aise. Tracker sait qu'il est beau, mais je sais que faire une telle chose ne lui vient pas vraiment naturellement. Il utilise ses charmes pour séduire les femmes, mais je ne pense pas qu'il soit réellement vaniteux. Il est simplement sûr de lui et ceci n'est vraiment pas son genre. Mais je ne peux tout de même pas m'empêcher de l'admirer. Avec son physique bien défini, ses tatouages et le « V » de ses hanches, il est phénoménal. Ne me parlez pas de sa tablette de chocolat, parce que je pourrais écrire un livre entier sur son caractère exceptionnel.

— C'est toi qui as fait fuir Wyatt, à toi de le remplacer maintenant, le sermonné-je en faisant signe au photographe de continuer la séance photo. Nous avons seulement besoin de quelques clichés supplémentaires. S'il te plaît, Tracker.

— Wyatt était un connard, souligne-t-il en contractant ses biceps de manière aguichante.

— Oui, il ne m'a même pas rappelée lorsque j'ai eu besoin de lui pour une autre couverture.

— Excellent. Il est plus intelligent qu'il en a l'air.

— Eh bien, cesse de te plaindre, dans ce cas, le réprimandé-je en essayant de ne pas rire.

Tracker se gratte la nuque, puis il fait ce qu'on lui dit et suit les directives du photographe. Mon nouveau livre est un roman d'amour western ; Tracker est donc torse nu et porte un chapeau de cowboy, un jean et des jambières en cuir ainsi que des bottes assorties.

Il est sacrément séduisant.

Ses cheveux blonds détachés lui tombent sur les épaules en vagues légères et la barbe naissante qui recouvre ses joues est plus épaisse qu'à l'habitude.

Exquis.

Les femmes vont acheter mon livre uniquement pour la couverture.

Il bande ses muscles, puis change de posture pour passer une main sur ses abdos. Juste à le regarder, je suis excitée et impatiente de le ramener au lit après la séance, toujours vêtu de son costume.

Je n'arrive toujours pas à croire qu'il m'appartient.

Tout entier.

Son chapeau dans une main, il glisse un pouce dans un passant de sa ceinture et me fusille du regard avant de reprendre un air séduisant pour l'objectif.

L'appareil photo l'adore.

Moi aussi.

Il continue à poser tout en me lançant ici et là des regards noirs pour me faire savoir que la situation ne lui plaît pas, mais qu'il le fait pour moi. Normalement, j'utilise Wyatt et une femme mannequin pour mes couvertures, mais il était hors de question que je regarde un quelconque mannequin se frotter contre Tracker ; il y paraîtra donc en solo.

La couverture sera abdo-licieuse.

Nous terminons la séance photo et il se dirige droit vers moi.

— Je pense que le style motard me va mieux que le style cowboy.

— Je pense que tous les styles te vont bien, souligné-je en laissant ma main courir sur son torse.

Il baisse les yeux sur moi avec un regard entendu.

— Ça te fait mouiller de me voir en cowboy, pas vrai ?

— Bien entendu. Tu es… Ouah. Tracker, tu es si séduisant. Plus séduisant que tous les autres hommes mannequins de couverture que j'ai vus.

— Y compris Wyatt ? me demande-t-il d'un ton sec.

— Mille fois plus que Wyatt, le rassuré-je en me léchant les lèvres de manière aguichante. En fait, poursuis-je, j'ai vraiment envie d'épargner un cheval en ce moment.

— Pardon ? s'exclame-t-il en fronçant les sourcils.

— Je veux épargner un cheval en montant un cowboy.

Ses lèvres frémissent.

— Poupée, si tu as envie de baiser, tu n'as qu'à le demander.

Nous ne nous rendons pas jusqu'à la maison.

Je l'enfourche dans la voiture et le chevauche jusqu'à ce que nous jouissions tous les deux avec une telle intensité que nous en perdons presque connaissance.

Lorsque nous arrivons enfin à la maison, tous les frères de Tracker l'attendent à l'extérieur pour rire de lui. Les cris et les sifflements commencent à se faire entendre.

— À présent, il va falloir que je leur mette à tous une raclée sur le ring pour faire mes preuves, grommelle Tracker, mais il me fait un clin d'œil espiègle.

— Bordel de putain de merde ! hurle Faye en l'apercevant.

Elle s'approche en s'éventant.

— Salut, cowboy !

Sin l'attrape, la jette par-dessus son épaule et quitte la pièce.

— Ce n'est pas de ma faute s'il est si séduisant, crie-t-elle, ce qui lui vaut une claque sur les fesses. Aïe ! Ça fait mal.

— Tu vois, dis-je à Tracker. Ce n'est pas que moi.

Regardant autour de lui, il aperçoit Anna et Jess qui le fixent aussi, ainsi que les inconnues qui accompagnent Rake.

— Est-ce l'effet que ça fait d'être une femme ? D'être perçu comme un morceau de viande ? s'enquiert-il, l'air songeur. Je ne sais pas si ça me plaît.

— Pour la prochaine couverture, tu peux incarner un séduisant Écossais vêtu d'un kilt, lui annoncé-je, tombant presque en pâmoison rien qu'à y penser.

— Putain de merde, grogne-t-il.

— Ou un Viking. Tu ressembles vraiment à un Viking.

— Lana.

— Oui ?

— Heureusement que tu es belle parce que tu es une véritable casse-couilles.

***

Je prépare Evie pour la nuit : je la brosse et la sors avant de la mettre au lit. Après m'être occupée d'elle, je prends une longue douche et revêts mon pyjama. Je viens de me mettre au lit lorsque j'entends Tracker arriver ; il déverrouille la porte d'entrée, puis la verrouille à nouveau.

— Chapitre 10, lance-t-il en entrant dans notre chambre, mon livre à la main.

— Que se passe-t-il au chapitre 10 ? m'informé-je. Puis, bonsoir à toi aussi.

Il arbore un petit sourire penaud, se penche vers moi et pose un doux baiser sur mes lèvres.

— Salut, poupée.

— Salut. Maintenant, que se passe-t-il au chapitre 10 ? répété-je. Puis, n'étais-tu pas censé être au Rift ? Pourquoi diable emportes-tu mon livre partout où tu vas ?

— Je veux le faire avec toi. Tout de suite, déclare-t-il en plissant les yeux pour regarder la page. Ça l'air excitant. Puis, une fois que je l'ai commencé, je ne pouvais plus m'arrêter ; je l'ai donc emporté.

Le motard le plus romantique qui soit.

Curieuse, je jette un coup d'œil à la page pour voir de quelle scène il parle.

— Ne me dis pas, marmonné-je en enlevant mes lunettes pour les poser sur la table de chevet.

Tracker a officiellement emménagé avec moi la semaine dernière, bien que nous passions toujours beaucoup de temps au club. C'est chouette d'avoir notre endroit à nous ; nous avons beaucoup plus d'intimité. Tracker a avoué qu'il adorait cet appartement et qu'il avait dit le contraire simplement parce qu'il voulait que j'emménage au club avec lui, ce que j'avais fini par déduire de toute manière.

— Tu as écrit une scène de plan à trois.

— Oui, affirmé-je lentement.

— Est-ce que ça signifie qu'il s'agit d'une chose que tu aimerais essayer ? Parce que je ne crois pas pouvoir très bien composer avec ça, admet-il. Enfin, je composerais mieux avec une deuxième femme qu'avec un deuxième type, poursuit-il avant de marquer une pause. Je tuerais probablement le type.

Je lui lance mon oreiller.

— Bel essai.

Il rit.

— Hé, c'est toi qui écris ces scènes. Ça sème des idées obscènes dans mon esprit qui l'est déjà.

— Ce n'est pas parce que je les écris que j'ai envie de toutes les reproduire. C'est parfois excitant de simplement fantasmer.

— Hum. Je vais écrire ma propre scène érotique, propose-t-il en se frottant le menton.

Il attrape mon ordinateur et se met à taper. Curieuse, je n'arrive pas à m'empêcher de le regarder faire.

Elle m'attend au lit, nue, les jambes écartées. Sa chatte est toute luisante et j'en ai l'eau à la bouche ; j'ai envie de la goûter.

Non, de la dévorer.

Un sentiment de possessivité s'empare de moi. Elle m'appartient. Je tuerai quiconque essaiera de me l'enlever.

— *Tracker*, murmure-t-elle en me gratifiant d'un sourire aguichant.

— *Tu m'attendais, n'est-ce pas ? lui demandé-je en commençant à me dévêtir sans pouvoir la quitter des yeux.*

Comment puis-je avoir une telle chance ? Avec mes mains tachées de sang, les choses que j'ai faites. La manière dont j'ai traité les femmes dans le passé. Dont je les ai utilisées. Mais Lana, elle m'appartient. Elle est sacrément loyale, diablement intelligente et elle n'a d'yeux que pour moi.

— *Toujours, répond-elle. L'idée de t'avoir en moi suffit à me faire mouiller, alors fais vite.*

Je baisse les yeux sur elle en souriant de toutes mes dents.

— *Tu es une petite gourmande, n'est-ce pas ? Exigeante. Tu devrais savoir que c'est moi qui dicte les règles ici.*

Elle serre les cuisses. Ça lui plaît que je sois autoritaire. Je le sais et j'en profite.

Maintenant nu, je caresse ma queue en la regardant pour la laisser se tortiller juste un peu plus longtemps. Après m'être agenouillé, j'écarte ses cuisses crème et enfouis ma tête entre elles sans dire un mot.

Elle a un doux goût de miel.

Une odeur qui m'appartient totalement et qu'aucun autre homme ne goûtera jamais.

— C'est sacrément excitant, Tracker, remarqué-je, impressionnée. Mon séduisant motard écrivain. Y a-t-il seulement une chose que tu ne saches pas faire ?

— Convaincre ma femme de faire un plan à trois ? plaisante-t-il.

Je ris, puis je lui enlève mon ordinateur pour prendre sa place sur ses genoux.

— Je t'aime.

— Je t'aime aussi, répond-il, et ses traits s'adoucissent tandis qu'il examine mon visage. Tu m'as dégoûté de toutes les autres femmes, exactement comme tu l'avais prédit. Tu es ma destinée.

Jamais d'aussi romantiques paroles n'ont été prononcées.

# ÉPILOGUE

Deux ans plus tard

— Tes seins sont immenses, dis-je à Anna, qui est enceinte jusqu'aux yeux.

Son traitement de FIV a fonctionné et elle attend son tout premier petit rayon de soleil.

— Combien de mains crois-tu qu'il faut pour en couvrir un ? Je pense qu'il en faudrait quatre des miennes.

Elle sourit de toutes ses dents.

— Deux mains d'hommes.

— Ouais, si ce sont les mains d'Hagrid, lancé-je, faisant référence au personnage d'Harry Potter. Ou d'une autre créature masculine géante.

Un fou rire secoue tout son être.

— Les deux mains d'Arrow suffisent amplement.

— De toute manière, que fais-tu ici ? lui demandé-je en désignant d'un geste le bar autour de nous. Ne devrais-tu pas être chez toi à te reposer ?

C'était le début de la soirée au Rift ; les gens qui y traînaient n'étaient pas encore totalement ivres.

— Je ne pouvais pas rater ça, murmure-t-elle.

Rater quoi ?

— Avez-vous choisi un nom pour le bébé ?

— Si c'est une fille, j'aimerais l'appeler Alana, annonce-t-elle en caressant son ventre rond.

— Pardon? murmuré-je.

Anna sourit.

— Je ne voulais pas avoir deux Lana, alors j'ai pensé qu'Alana ferait l'affaire.

— Anna...

— Ne la joue pas sentimentale avec moi, Lana, m'interrompt-elle. Ces hormones me gonflent sacrément. Un rien me fait pleurer.

— Prends sur toi, Anna, la réprimandé-je d'un air sévère. Tu vois, tout ce dont tu as besoin, c'est d'un peu de fermeté.

Mon commentaire la fait rire.

— La fermeté et toi, ça ne va pas ensemble.

Je lève les yeux au ciel.

— Ne me sous-estime pas, salope.

Elle lève les yeux vers moi.

— Ne t'en fais pas, je te connais mieux que ça.

Tracker s'approche de moi par-derrière et enfouit son nez dans mon cou.

— Te voilà.

Sa présence me fait sourire.

La chanson *Thinking Out Loud* d'Ed Sheeran se met à jouer et mon sourire s'agrandit.

Putain, j'adore cette chanson!

C'est la première fois que je les entends jouer un slow au Rift.

— Je dédie cette chanson à Lana, annonce l'homme au micro, provoquant chez moi un hoquet de surprise.

Les mains de Tracker resserrent leur emprise sur ma taille tandis qu'il me fait tourner sur moi-même pour m'embrasser. Lorsqu'il s'écarte, il met la main dans sa poche et en tire une boîte en velours noir, d'où il sort la plus belle bague que j'ai jamais vue.

— Épouse-moi, me chuchote-t-il à l'oreille. Fais de moi l'homme le plus heureux qui soit.

— Bien entendu que je vais t'épouser ! hurlé-je en lui tendant ma main.

Il glisse l'immense diamant à mon annulaire, puis le regarde d'un air approbateur. Il me va à ravir.

— Elle est magnifique, Tracker. Je l'adore.

— Je t'adore, toi, Lana, me relance-t-il en m'embrassant. Je te garde.

Il appuie son front contre le mien.

— Pouvons-nous rentrer à la maison et baiser maintenant ? J'ai besoin de te pénétrer.

Son commentaire me fait sourire ; terminé, l'instant de romantisme.

— Je suis certaine qu'il y a une pièce déserte quelque part dans les environs...

Il secoue la tête, souriant de toutes ses dents.

— On t'a créée sur mesure pour moi, Lana. Sur mesure, putain.

Je suis exactement du même avis.

DE LA MÊME SÉRIE

TOME 1
L'ANTRE DU DRAGON

TOME 2
L'ENFER D'ARROW

éditions

www.ada-inc.com
info@ada-inc.com

 www.facebook.com/EditionsAdA

www.twitter.com/EditionsAdA